Windows
Millennium Edition
Me

SERGES MEDIA

Édition autorisée © 2001 Serges Media Sarl, Paris
Imprimé en Allemagne
Tous droits réservés
ISBN 2-84584-069-1
www.serges.fr

Table des matières

Chapitre 1
Introduction à Windows Me

Chapitre 2
L'Aide de Windows

Chapitre 3
Programmes et documents

Chapitre 4
Bureau, Barre des tâches et menu *Démarrer*

Chapitre 5
Poste de travail et *Explorateur Windows*

Chapitre 6
La *Corbeille*

Chapitre 7
Fonctions de recherche de Windows

Chapitre 8
Le Panneau de configuration

Chapitre 9
Les Outils système

Chapitre 10
Applications multimédias

Chapitre 11
Applications en ligne

Chapitre 12
L'application graphique *Paint*

Chapitre 13
Le programme de traitement de texte
WordPad

Glossaire de Windows Me

1. Introduction à Windows Me

Le premier chapitre illustre les caractéristiques fondamentales du système d'exploitation à interface graphique *Windows Me*. Il décrit tout d'abord le lancement et la fermeture de *Windows*. Il indique ensuite comme définir le mode de lancement ou les *Commandes MS-DOS* en fonction de vos exigences. Il montre, par ailleurs, comment utiliser correctement la souris dans *Windows Me* et décrit les fonctions associées au bouton droit.

Lancement de *Windows Me*

Windows Me est la révision, publiée en 2000, du système d'exploitation Windows 98 à 32 bits, commercialisé depuis 1998, qui ne requiert pas la connaissance de *MS-DOS* (*Microsoft Disk Operating System*) de la part de l'utilisateur. A présent, il n'est plus nécessaire de lancer une commande pour activer l'interface graphique de *Windows Me*.

Mise sous tension

BIOS

Pour lancer *Windows Me*, il vous suffit d'allumer l'ordinateur et éventuellement votre moniteur. Après la mise sous tension, l'ordinateur est soumis à différents tests. Le *BIOS* (*Système de gestion de base des entrées/sorties*) vérifie si l'ordinateur reconnaît tous les dispositifs qui y sont reliés, tels que les unités de disque dur, les lecteurs de disquettes et de CD-ROM, la mémoire de travail et la carte graphique afin qu'il puisse les utiliser correctement. Sur la plupart des ordinateurs, ce processus est accompagné de messages s'affichant à l'écran.

Chargement

Quelques secondes après ces messages, le système affiche l'écran initial avec le logo de *Windows Me*. Au cours de cette phase, le disque dur est en pleine activité car il doit charger des centaines de fichiers système, des documents et des pilotes ainsi que les programmes initiaux.

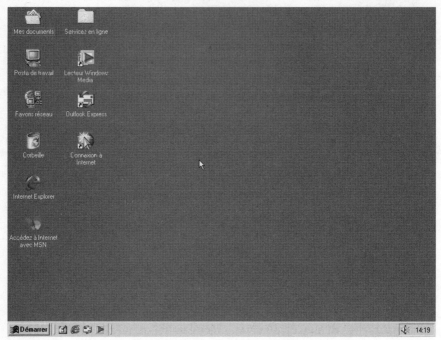

Figure 1.1   Le bureau de Windows Me après la mise sous tension de l'ordinateur

Réseau Windows Me

Dans un réseau *Windows Me* ou avec l'administration utilisateur activée, le système affiche, après quelques secondes, la boîte de dialogue *Saisie du mot de passe réseau* (voir la Figure 1.2). Le temps de démarrage de *Windows Me* a été considérablement réduit par rapport aux versions précédentes. Tapez votre nom dans le champ *Nom d'utilisateur* et sous *Mot de passe* le mot défini lors de l'installation puis appuyez sur la touche ⏎ ou cliquez sur le bouton *OK*.

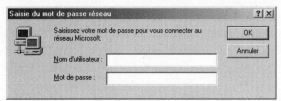

Figure 1.2   Cette boîte de dialogue permet à l'utilisateur d'accéder à des réseaux *Windows Me*

Au terme de cette connexion, le système affiche le bureau qui constitue la zone de référence pour travailler sous *Windows Me*.

Fermeture de *Windows Me*

Quand votre travail avec *Windows Me* est terminé, vous devez bien évidemment éteindre votre ordinateur mais attention, vous devez absolument suivre la procédure décrite ci-dessous.

Lors du démarrage de *Windows,* des centaines de fichiers sont chargés. Durant l'utilisation des différentes applications logicielles, l'ordinateur manipule des informations spécifiques sur le disque dur et dans la mémoire de travail sans que l'utilisateur s'en aperçoive. Avant de mettre l'ordinateur hors tension, ces données doivent être correctement mémorisées ou effacées. En conséquence, il ne faut en aucun cas éteindre l'ordinateur en appuyant sur l'interrupteur de marche/arrêt car vous pourriez perdre des données et provoquer de mauvais fonctionnements.

Fermeture de

Windows Me

Pour quitter *Windows Me*, il faut procéder d'une façon qui peut vous sembler contradictoire puisque vous devez cliquer sur le menu *Démarrer* mais sachez que ce menu représente la centrale de commande du système d'exploitation à interface graphique. Cliquez donc sur *Démarrer* puis sur la commande *Arrêter*.

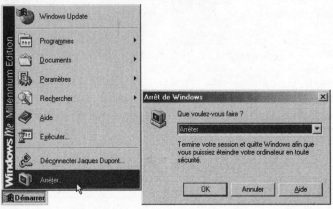

Figure 1.3   La boîte de dialogue *Arrêt de Windows* s'ouvre à partir du menu *Démarrer*

Le comportement du système varie selon que les documents ouverts ont été enregistrés ou pas. A ce stade, le bureau s'assombrit et le système affiche la boîte de dialogue *Arrêt de Windows* (voir la Figure 1.3 à droite). Sélectionnez l'option *Arrêter* et appuyez sur ⏎ ou cliquez sur *OK*.

Documents non enregistrés

Quand vous sélectionnez *Arrêter*, s'il y a encore des documents ouverts non enregistrés dans les applications *Windows*, un message permettant l'enregistrement des données s'affichera. Si l'enregistrement n'est pas nécessaire, cliquez sur *Non* dans la boîte de message.

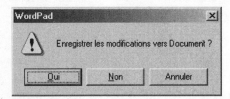

Figure 1.4   Durant l'arrêt du système, Windows Me signale la présence d'éventuels documents non enregistrés

Arrêt du système en cours

A ce stade, *Windows Me* arrête automatiquement toutes les applications ouvertes puis le système est désactivé. Après un instant, l'écran devient noir et le message « Vous pouvez maintenant éteindre votre ordinateur en toute sécurité » s'affiche au centre. Au terme de toutes ces opérations et du dernier message, vous pouvez appuyer sur l'interrupteur de marche/arrêt. Les ordinateurs modernes s'éteignent automatiquement après quelques secondes.

Utilisation de la souris sous *Windows Me*

Les personnes qui n'ont jamais utilisé une interface graphique pourraient, au début, avoir du mal à travailler avec ce « rongeur électronique ». En effet, les débutants ont souvent l'impression que le pointeur se déplace sur l'écran plus rapidement que la souris.

Conseils pour l'utilisation

Il n'est cependant pas difficile d'apprendre à utiliser la souris. En très peu de temps, on s'y affectionne et on ne peut plus s'en passer. En plus des notions relatives à la manipulation et au déplacement de la souris, il est nécessaire de connaître les commandes les plus importantes qui y sont associées.

Interface graphique

Tout au long du manuel, nous vous demanderons d'effectuer des actions à l'aide de la souris. Le grand avantage offert par une surface graphique telle que *Windows Me* est que la souris permet d'effectuer n'importe quelle opération. Posez votre poignet sur le tapis de la souris puis votre main sur cette dernière. Placez votre index sur le bouton gauche de la souris sans appuyer. Comme dans la suite du manuel nous nous réfèrerons à des actions précises, nous voulons établir une définition univoque des commandes principales de la souris.

Pointeur de la souris

Après le démarrage de Windows, une petite flèche ⃕apparaît sur l'écran. Il s'agit du *pointeur de la souris*, que l'on appelle couramment *pointeur*. Si vous ne le voyez pas, déplacez un peu la souris sur le tapis.

La flèche se déplace sur l'écran

Vous pouvez constater que le pointeur répond rapidement à votre commande. Quand vous déplacez la souris, il reproduit avec précision ses mouvements. En effet, si vous déplacez la souris vers le haut, la flèche ⃕ se déplacera vers le haut et si vous allez vers la gauche, le pointeur ira dans la même direction.

Figure 1.5   Actions de la souris : pointer, cliquer et faire glisser

Principe « balistique »

Plus le mouvement de la souris est rapide, plus la distance parcourue par le pointeur sur l'écran est grande. Si la souris se déplace lentement, le pointeur exécute des déplacements brefs et lents.

Ce principe « balistique » est très important. En effet, avant d'exécuter une action ou une commande à l'aide de la souris, il faut placer le pointeur sur une position bien déterminée.

Opérations de la souris : *pointer*

Cette opération est appelée *pointer*. Déplacez la souris de façon à ce que le pointeur se trouve sur l'icône de la *Corbeille* située sur le bureau. Cette action qui s'appelle *pointer* n'entraîne aucune réaction de l'ordinateur.

Figure 1.6 Le pointeur de la souris est placé sur une icône

Opérations de la souris : *cliquer*

Appuyez une fois sur le bouton gauche de la souris, l'icône de la *Corbeille* est ainsi sélectionnée, l'opération que vous venez d'exécuter est appelée couramment *cliquer*. Pour exécuter la plupart des opérations, on utilise le bouton gauche de la souris. Le bouton droit permet en revanche de rappeler un *menu contextuel*. A moins qu'il ne soit expressément indiqué de cliquer sur le bouton droit, utilisez le bouton gauche chaque fois que nous vous demanderons de cliquer.

Figure 1.7 Lorsque vous cliquez sur une icône, celle-ci est mise en surbrillance

Opérations de la souris : *faire glisser*

L'icône de la *Corbeille* étant sélectionnée, appuyez sur le bouton gauche de la souris et maintenez-le enfoncé. Déplacez un peu la souris vers la droite, cette action s'appelle *faire glisser*.

Vous pouvez constater que l'icône de la *Corbeille* est « attachée » au pointeur. Si vous relâchez le bouton de la souris, l'icône sera positionnée à l'endroit choisi. La combinaison des deux opérations de la souris s'appelle *glisser-déplacer* ou en anglais *Drag & Drop*.

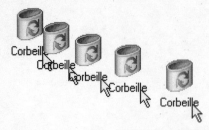

Figure 1.8   Voilà le glissement d'une icône

Zones de texte   Le glissement à l'aide de la souris est utilisé dans les zones de texte des boîtes de dialogue ou dans les programmes de traitement de textes sous *Word*, tels que *Wordpad*. Le *glissement* permet de sélectionner des textes ou des morceaux à mettre en forme, à recouvrir, à effacer ou à copier. Pour cela, positionnez le pointeur devant le premier caractère à sélectionner, cliquez puis faites glisser la souris en maintenant enfoncé son bouton jusqu'au dernier caractère voulu.

Opérations de la souris : *Double-clic*

A présent, positionnez encore une fois le pointeur sur l'icône de la *corbeille*. Pour cette opération, les utilisateurs novices devront faire un petit effort de concentration car il faut appuyer rapidement deux fois sur le bouton gauche de la souris. Cette opération qui s'appelle *double-clic* permet d'ouvrir des dossiers et des documents, de lancer des programmes ou d'exécuter rapidement des commandes.

Pause trop longue   Si la fenêtre illustrée dans la Figure 1.9 s'affiche, cela signifie que toutes les opérations nécessaires ont été exécutées correctement. Si rien ne se passe, c'est parce que la pause entre les deux clics est trop longue. Essayez encore une fois. Vous verrez que bientôt le double-clic sera pour vous un jeu d'enfants.

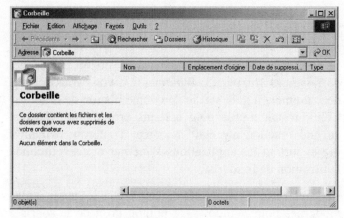

Figure 1.9   Ouverture de la corbeille à l'aide d'un double-clic

Nous voulons à ce stade, résumer les commandes les plus importantes de la souris et utiliser, pour cela, encore l'icône de la *Corbeille*.

Pointez le menu *Fichier* et cliquez pour l'ouvrir. Positionnez le pointeur sur la commande *Fermer* pour la sélectionner puis cliquez, ainsi vous quitterez la corbeille.

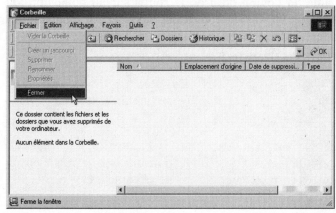

Figure 1.10   Ouverture du menu à l'aide d'un clic, pointage de la commande et exécution par simple clic

Fonction du bouton droit de la souris

Si vous avez déjà travaillé avec une version précédente de *Windows Me*, par ex. *Windows 3.x*, vous vous demandez sûrement à quoi sert le deuxième bouton de la souris. Celui-ci était inutile pour certains programmes puisque aucune fonction n'y était associée. Toutefois, *Windows Me* et surtout les applications *Windows* ont révolutionné l'utilisation de la souris.

En effet, dans *Windows Me* et dans toutes les applications modernes pour Windows, le bouton droit de la souris a une fonction bien précise : il permet de rappeler le menu contextuel de presque tous les éléments ou zones de l'écran ainsi que de leurs composants.

Menu contextuel

Ces menus, affichés à l'endroit où se trouve le pointeur, contiennent des rubriques qui changent en fonction des éléments pointés.

Bouton droit de la souris

Essayons d'en utiliser quelques-uns : si vous cliquez à l'aide du bouton droit de la souris sur un point libre du bureau, un menu contextuel apparaît. Il contient les commandes permettant d'organiser les icônes, de créer de nouveaux dossiers, etc.

Figure 1.11   Menu contextuel du bureau

La façon la plus rapide

Comme le bureau ne possède pas une propre barre de menus, le menu contextuel représente la façon la plus rapide (parfois la seule) d'exécuter des opérations déterminées.

Un clic sur un point libre ou la pression de la touche Echap entraîne la fermeture du menu contextuel. Les icônes figurant sur le bureau, la barre des tâches et le bouton *Démarrer* possèdent chacun un menu contextuel mais pour le rappeler, il faut sélectionner l'objet voulu.

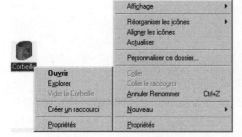

Figure 1.12   Menu contextuel de la *Corbeille* et de la *barre des tâches*

Windows permet de modifier les propriétés de la souris avec le *Panneau de configuration*. Les gauchers peuvent modifier la disposition des boutons en passant de la configuration standard pour *Droitier* à la configuration pour *Gaucher*, ils inversent ainsi les fonctions des boutons de la souris. En conséquence, pour afficher le menu contextuel, ils devront appuyer sur le bouton gauche de la souris. Les procédures décrites dans ce manuel se réfèrent toujours à la configuration standard. Vous trouverez d'autres informations sur les propriétés de la souris dans le chapitre 8.

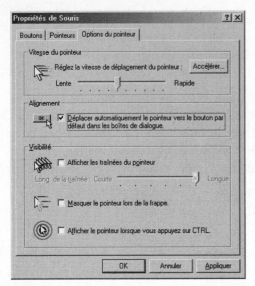

Figure 1.13   Paramètres relatifs à la *souris* dans le *Panneau de configuration*

Utilisation des menus

Sous *Windows*, les commandes sont regroupées dans des menus. Les fenêtres de dossier et d'application possèdent une *barre de menus*, située sous la barre de titre, où figure le nom des menus disponibles. Chaque menu contient une liste de *commandes* rangées par thèmes et permettant d'exécuter des opérations spécifiques.

Menu système   Le *menu système* est un menu particulier contenant les commandes permettant de changer la taille ou la position des fenêtres. Il est constitué d'une icône représentant soit un dossier ouvert 🗀 soit l'icône de l'application activée qui se trouve dans la barre de titre en haut à gauche.

Figure 1.14   Exemples d'icônes du *menu système*

Menu

Toutes les fenêtres de dossier et d'application du menu *Démarrer* ont une structure identique : elles possèdent les menus *Fichier, Edition, Affichage, Favoris* et *?* (*Aide*). Le nombre et la fonction des options de menu disponibles dépend du type d'élément sélectionné et des conditions opérationnelles courantes.

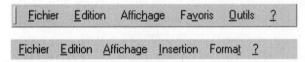

Figure 1.15   Barre de menus d'une fenêtre de dossier (en haut) et d'application (*Wordpad*, en bas)

Barre de menus

Les menus figurant dans la barre de menus d'une application proposent toujours des commandes caractéristiques relatives à l'application même. Quel que soit le type de menus ou de commandes disponibles, les éléments de définition sont tous utilisés de la même manière. Il en est de même pour la sélection des commandes.

Utilisation des menus à l'aide de la souris

Pour ouvrir un menu, positionnez le pointeur de la souris sur le nom voulu puis cliquez. Le menu s'ouvre et présente une série d'options disposées verticalement. Quand un menu est ouvert, il suffit de déplacer le pointeur sur le menu adjacent pour l'ouvrir.

Sous-menu

S'il y a une flèche noire ▶ en regard d'une commande de menu, cela signifie qu'un sous-menu est disponible. Pour l'afficher, pointez la commande en question.

Sélection d'une commande

Pour sélectionner l'une des rubriques affichées dans un menu, il suffit de cliquer sur la rubrique voulue. Selon les conventions établies pour les menus, vous pouvez déduire si la commande est directement exécutée ou si *Windows Me* rappelle d'autres éléments de configuration. Nous vous fournirons d'autres détails plus loin dans ce chapitre.

Case du menu système

Les fenêtres d'application et de document disposent en outre d'un *menu système*. Pour ouvrir ce menu, cliquez sur la case relative qui se trouve toujours en haut à gauche dans la barre de titre. Cette case contient une icône représentant un dossier ouvert 🗁 ou bien l'icône de l'application ou du groupe de programmes activé.

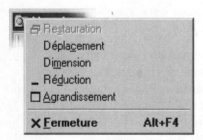

Figure 1.16   Menu système d'une fenêtre de dossier

Modification de la taille

Les six rubriques du menu système (voir la Figure 1.16) sont identiques pour chaque fenêtre et servent exclusivement à redimensionner ou déplacer la fenêtre d'application ou de dossier.

Commande Fermeture

La commande *Fermeture* permet de fermer une fenêtre de dossier ou d'application.

Un menu ouvert par mégarde peut être fermé en cliquant de nouveau sur son nom. Les opérations exécutées par erreur peuvent être annulées (mais pas toujours) à l'aide de *Edition/Annuler* pour rétablir la condition précédente.

Utilisation des menus par le biais du clavier

Sous *Windows*, l'utilisation de la souris pour sélectionner les menus et les commandes est très courante mais ce n'est pas la seule méthode disponible. Comme on utilise une interface utilisateur de type graphique, on a tendance à préférer la souris. Cette section vous explique comment sélectionner les menus et les commandes par le biais du clavier.

Touches Alt ou F10

Pour activer la barre de menus, appuyez sur les touches Alt ou F10. *Windows* met en relief le nom du premier menu, à savoir *Fichier*.

Passage au menu suivant

Appuyez sur la touche → pour passer au menu suivant. A l'aide de la touche ← vous revenez en arrière en sélectionnant un menu à la fois. Pour ouvrir un menu sélectionné, appuyez sur ↵ ou sur la touche ↓. Sélectionnez ensuite à l'aide des touches ↓ et ↑ la commande voulue, puis enfoncez ↵.

Revenir au menu principal

Si la commande dispose d'un sous-menu, utilisez les touches de direction → et ←, pour passer au sous-menu ou revenir au menu principal.

Combinaison de touches

La lettre soulignée du nom d'un menu peut être utilisée pour ouvrir ce menu à partir du clavier. Appuyez sur la touche Alt et maintenez-la enfoncée puis tapez la lettre soulignée du nom de menu.

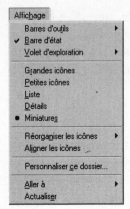

Figure 1.17   Le menu *Affichage* et ses commandes

Pour ouvrir le menu *Edition* d'une fenêtre de dossier, appuyez par ex. sur la combinaison de touches [Alt] + [E]. Pour rappeler d'autres menus, appuyez de nouveau sur la touche [Alt] puis sur la lettre soulignée du menu voulu.

Autres possibilités   Vous pouvez passer d'un menu ouvert au menu adjacent à l'aide des touches [←] ou [→]. Pour fermer un menu à l'aide du clavier, appuyez sur la touche [Alt] ou [F10].

Il est en outre possible d'utiliser la touche [Echap] ; de cette manière, vous fermez le menu mais la barre de menus reste active ; vous pouvez ainsi sélectionner un autre menu. Le dernier menu sélectionné sur la barre de menus apparaît en relief.

Conventions des menus

Chaque fenêtre de dossier et d'application dispose d'une propre barre de menus. Le type et le nombre de menus qui y figurent dépendent du type de fenêtre ou du programme utilisé. Dans la plupart des cas, les rubriques de menu correspondent à des commandes mais il peut aussi s'agir de propriétés à assigner à un texte ou une image, par ex. *gras* ou *centré*.

Caractéristiques des rubriques de menu

La commande sur laquelle vous cliquez n'est pas toujours immédiatement exécutée. Certaines commandes entraînent une fermeture du menu sans modifications apparentes, d'autres rappellent des sous-menus ou ouvrent des boîtes de dialogue. Il est possible de prévoir le résultat d'un clic sur une rubrique en observant sa configuration.

Sous-menu

Ainsi, par exemple, les commandes suivies d'une petite flèche noire ▶ ouvrent un autre menu, appelé *sous-menu*, où figurent d'autres rubriques

Coche

Les signes précédant ou suivant les rubriques ont une signification bien précise. Une coche précédant la rubrique signifie que la fonction relative est activée. Les coches sont utilisées quand plusieurs commandes (indépendantes les unes des autres) peuvent être sélectionnées simultanément par ex. les rubriques *Barre d'état* et *Barres d'outils* du menu *Affichage* de l'Explorateur Windows.

Point

Si, par contre, il n'est possible de sélectionner qu'une option à la fois, la rubrique sera précédée d'un point noir ● (par ex. la rubrique *Grandes icônes* du menu *Affichage*).

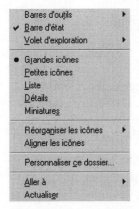

Figure 1.18   Conventions de menu

Points de suspension

Si après une rubrique de menu il y a trois points de suspension (...), la commande rappelle une boîte de dialogue où il faut introduire d'autres indications pour exécuter la commande (par ex. *Fichier/Imprimer...*). Quelles que soient les conventions de menu, la méthode la plus rapide pour rappeler une commande est d'utiliser la souris. Lorsque vous pointez une commande de menu, celle-ci est mise en évidence à l'aide d'une barre colorée.

Autres possibilités

Pour sélectionner les rubriques de menu par le biais du clavier, appuyez sur ⟨Alt⟩ et utilisez les touches ⟨↓⟩, ⟨←⟩, ⟨→⟩ ou ⟨↑⟩ pour vous positionner sur la rubrique voulue puis appuyez sur ⟨↵⟩.

Vous pouvez également utiliser la lettre soulignée de la commande voulue avec la touche appropriée.

Introduction

Le tableau suivant énumère les conventions de menu principales.

Conventions de menu	Signification
Nouveau ▶	*flèche* : Un sous-menu contenant d'autres commandes est disponible
Options des dossiers...	*points de suspension(...)* : Rappelle une boîte de dialogue proposant des options
Copier Ctrl+C	*combinaison de touches* : Touches de raccourci permettant d'activer la commande
Ouvrir	*gras* : Commande standard exécutée par simple clic et se référant à l'objet sélectionné

✔ Bou̱tons standard

coche :
Indique que l'option est sélectionnée, pour éliminer la coche, il faut cliquer sur l'option. Il est possible d'effectuer des sélections multiples

● Miniature̱s

point :
L'option activée exclut les autres options disponibles

Co̱ller   Ctrl+V

Option *désactivée* ou *non disponible* :
La commande est inactive et ne peut pas être sélectionnée

Utilisation des boîtes de dialogue

Windows Me offre différents types de fenêtres : les fenêtres d'application où sont exécutées des programmes et les fenêtres de document où sont affichés les dossiers et les documents. Les caractéristiques des commandes sélectionnées dans ces deux types de fenêtres peuvent être modifiées à l'aide des *boîtes de dialogue*. Dans ce but, les boîtes de dialogue possèdent de propres paramétrages qui sont décrits ci-après.

Boîte de dialogue

Les *boîtes de dialogue* sont dépourvues de la barre de menus, de la barre d'outils et de la barre d'état. Elles ne peuvent pas être redimensionnées mais seulement déplacées ou fermées. Les boîtes de dialogue ouvertes se superposent aux fenêtres d'application ou de document. Pour revenir à ces dernières, il faut fermer la boîte de dialogue en cliquant sur *OK* ou *Annuler*.

Figure 1.19   Les boutons *OK* ou *Annuler* permettent de fermer une boîte de dialogue

Points de suspension

Les commandes exécutables à partir de *Windows* ou d'un programme déterminé et requérant la définition de paramètres rappellent automatiquement une boîte de dialogue. Ces commandes sont suivies de trois points de suspension (...).

Figure 1.20   Les commandes de menu suivies de points de suspension ouvrent des boîtes de dialogue

Onglets

Si une commande prévoit un grand nombre de paramètres, les options disponibles sont regroupées dans des onglets. Pour activer un onglet, cliquez sur son nom. Pour définir les options de commande, vous disposez de différents éléments.

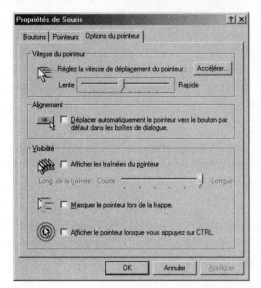

Figure 1.21   Boîte de dialogue relative à la souris avec trois onglets

Boutons de commande

Les rectangles contenant une inscription s'appellent boutons de commandes. La fonction d'un bouton de commande est indiquée dans le nom qu'il porte. Les boutons de commande les plus importants sont *OK* et *Annuler*. Le bouton *OK* confirme les modifications exécutées dans une boîte de dialogue et entraîne l'exécution d'une commande avec les paramètres relatifs. *Annuler* permet d'ignorer les modifications éventuelles et de fermer une boîte de dialogue. Si vous appuyez sur ⏎, la commande par défaut est exécutée, celle-ci est encadrée par des pointillés. Si vous appuyez sur [Echap], vous fermez la boîte de dialogue sans aucune modification.

OK	Annuler

Figure 1.22 A l'aide de ⏎, vous sélectionnez le bouton par défaut

Windows Me offre une option pratique permettant de positionner automatiquement le pointeur sur le bouton par défaut quand vous ouvrez une boîte de dialogue. Cette fonction, appelée « Alignement », peut être activée dans l'onglet *Options du pointeur* sous *Panneau de configuration/Souris*. Sélectionnez ici l'option *Déplacer automatiquement le pointeur vers le bouton par défaut dans les boîtes de dialogue*.

Points de suspension

Si le nom du bouton de commande est suivi de trois points de suspension, un simple clic permet de rappeler une autre boîte de dialogue.

Si le nom du bouton de commande est grisé, l'opération qui y est associée n'est pas disponible. En conséquence le bouton ne peut pas être sélectionné, il en est de même pour les rubriques de menu qui ne peuvent pas être rappelées.

Les lettres soulignées dans les noms de commande représentent les touches sur lesquelles il faut appuyer en combinaison avec Alt pour exécuter la commande par le biais du clavier.

Cases d'option

Quand une seule option peut être sélectionnée parmi les options disponibles de la boîte de dialogue, le système propose des « cases d'option ». Les cases d'option désactivées sont vides ○ (sans point noir).

Si l'option est sélectionnée, le cercle correspondant contiendra un point noir ⊙.

Les lettres soulignées dans les noms des options correspondent aux touches à enfoncer en combinaison avec la touche $\boxed{\text{Alt}}$ pour sélectionner l'option à partir du clavier.

Quand plusieurs options appartenant à un groupe d'options peuvent être activées, *Windows* utilise les cases à cocher.

Case à cocher
Il s'agit de petits carrés ☐ situés à gauche du nom de l'option. Les cases des options sélectionnées contiennent une coche ☑.

Pour sélectionner une case à cocher, cliquez dans la case ☐ ou sur sa description.

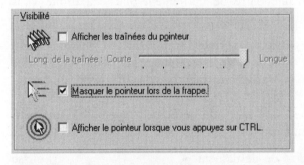

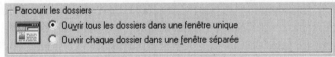

Figure 1.23   Cases à cocher (au-dessus) et case d'option

Zones de texte
Les zones de texte permettent d'entrer dans les boîtes de dialogue des nombres ou des caractères par le biais du clavier. Elles peuvent contenir des noms de fichiers, des indications en centimètres, par exemple, pour définir une marge de page. À gauche : ☐ . Dans les zones de texte, le pointeur se transforme en barre verticale clignotante indiquant le point d'insertion.

Paramètres

A l'aide de la touche ⟨←⟩, vous effacez un caractère à gauche du curseur, tandis qu'avec la touche ⟨Suppr⟩ vous en effacez un à la fois à droite du curseur. Si les zones de texte proposent des valeurs par défaut, il y aura en regard de ces valeurs deux flèches, l'une pointée vers le haut et l'autre vers le bas ⟨Attente : 14 ⟩ minutes vous permettant d'augmenter ou de réduire graduellement la valeur indiquée.

Boîte à liste déroulante

Dans les boîtes à liste ⟨Nom : HP DeskJet 870C ▼⟩ déroulante, si vous cliquez sur la flèche d'ouverture ▼, vous afficherez différentes rubriques. Un clic sur la rubrique voulue entraîne son affichage dans la boîte et la fermeture de la liste. Si un grand nombre de rubriques est affiché, une barre de défilement placée à droite vous permettra de parcourir toute la liste.

Zone de liste

Quand plusieurs rubriques sont affichées simultanément, il s'agit d'une zone de liste. Cliquez sur la rubrique voulue et celle-ci s'affichera dans la zone de texte située au-dessus de la liste. Si la liste contient un grand nombre de rubriques, une barre de défilement apparaîtra automatiquement à droite.

Barre de défilement

Une barre de défilement ⟨◄ ► ⟩ glisse horizontalement ou verticalement et est composée d'un curseur et de flèches de défilement. Les flèches permettent de faire défiler la liste ligne par ligne ou colonne par colonne. Si vous cliquez dans la zone libre située au-dessus ou au-dessous du curseur, la liste défile page par page.

Bouton de la souris enfoncé

Le curseur de défilement peut être déplacé en maintenant enfoncé le bouton de la souris. La taille du curseur indique la grandeur de la liste, plus la liste est longue, plus le curseur est petit.

Redimensionner les fenêtres de Windows

Windows Me prévoit différents types de fenêtres. Les plus importantes sont les *fenêtres d'application* où sont exécutés les programmes d'applications. Les programmes avec lesquels vous travaillez sur des documents, affichent des *fenêtres de document*. Pour modifier la taille d'une *fenêtre de document* ou d'une *fenêtre d'application* vous avez différentes possibilités.

Dans cette section vous apprendrez à redimensionner une fenêtre à l'aide des boutons de la barre de titre.

Figure 1.24   La barre de titre contient les boutons de redimensionnement

Pour modifier la taille d'une fenêtre, il faut avant tout que celle-ci soit active. Sous *Windows Me* une seule fenêtre peut être active à la fois ; les insertions et les commandes sélectionnées se réfèrent toujours à la fenêtre active.

Activation d'une fenêtre de document ou d'application

Pour sélectionner une *fenêtre de document* ou une *fenêtre d'application*, cliquez sur un point libre de la fenêtre ou sur sa barre de titre ; celle-ci sera mise en évidence avec une couleur. Si la fenêtre ne figure pas sur le bureau, cliquez dans la barre des tâches sur le bouton portant le nom de celle-ci.

Boutons de redimensionnement

Bouton *Fermer*

Les boîtes de dialogue et les boîtes de message ne sont pas pourvues de boutons de redimensionnement car il n'est pas nécessaire de modifier leur taille. Dans chaque fenêtre, vous verrez le bouton *Fermer* ☒ qui est situé dans l'angle droit de la barre du titre et qui permet de fermer la fenêtre.

Bouton *Agrandir* A gauche, il y a le bouton *Agrandir* ▢ qui permet d'appliquer la taille maximum à la fenêtre active, à savoir celle qui remplit l'écran.

Bouton *Restaurer* Quand celle-ci est agrandie, le bouton *Agrandir* est remplacé par *Restaurer* ▣. Si vous cliquez sur ce dernier, vous rétablissez la taille d'origine de la fenêtre.

Bouton *Réduire* A l'aide du bouton *Réduire* ▬, la fenêtre ouverte est placée sous forme de bouton dans la barre des tâches qui se trouve au bas de votre écran. De cette manière, la fenêtre disparaît de l'écran mais vous ne quittez pas le programme.

Les fenêtres réduites en icône restent en arrière-plan. Cliquez sur le bouton dans la barre des tâches pour visualiser la fenêtre avec la dernière taille définie.

Redimensionnement des fenêtres à l'aide de la souris

Pour modifier la taille d'une *fenêtre de document* ou d'une *fenêtre d'application*, vous avez différentes possibilités. Cette section décrit le redimensionnement à l'aide des bords et des angles des fenêtres.

Bords et angles de la fenêtre La *fenêtre de document* et la *fenêtre d'application* sont toujours circonscrites par un bord. La largeur et la hauteur de la fenêtre peuvent être modifiées à partir des bords et des angles à l'aide de la souris ; par ex., positionnez le pointeur sur le bord vertical : vous verrez qu'il se transforme en *double flèche* ↔.

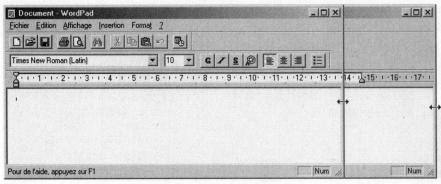

Figure 1.25   Modification de la largeur à partir du bord

« accrocher » le bord

Vous pouvez alors « accrocher » le bord et tout en maintenant enfoncé le bouton de la souris, agrandir ou réduire la largeur de la fenêtre en déplaçant la souris vers la droite ou la gauche. Durant le redimensionnement, la nouvelle taille de la fenêtre est représentée par un cadre en tirets. Pour fixer la nouvelle largeur, relâchez simplement le bouton de la souris.

Modification de la hauteur de la fenêtre

Pour modifier la hauteur de la fenêtre, placez le pointeur sur l'un des bords horizontaux. Le pointeur prend la forme d'une *double flèche* verticale $\updownarrow$. Vous pouvez alors « accrocher » le bord et maintenir enfoncé le bouton de la souris pour modifier la hauteur de la fenêtre.

Changer la hauteur et la largeur

Pour modifier simultanément la largeur et la hauteur d'une fenêtre, pointez un angle quelconque de cette dernière. Le pointeur prend la forme d'une double flèche diagonale $\nwarrow$ ou $\nearrow$. Maintenez enfoncé le bouton de la souris et déplacez le curseur dans la direction voulue pour modifier toute la taille de la fenêtre. La nouvelle dimension sera appliquée dès que vous relâcherez le bouton de la souris.

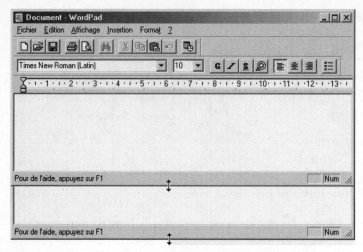

Figure 1.26   Modification de la hauteur à partir du bord

 Il est bien évident que si la fenêtre a été agrandie, il est impossible de pointer les angles ou les bords pour la re-dimensionner. Les fenêtres agrandies peuvent être réduites à l'aide du bouton *Restaurer* 🗗.

Fermeture des fenêtres de Windows

Dans *Windows Me* il y a différents types de fenêtres : il faut faire une distinction, par ex., entre les fenêtres de document et les fenêtres d'application. Dans une fenêtre d'application, le système exécute des programmes, par ex. *Wordpad*, *Paint* ou le *Bloc notes*. Nous parlerons de ces programmes dans la suite du manuel.

En revanche, une fenêtre de document affiche des informations. Il peut s'agir de texte (si vous avez ouvert un programme de traitement de texte) ou bien de fichiers et dossiers (si vous avez ouvert un dossier). Les dossiers sont en effet ouverts dans une fenêtre de document, par ex. le *Poste de travail*. Nous parlerons de ces fenêtres dans la section suivante.

Fermeture de dossiers

Durant les précédents essais, vous avez sûrement ouvert divers dossiers et vous devez à présent fermer leur fenêtre.

Fermeture d'une fenêtre de document

Sous *Windows Me* les fenêtres de document peuvent être fermées comme suit :

- la commande *Fermer* du menu *Fichier*

- la combinaison de touches [Alt] + [F4]

- la commande *Fermeture* du menu système

- un double clic sur la case du menu système 🖿

- le bouton *Fermer* ✖ dans la barre de titre

- la commande *Fermeture* du menu contextuel qui apparaît en cliquant sur le bouton d'une fenêtre réduite situé dans la barre des tâches

Ces méthodes permettent de quitter une fenêtre de document. La fermeture d'une fenêtre d'application (et donc du programme) sera traitée dans le troisième chapitre « Programmes et documents ».

Menu système

Le menu système peut être rappelé en cliquant sur la case située à gauche dans la barre de titre d'une fenêtre de document. Pour les dossiers, le menu système est représenté par l'icône d'un dossier ouvert 🖿, pour les applications par celle du programme activé.

Déplacer et arranger les fenêtres sur votre bureau

Sous *Windows* vous pouvez ouvrir simultanément plusieurs fenêtres sans aucune limite. Les fenêtres sont affichées sur différents niveaux superposés.

Il est possible de déplacer les fenêtres d'application, de document mais aussi les boîtes de dialogue et les boîtes de message.

Déplacement d'une fenêtre

Il est souvent nécessaire de déplacer les fenêtres sur le bureau car l'écran de *Windows* n'est pas suffisamment grand. Parfois il est nécessaire de déplacer des fenêtres pour en visualiser d'autres ou bien afficher des informations qui se trouvent au-dessous ou encore pour avoir une vue d'ensemble de différentes applications ou des informations qui y figurent.

Pour déplacer une fenêtre sur le bureau, pointez sa barre de titre, ensuite faites glisser la fenêtre en maintenant enfoncé le bouton de la souris. La nouvelle position est indiquée par une bordure en tirets. Relâchez le bouton de la souris, la fenêtre est visualisée dans la nouvelle position.

Menu système

Pour déplacer la fenêtre vous pouvez également utiliser le menu système en cliquant sur son icône située dans la barre de titre : cliquez sur la commande *Déplacement* et déplacez la fenêtre à l'aide des touches ⊡, ⊡, ⊡ ou ⊡. La commande *Déplacement* n'est pas disponible pour les fenêtres agrandies au maximum.

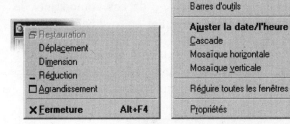

Figure 1.27   Menu système (à gauche) et menu contextuel de la barre des tâches

Disposition automatique

Pour disposer automatiquement toutes les fenêtres sur le bureau, placez le pointeur dans une zone libre de la barre des tâches et appuyez sur le bouton droit de la souris. Sélectionnez dans le menu contextuel les rubriques *Cascade*, *Mosaïque horizontale* ou *Mosaïque verticale* pour bien disposer les fenêtres.

Interruption automatique du démarrage de *Windows Me*

Après la mise sous tension de l'ordinateur le système d'exploitation graphique à 32 bits *Windows Me* est toujours automatiquement activé sans qu'il soit nécessaire de taper une commande appropriée. Dans certains cas, il faut cependant interrompre la phase de démarrage, par ex. pour lancer *Windows* en *mode sans échec*, afin d'éliminer des problèmes relatifs à la configuration courante de Windows.

Options de démarrage de Windows

Pour interrompre le démarrage automatique de *Windows Me*, il faut prêter attention aux messages qui s'affichent à l'écran après la mise sous tension de l'ordinateur. Les premiers messages apparaissent lors de l'initialisation des composants du système ; ils indiquent la mémoire de travail disponible, les disques durs reconnus et installés et, dans certains cas, tous les dispositifs fondamentaux du système.

Menu démarrage

Immédiatement après l'affichage de ces composants, le disque dur commence à travailler et l'ordinateur se prépare pour lancer *Windows Me*. C'est à ce moment-là que vous devez enfoncer la touche F8, *Windows* n'est pas lancé et le système affiche le *menu Démarrage de Microsoft Windows Millennium* illustré dans la Figure 1.28.

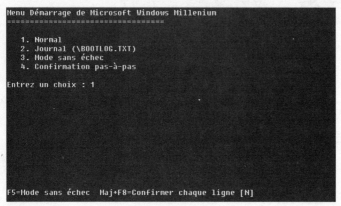

```
Menu Démarrage de Microsoft Windows Millenium
=========================================

  1. Normal
  2. Journal (\BOOTLOG.TXT)
  3. Mode sans échec
  4. Confirmation pas-à-pas

Entrez un choix : 1









F5=Mode sans échec  Maj+F8=Confirmer chaque ligne [N]
```

Figure 1.28   Le *menu Démarrage* après l'interruption du lancement de *Windows Me*

Sélection des options

Pour rappeler l'une des options affichées dans le *menu Démarrage de Microsoft Windows Millennium*, il vous suffit de taper le numéro précédent l'option voulue et de confirmer avec ⏎. Si vous souhaitez lancer le mode *Normal* de *Windows*, appuyez sur la touche 1 et confirmez l'insertion avec ⏎.

Mode *Normal*

A ce stade *Windows Me* est lancé en mode *Normal*, à savoir le mode standard. Les autres options du *menu Démarrage* sont décrites ci-après.

Si lors du démarrage de *Windows Me* des problèmes surgissent ou des messages d'erreur s'affichent, interrompez la phase de démarrage suivante avec F8 et sélectionnez l'option *2 – Journal (\BOOTLOG.TXT)* dans le *menu Démarrage de Windows Millennium*.

Fichier
BOOTLOG.TXT

Windows mémorise dans le répertoire principal du disque dur le fichier texte BOOTLOG.TXT où figurent tous les gestionnaires chargés et des informations relatives au résultat de leur chargement. Le fichier *BOOTLOG.TXT* peut être copié sur une disquette et ouvert avec un éditeur de texte quelconque. Ce fichier permettra aux personnes compétentes de localiser les programmes ou les composants qui causent des problèmes de démarrage.

Lancement de *Windows Me* en mode sans échec

Il est possible (bien que cela soit rare) que des problèmes se produisent au cours du chargement automatique en mode *Normal*, par ex. si des pilotes erronés du disque dur ont été activés et que Windows n'arrive pas à achever correctement le chargement.

Causes des
problèmes

Ces problèmes sont presque toujours dus à de mauvaises configurations réseau ou matérielles. Parfois ce sont les programmes qui provoquent des problèmes de ce genre en recouvrant des pilotes importants par des versions non mises à jour, malgré que Windows Me dispose d'une série de mécanismes de protection visant à empêcher la plupart de ces problèmes.

Mode sans échec

En tout cas, vous avez la possibilité de démarrer *Windows Me* en *Mode sans échec*. Avec ce mode, *Windows* ne charge pas les pilotes critiques et utilise une configuration minimale de pilotes lui permettant de démarrer le système.

Toutefois, en mode *Mode sans échec* il faut renoncer à de nombreuses fonctions avancées de *Windows*, telles que par ex. la fonction multitâche ou l'utilisation du lecteur de CD-ROM et de la carte vidéo. En effet, ce mode a été prévu uniquement pour permettre d'éliminer des problèmes éventuels.

Menu Démarrage de Microsoft Windows Millennium

Pour activer le *Mode sans échec*, réamorcez l'ordinateur. Maintenez enfoncée la touche F8 au cours du démarrage pour afficher le *menu Démarrage de Microsoft Windows Millennium*. Appuyez ensuite sur la touche 3 et confirmez avec la touche ↵ pour activer l'option *Mode sans échec*.

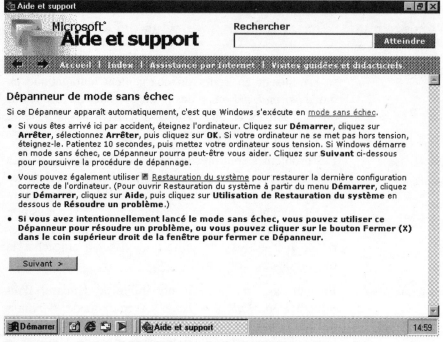

Figure 1.29   Fenêtre d'aide affichée après l'activation du mode sans échec

Pour éviter des conflits en mode sans échec, *Windows Me* utilise la résolution standard VGA de 640 x 480 pixels et 16 couleurs.

Mode sans échec   *Windows Me* ouvre automatiquement la fenêtre *Aide et support* contenant le dépanneur qui vous aidera à résoudre certains problèmes de Windows. Aux quatre angles de l'écran, vous verrez l'inscription *Mode sans échec* (voir la Figure 1.31).

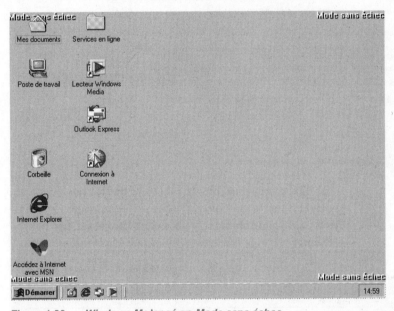

Figure 1.30   *Windows Me* lancé en *Mode sans échec*

Aide et support   A ce stade, vous pouvez essayer de résoudre le problème de Windows à l'aide du dépanneur. Cliquez dans la boîte de dialogue *Aide et support* sur *Suivant* et répondez aux questions de l'assistant en sélectionnant l'une des options disponibles et en cliquant sur *Suivant*. En fonction du problème l'ordinateur vous offre des suggestions pour y porter remède.

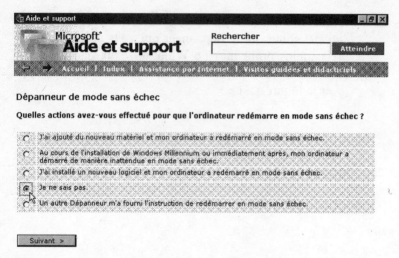

Figure 1.31   Dépanneur du *Mode sans échec*

Touche [F5]   Il est également possible de lancer le mode sans échec en appuyant sur la touche [F5] lors du démarrage de Windows ; de cette manière, vous évitez de passer par le *menu Démarrage de Microsoft Windows Millennium*.

Les *Commandes MS-DOS* sous *Windows Me*

Contrairement aux versions précédant Windows 98, *Windows Me* ne doit pas être lancé en tapant une commande à partir de l'invite MS-DOS. Il y a toutefois une exception représentée par le démarrage au moyen d'une disquette créée dans l'onglet *disquette de démarrage* sous le *Panneau de configuration/Ajout-suppression de programmes*. La plupart des opérations qui requièrent l'utilisation de MS-DOS peuvent être exécutées dans l'environnement Windows.

Lancement du programme

Il faut pour cela utiliser le programme *Commandes MS-DOS*. Pour lancer ce programme sous *Windows Me*, cliquez sur le menu *Démarrer* puis sélectionnez la commande *Programmes*. Cliquez dans le sous-menu *Accessoires* sur la rubrique *Commandes MS-DOS*. Le mode d'affichage de ce programme dépend de la configuration du système.

Commandes MS-DOS

La fenêtre *Commandes MS-DOS* apparaîtra au centre du bureau ou bien l'écran s'assombrira et affichera l'invite.

Mode « Fenêtre »

Les *commandes MS-DOS* sont activées dans le premier cas, à l'intérieur d'une *fenêtre* (voir la Figure 1.32) et dans le deuxième cas en mode *Plein écran*. Quel que soit le mode d'affichage, vous disposerez des mêmes commandes et fonctions.

Figure 1.32   Les commandes MS-DOS sous Windows Me

Les *commandes MS-DOS* émulent le système d'exploitation MS-DOS (*Microsoft Disk Operating System*). Vous verrez l'invite système *C:\WINDOWS>* puis un curseur clignotant. Sélectionnez à l'aide de la commande *cd* le répertoire contenant l'application DOS et lancez-la avec la commande appropriée.

 Pour passer du mode *Plein écran* des *Commandes MS-DOS* au mode *Fenêtre* ou inversement, appuyez sur les touches ⌐Alt⌐ + ⌐↵⌐. Pour quitter les *Commandes MS-DOS*, tapez la commande *Exit* et confirmez avec ⌐↵⌐, avant de fermer la fenêtre.

Définition des propriétés des *Commandes MS-DOS*

Selon les déclarations de la *Microsoft*, il est possible de lancer sans problèmes presque toutes les applications MS-DOS à partir des *Commandes MS-DOS* directement sous *Windows Me*. Cela est généralement vrai.

Sessions DOS multiples

Sous *Windows Me,* vous pouvez rappeler simultanément différentes sessions DOS qui sont exécutées de façon parallèle dans des zones séparées de la mémoire. L'ouverture d'une seule fenêtre DOS ne présente aucune difficulté. Vous pourriez par contre avoir des problèmes lorsque vous activez une application DOS alors qu'une fenêtre des *Commandes MS-DOS* est déjà ouverte.

Difficultés lors du démarrage

Si durant l'exécution d'un programme MS-DOS, des problèmes surgissent, le système affiche dans la plupart des cas un message d'erreur indiquant les causes possibles du problème, par ex. *Ce programme ne fonctionne pas sous Windows* ou *Mémoire insuffisante* etc.

S'il en est ainsi, il est possible de configurer les commandes MS-DOS à l'aide de la boîte de dialogue *Propriétés Commandes MS-DOS*.

Définition de la ligne de commande et du répertoire de travail

Combinaison de touches

Pour la configuration générale des *Commandes MS-DOS*, sélectionnez à l'aide de ⎣Alt⎦ + ⎣↵⎦ le mode *fenêtre* puis cliquez sur le bouton *Propriétés* de la barre d'outils 🖳.

Ligne de commande

L'onglet *Programme* affiche la *Ligne de commande* et le *Répertoire de travail* de l'interprète de commande ; dans le champ *Touches d'accès rapide*, il est possible de définir la combinaison de touches pour activer les *Commandes MS-DOS*.

Figure 1.33   L'onglet *Programme* des commandes MS-DOS

Affichage

Dans la boîte à liste déroulante *Exécuter*, sélectionnez le type d'affichage lors du démarrage des *commandes MS-DOS*. Vous disposez des rubriques *Fenêtre normale*, *Réduite* ou *Agrandie* (le plein écran est conseillé pour les applications posant des problèmes).

Fichier de commandes

Si un *fichier de commande* est nécessaire pour activer le programme DOS, spécifiez le nom de ce fichier dans la zone de texte homonyme. Si vous sélectionnez la case à cocher *Fermer en quittant*, la fenêtre sera automatiquement fermée quand vous quittez l'application DOS.

Définition du type de police pour les *Commandes MS-DOS*

Si vous souhaitez utiliser de vieilles versions d'applications DOS sous *Windows Me*, vous avez obligatoirement besoin des *commandes MS-DOS*. Le mode *Fenêtre* des *Commandes MS-DOS* est très pratique. *Windows Me* gère la fenêtre MS-DOS comme (ou presque) tout autre fenêtre *Windows*. Malgré cela un grand nombre d'utilisateurs estime que la taille des caractères est trop petite.

L'onglet *Police* gère directement la dimension de la fenêtre de la *commande MS-DOS* car le système d'exploitation MS-DOS orienté vers le texte et les commandes représente le contenu de l'écran en fonction du nombre de lignes et de caractères d'une ligne.

Onglet *Type de police*

Rappelez les *Commandes MS-DOS* à partir de *Démarrer/Programmes/Accessoires* et sélectionnez le mode *Fenêtre*. Pour définir le type de caractère, vous avez deux possibilités : soit la boîte à liste déroulante *Police* 𝕋 8 x 14 ▾ soit l'onglet *Police* de la boîte de dialogue *Propriétés - Commandes MS-DOS*, auquel vous pouvez accéder en cliquant sur le bouton *Propriétés* 🖆.

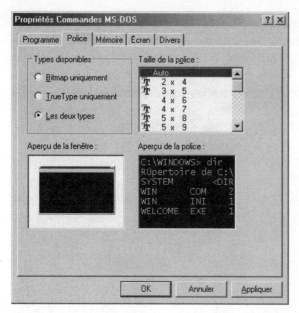

Figure 1.34   L'onglet *Police*

Boîte à liste déroulante *Police* — Ouvrez la boîte à liste déroulante *Police* de la barre d'outils et cliquez sur la police voulue. *Windows Me* change immédiatement la taille de la fenêtre *Commandes MS-DOS*.

Dans l'onglet *Police* de la boîte de dialogue des propriétés, vous pouvez observer deux champs d'aperçu. L'*Aperçu de la fenêtre*, à gauche, montre la taille approximative de la fenêtre DOS sur l'écran, tandis que l'*Aperçu de la police*, à droite, montre la taille des caractères. Vous pouvez choisir deux types de polices :

Polices *Bitmap* et *TrueType* — Il s'agit des polices *Bitmap* à taille fixe et *TrueType* de Windows à grandeur variable. Dans la boîte à liste déroulante *Police* qui se trouve dans la barre d'outils de la fenêtre *Commande MS-DOS,* les caractères *Truetype* sont précédés de l'icône ᴛᴛ. Dans la boîte de dialogue *Propriétés*, vous pouvez sélectionner les types de police à l'aide des cases d'option *Bitmap uniquement*, *TrueType uniquement* ou *Les deux types* dans le groupe d'options à gauche.

Dans MS-DOS, les informations sont affichées en mode texte. Chaque caractère est défini par une hauteur et une largeur. Les valeurs énumérées dans la boîte à liste déroulante *Police* se réfèrent à ces deux dimensions. Par exemple, avec la police « 8 X 14 » chaque caractère de la fenêtre *Commandes MS-DOS* a une hauteur de 8 pixels et une largeur de 14 pixels. Ces valeurs déterminent la taille de la fenêtre DOS. La taille standard des caractères de la fenêtre *Commandes MS-DOS* est de 25 lignes par 80 caractères.

Option *Auto*

L'option *Auto* est particulièrement utile, c'est la première rubrique proposée dans la boîte à liste déroulante *Police*, elle permet d'ajuster le type de caractère à la taille actuelle de la fenêtre.

La fenêtre DOS ne peut être agrandie en faisant glisser son bord que si l'option *Auto* est sélectionnée.

De toute façon, la réduction de la taille de la fenêtre (même sans option Auto) ne constitue pas un problème car il est possible de faire défiler son contenu à l'aide des barres de défilement.

Vous ne pouvez modifier la police des *Commandes MS-DOS* que si le programme DOS possède des fonctionnalités graphiques. Si tel n'est pas le cas, le mode *Plein écran* est automatiquement sélectionné.

Modification des propriétés des *Commandes MS-DOS* pour une seule application DOS

Pour modifier les propriétés des commandes *MS-DOS* pour une application DOS, sélectionnez le fichier programme correspondant dans l'*Explorateur Windows* ou le *Poste de travail*, ouvrez son menu contextuel à l'aide du bouton droit de la souris et choisissez la rubrique *Propriétés*.

Empêcher la détection de Windows

Si un message vous informe que le programme ne peut pas être exécuté sous *Windows*, ouvrez la boîte de dialogue *Propriétés* puis l'onglet *Programme* et cochez la case *Empêcher la détection de Windows par des programmes MS-DOS*.

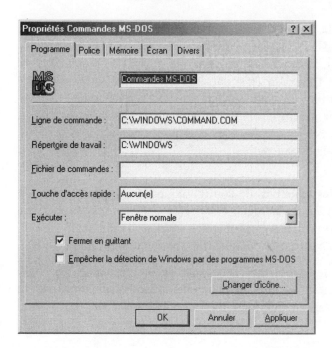

Figure 1.35   Définition des propriétés des *Commandes MS-DOS*

Utilisation sans problèmes

La plupart des applications DOS peuvent être activées sans problèmes en modifiant uniquement les options dans les autres onglets de la boîte de dialogue *Propriétés*. Si après l'activation du programme DOS un message vous informe que la mémoire est insuffisante, accédez à l'onglet *Mémoire* et spécifiez dans les champs appropriés la taille de mémoire en kilo-octet.

Les applications DOS dont les *Propriétés* ont été modifiées doivent être lancées à l'aide d'un double-clic sur l'icône relative dans *l'Explorateur Windows* ou dans le *Poste de travail*. Il est, par ailleurs, possible d'insérer les icônes d'un groupe de programmes dans le menu *Démarrer*.

Si les problèmes que vous rencontrez avec les applications MS-DOS ne correspondent pas aux susdits problèmes, lancez l'Aide de *Windows* à partir du menu *Démarrer*. Tapez *MS-DOS* dans la zone de texte *Rechercher* qui se trouve en haut à droite puis cliquez sur le lien *Dépanneur des programmes à base de MS-DOS* au bas de la liste. Suivez les instructions qui s'affichent dans la partie droite de la fenêtre.

Démarrage en Mode MS-DOS

Si les tentatives de configuration à travers les onglets de la boîte de dialogue *Propriétés Commandes MS-DOS* ne résolvent pas le problème, amorcez l'ordinateur à l'aide d'une disquette de démarrage en mode MS-DOS.

Si des problèmes se posent encore, contactez le constructeur du logiciel pour obtenir des élucidations sur le démarrage du programme sous Windows Me.

Copier depuis les *Commandes MS-DOS*

Pour une question de compatibilité avec les vieilles versions MS-DOS, la *commande MS-DOS* a été intégrée dans *Windows Me*. Comme nous l'avons déjà dit, les *Commandes MS-DOS* peuvent être affichées dans une fenêtre ou en mode *Plein écran*. En mode *Fenêtre*, vous pouvez sélectionner du texte et le coller dans d'autres applications en utilisant le Presse-papiers de *Windows*.

Copie de texte

Pour copier du texte dans une fenêtre DOS sous *Windows Me*, ouvrez le menu système en cliquant sur l'icône MS-DOS [ ], située à gauche dans la barre de titre puis sélectionnez les commandes *Edition/Marquer*.

Figure 1.36   Copie de contenus dans une fenêtre DOS

Sélection

Faites-glisser le rectangle de sélection (bouton *Marquer* enfoncé) sur la zone de texte à copier et cliquez sur le bouton *Copier* 🖺. Le texte est copié dans le Presse-papiers et peut être inséré dans d'autres programmes à l'aide du menu *Edition*.

Utilisation du clavier

Vous pouvez également utiliser le clavier : déplacez le curseur à l'aide de ⬆ et ⬅ au début du texte, ensuite enfoncez la touche ⬙, maintenez-la enfoncée et étendez la sélection avec ➡ d'un caractère à la fois vers la droite ou bien avec ⬇ d'une ligne à la fois vers le bas.

Afficher la barre d'outils

Pour copier la sélection, appuyez sur la touche ↵. Vous pouvez à présent insérer le contenu dans une autre fenêtre *DOS* ou Windows. Si la barre d'outils de la fenêtre DOS n'est pas affichée, sélectionnez la commande Propriétés dans le menu système. Passez à l'onglet *Ecran* et cochez la case *Afficher la barre d'outils* puis cliquez sur *OK* pour fermer la fenêtre Propriétés.

Edition rapide

Si vous devez copier un certain nombre de morceaux de texte dans la fenêtre MS-DOS, il vous convient de sélectionner l'option *Edition rapide* qui vous évite de cliquer sur le bouton *Marquer*. Ouvrez la fenêtre *Propriétés Commandes MS-DOS* et choisissez l'onglet *Divers*. Dans le groupe d'options *Souris,* cochez la case *Edition rapide* et cliquez sur *OK* pour fermer la boîte de dialogue des Propriétés.

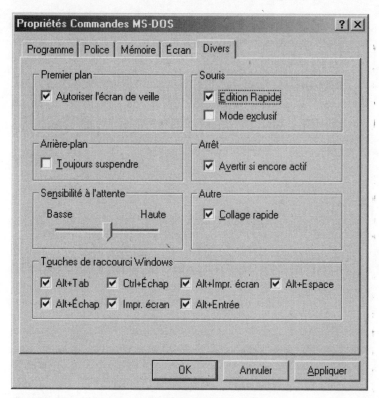

Figure 1.37   Sélection de l'option *Edition rapide*

En mode plein écran, il est impossible de copier le contenu d'une fenêtre DOS ou d'un programme basé sur DOS.
Le contenu copié dans la fenêtre DOS n'est pas toujours
représenté de façon identique dans les applications Windows. Pour fermer une fenêtre DOS, vous pouvez également cliquer sur le bouton *Fermer* et confirmer le message qui apparaît par *Oui*.

Pour copier tout le contenu de la fenêtre *Commandes MS-DOS* comme bitmap dans le Presse-papiers, enfoncez `Alt` + `Impr`.

Pour insérer la copie dans une application Windows, utilisez la commande *Edition/Coller* ou la combinaison de touches `Ctrl` + `V` ou bien le bouton *Coller* 📋.

2. L'Aide de Windows

Ce chapitre décrit comment *Windows Me* aide l'utilisateur dans son travail quotidien. Il présente en détail la fonction d'aide générale de *Windows Me* que l'on rappelle à partir du menu *Démarrer*. Par rapport aux versions précédentes de Windows, ce système auxiliaire a été doté d'un nouveau design Web et complété par l'ajout de différentes visites guidées et didacticiels. Toutefois, les fonctions d'aide de l'index sont encore disponibles. Comme Internet a été intégré dans l'environnement Windows, il est à présent possible d'accéder, après une série de passages, à l'Aide en ligne de Microsoft et aux forums utilisateurs.

Rappel de l'*Aide et support*

Si durant votre travail avec *Windows Me*, vous avez besoin d'élucidations sur des fonctions déterminées, lisez ce manuel qui contient une introduction aux fonctions principales de *Windows Me* ou consultez l'aide que le système d'exploitation vous fournit.

Aide de Windows

Cette section explique comment rappeler la fonction de consultation interne de *Windows*, à savoir son *Aide*. L'utilisation des fonctions spéciales de l'aide sera traitée plus loin dans ce chapitre. Vous serez surpris par la quantité d'informations que vous pouvez trouver dans l'*Aide*.

Voyons tout d'abord comment afficher l'Aide de *Windows*. Pour cela, vous disposez de différentes possibilités.

Démarrer/Aide

Commençons par la méthode conventionnelle qui consiste à utiliser le menu *Démarrer*. Ouvrez donc ce menu et cliquez sur la rubrique *Aide*. Le système ouvre immédiatement la fenêtre *Aide et support* qui permet de sélectionner les services d'aide voulus.

Combinaison de touches

Vous pouvez aussi afficher cette fenêtre à l'aide de la touche de raccourci F1. Appuyez sur cette touche à l'intérieur de l'environnement *Windows*, par ex. dans un dossier tel que l'*Explorateur Windows* ou sur le bureau.

Attention : avant d'appuyer sur la touche F1, fermez les fenêtres d'application éventuellement ouvertes car sinon vous afficherez l'aide relative à ces applications. Nous reparlerons de cela à la fin de ce chapitre. Si le programme est réduit en icône dans la barre des tâches et qu'un dossier est ouvert, utilisez la touche F1 pour lancer l'aide de *Windows*.

Vous verrez la boîte de dialogue *Aide et support* dont la disposition est identique à celle des pages web et qui propose des liens hypertextes.

Menu « ? »

Vous pouvez également rappeler la boîte de dialogue *Aide de Windows* à travers le menu « ? » (*Aide*) qui est toujours disponible dans les fenêtres de dossier et dans l'*Explorateur Windows* et y sélectionner la commande *Rubriques d'aide*.

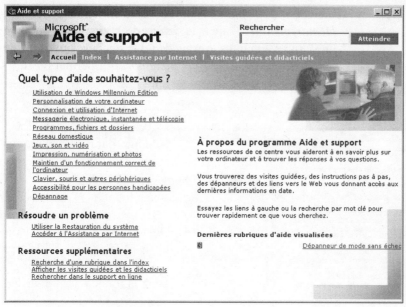

Figure 2.1 L'aide de *Windows*

Recherche d'un mot clé

Après avoir rappelé l'Aide de *Windows*, le système affiche toujours la boîte de dialogue *Aide et support*. La méthode pour accéder aux informations de l'Aide est identique à celle utilisée sur les moteurs de recherche de l'Internet. En haut à droite de la fenêtre, il y a la zone de texte *Rechercher*.

Recherche par thèmes

Elle permet d'examiner le contenu de tous les thèmes disponibles dans l'Aide. Les mots correspondants trouvés peuvent être réduits à l'aide de critères qui restreignent la recherche. En conséquence, vous obtenez toutes les rubriques de l'aide, les dépanneurs, les visites guidées et même les aides en ligne contenant le mot à rechercher et des sujets relatifs au thème voulu.

Insertion de termes de recherche

Lancez tout d'abord l'Aide de *Windows* en sélectionnant *Démarrer/Aide*. Tapez le terme de recherche voulu ou une expression dans la zone de texte *Rechercher* située en haut à droite.

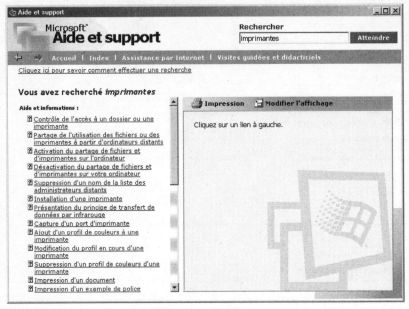

Figure 2.2   Insertion d'un terme de recherche

Expression

Le mot « expression » se réfère à deux ou plusieurs termes indépendants. Tapez ces termes l'un après l'autre en les séparant par un espace puis enfoncez la touche ⏎ ou cliquez sur le bouton *Atteindre*.

Liste des rubriques

Au terme de la recherche, la liste des rubriques est immédiatement affichée dans la partie gauche de la fenêtre. Essayez de taper par exemple le terme *Imprimante*.

Sélection d'un sujet

A présent, parcourez la liste obtenue et recherchez une rubrique contenant l'information voulue. Sélectionnez par exemple, la rubrique *Impression d'un document*. Pour afficher le sujet voulu, cliquez sur son nom ; il s'agit de la même procédure que celle utilisée pour les liens hypertextes dans le World Wide Web.

En tout cas, si vous cliquez sur le bouton *Précédent* (flèche pointée vers la gauche), vous revenez à la fenêtre précédente. Si vous cliquez plusieurs fois de suite sur ce bouton, vous reparcourez les étapes effectuées dans l'ordre inverse.

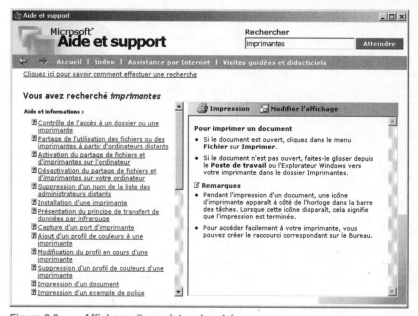

Figure 2.3   Affichage d'un sujet recherché

Affichage dans la partie droite de la fenêtre

Le sujet de l'aide sélectionné est immédiatement visualisé dans la partie droite de la fenêtre. Les sujets relatifs aux dépanneurs qui se trouvent au bas de la liste des résultats s'afficheront également à droite après leur sélection. Les visites guidées seront en revanche affichées dans une fenêtre à part.

Les liens hypertextes permettent d'approfondir la recherche.

Les liens qui sont affichés et soulignés en bleu proposent d'autres informations spécifiques ou renvoient à un site Web. Un simple clic entraîne parfois l'ouverture de la boîte de dialogue relative comme dans le Panneau de configuration afin de pouvoir utiliser immédiatement ce que vous venez de lire.

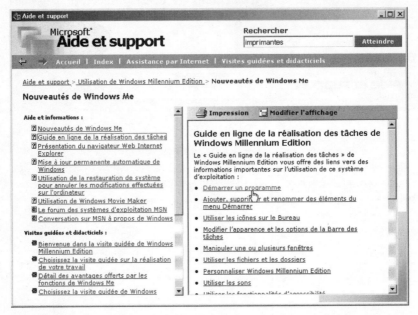

Figure 2.4   Une petite main apparaît quand vous pointez un lien hypertexte

Au bas de la plupart des textes, il y a le lien « Voir aussi » qui mène à un sujet semblable ou à un menu contextuel avec des pages d'Aide relatives au thème en question. Dans ce cas, sélectionnez la rubrique dans le menu à l'aide d'un clic.

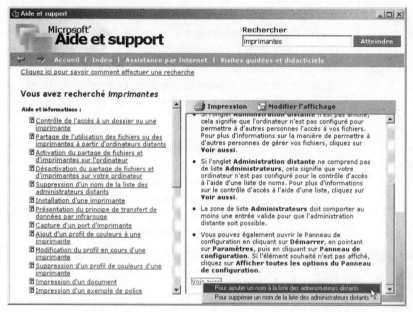

Figure 2.5   Textes d'aide offrant des sujets relatifs au thème en question du lien *Voir aussi*

Quitter l'*Aide de Windows* en cliquant sur [×].

Page d'accueil de l'*Aide de Windows*

Quand vous rappelez l'aide, la fenêtre *Aide et support* apparaît. La rubrique « *Quel type d'aide souhaitez-vous ?* » vous propose une série de sujets offrant des informations sur les fonctions de Windows.

Parcourir à l'aide d'un simple clic

Si vous cliquez sur l'un de ces sujets, le menu des sujets est mis à jour et de nouveaux liens relatifs au thème choisi apparaissent. Parcourez la hiérarchie des sujets de l'Aide en cliquant sur les liens qui vous intéressent. Le texte relatif à l'aide est généralement affiché dans la partie droite de la fenêtre, mais parfois une autre fenêtre s'ouvre pour visualiser l'aide.

Option *Utilisation de l'aide*

Dès que vous lancez l'Aide, le système affiche dans la partie droite de la fenêtre une brève liste contenant des sujets importants concernant par ex. le bureau, le son, l'écran ou les imprimantes. Un clic sur l'un de ces liens entraîne la mise à jour de la liste des sujets affichée à gauche où vous pouvez alors cliquer pour afficher les textes d'aide effectifs.

Structure hiérarchique

Nous allons à présent décrire la structure hiérarchique des rubriques dans la partie gauche de la fenêtre. L'Aide de *Windows* est une structure arborescente très ramifiée que vous pouvez parcourir en cliquant sur les différents sujets. Chaque fois que vous cliquez sur une rubrique, la liste des sujets est mise à jour en fonction de votre choix.

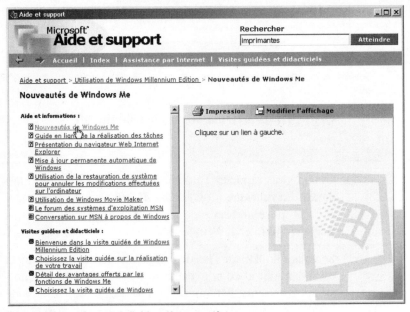

Figure 2.6   Parcourir l'aide sujet par sujet

Liens hypertextes comme dans l'Internet

D'une manière générale, l'Aide de *Windows* est utilisée comme un site Web d'Internet ; les liens hypertextes soulignés en bleu permettent de parcourir d'autres sujets d'aide.

En revanche, les liens écrits et soulignés en vert mènent à une rubrique du glossaire. Quand vous cliquez sur un lien de ce genre, vous obtenez une info-bulle contenant une brève description du terme sélectionné.

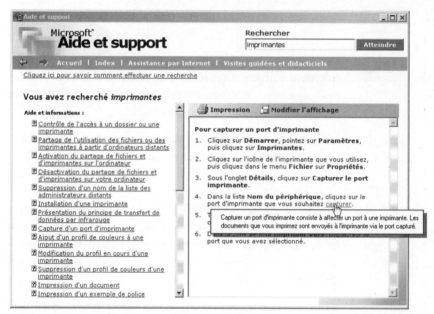

Figure 2.7   Les liens soulignés en vert mènent à une rubrique du glossaire

Microsoft a complètement renoncé à la structure des livres ouverts et fermés, semblable à celle des dossiers, utilisée sous *Windows 95/98*. Une vue d'ensemble est toutefois fournie dans la barre de titre. A travers les sujets séparés par le signe « > », vous achevez le parcours commencé avec les liens hypertextes. Ces noms de rubriques sont bien évidemment d'autres liens hypertextes. Un simple clic sur l'un de ces noms et vous sautez au niveau de la hiérarchie choisi.

Figure 2.8   Structure hiérarchique de l'aide de *Windows*

Les boutons *Suivant* ➡ et *Précédent* ⬅ sont déjà couramment utilisés dans le World Wide Web. Avec *Précédent* ⬅ vous revenez toujours à l'étape précédente du lien et vous annulez le dernier clic.

Le bouton *Suivant* ➡ sert seulement si vous êtes déjà revenu en arrière et que vous voulez passer à la page suivante.

Comment travailler avec le texte d'aide

Si vous avez trouvé et affiché dans la partie droite de la fenêtre un sujet qui vous convient, vous avez deux possibilités pour gérer les informations qui s'affichent. Sachez qu'il n'est pas nécessaire que vous appreniez par coeur les descriptions étape par étape !

Impression

Vous pouvez imprimer les sujets assez longs. Bien que cette solution ne soit ni économique ni écologique, il faut parfois y avoir recours, par ex. si vous préférez lire les instructions sur du papier ou si vous devez passer des informations ou des conseils à vos collègues.

Cliquez sur le bouton *Impression* situé sur le bord supérieur de la fenêtre d'informations. La boîte de dialogue *Imprimer* s'ouvre, elle est identique à celle d'Internet Explorer et d'autres programmes. Vous pouvez y définir une autre imprimante, choisir les cadres à imprimer et le nombre de copies. L'impression n'est lancée que si vous cliquez sur *OK*.

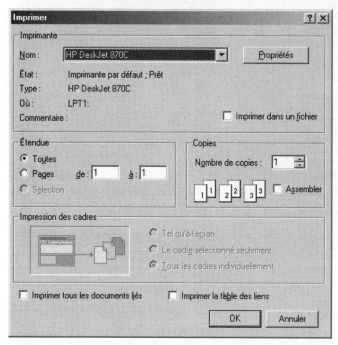

Figure 2.9 Boîte de dialogue *Imprimer* de l'Aide de *Windows*

Affichage de la fenêtre d'aide

La deuxième possibilité consiste à afficher les textes d'aide pendant que vous effectuez les opérations qu'ils décrivent. Dans ce cas, une petite fenêtre d'aide qui ne montre que le texte effectif reste affichée.

Pour ce faire, cliquez sur le bouton *Modifier l'affichage* qui se trouve en haut de la fenêtre d'informations.

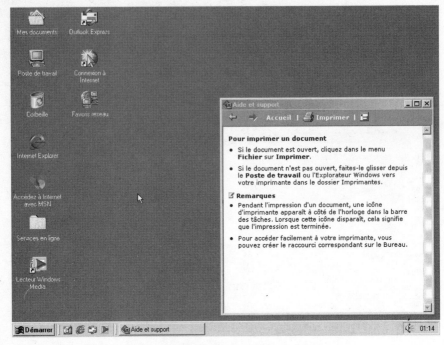

Figure 2.10   Fenêtre d'aide affichée de façon permanente

Pour revenir à l'affichage normal de la fenêtre *Aide et support*, cliquez de nouveau sur *Modifier l'affichage* 🔲. La recherche d'informations ne peut être effectuée que si la fenêtre d'aide est agrandie. En effet la fenêtre réduite sert seulement à visualiser les informations trouvées.

Informations additionnelles

Les liens hypertextes peuvent se trouver aussi dans la fenêtre d'informations. Ils sont soulignés en bleu et renvoient à des informations additionnelles : certains liens ouvrent automatiquement des fenêtres système de *Windows* (par ex. le Panneau de configuration) ou bien renvoient à des textes de l'aide contenant des sujets contigus.

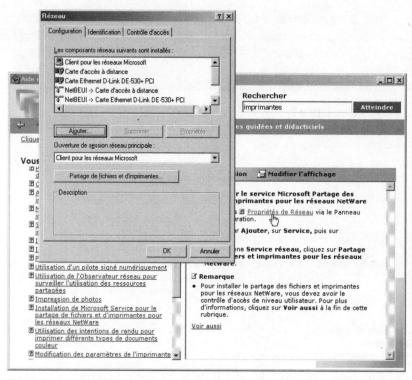

Figure 2.11 Voici l'exemple d'un lien qui ouvre la fenêtre *Réseau* de *Windows*,

Dépanneur

L'aspect de la fenêtre de texte change légèrement quand vous rappelez un *dépanneur*.

Dans l'Aide de *Windows*, les dépanneurs ne sont pas très nombreux mais offrent un parcours intéressant et interactif parmi des solutions au problème. Tapez dans la zone de texte *Rechercher* le terme *Dépanneur* pour afficher tous les dépanneurs.

Répondez tout d'abord à la question qui vous est posée en cliquant dans la case d'option ⊙ voulue, ensuite cliquez sur *Suivant*.

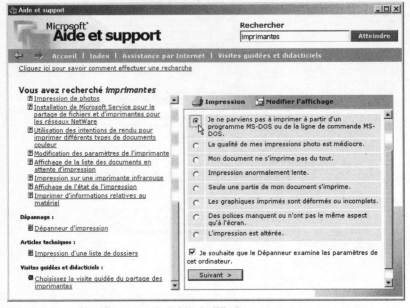

Figure 2.12   Un dépanneur de l'aide de *Windows*

Procédez de cette manière tant que vous n'obtenez pas la bonne solution.

Lien entraînant le lancement d'un programme

Dans certains sujets de l'aide, vous pouvez lancer le programme en question à l'aide d'un clic sur *Cliquez ici*. Vous pouvez quitter l'aide quelle que soit la fenêtre active à l'aide du bouton *Fermer* ⊠.

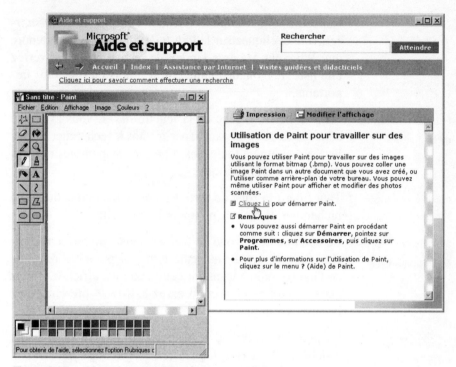

Figure 2.13   Lien permettant de démarrer un programme

Lien vers Internet   Un certain nombre de liens hypertextes renvoient à Internet, par ex., aux pages de support de Microsoft. Pour afficher ces informations, il faut disposer d'une connexion à Internet installée correctement. Vous pourrez ainsi accéder aux fonctions d'aide en ligne étendues et mises à jour.

Index de l'*Aide de Windows*

Cette section décrit l'index alphabétique de l'Aide de *Windows* que vous pouvez rappeler à l'aide du lien *Index* dans la barre de titre de la fenêtre *Aide et support*.

Rappelez tout d'abord l'Aide de *Windows* avec *Démarrer/Aide* et cliquez sur le lien *Index*. Vous devrez attendre que *Windows Me* crée l'index de recherche. Vous verrez une liste très longue énumérant les mots clés les plus importants.

Insertion du terme de recherche

Dans la partie gauche de la fenêtre *Index*, vous avez une zone de texte où il faut taper le mot à rechercher et une liste qui énumère toutes les rubriques disponibles rangées dans l'ordre alphabétique.

Insertion de mots clé

Tapez dans la zone de texte les premières lettres du mot à rechercher. Parfois la première lettre suffit.

Insertion de lettres de l'alphabet

Le contenu de la zone de liste est ajusté au terme recherché. Si vous tapez une seule lettre, la première rubrique de l'index commençant par cette lettre est affichée. Tapez par ex. la lettre « i » et observez la liste. A présent, tapez les lettres « impr ».

Sélection de la rubrique de l'aide

La première rubrique correspondant à votre frappe sera affichée. Choisissez *Impression - Affichage de l'état* et cliquez sur *Afficher* situé au bas de la fenêtre. Dans la partie droite de la fenêtre, vous pouvez lire les informations que vous venez de demander.

Affichage de la rubrique de l'aide

Si vous cliquez sur la rubrique *Impression - Dépanneur d'impression* puis sur *Afficher*, un dépanneur s'affichera et vous aidera à résoudre vos problèmes d'impression. Les dépanneurs posent toujours une série de questions contextuelles, choisissez-en une puis cliquez sur *Suivant*. Ainsi, vous arrivez à votre problème à travers différentes étapes puis l'Aide de Windows vous propose des conseils pour y porter remède.

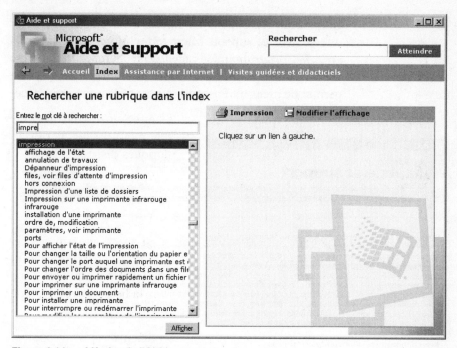

Figure 2.14 L'*Index* de l'Aide

Assistance par Internet dans l'Aide de *Windows*

Si vous êtes relié à Internet, vous pouvez demander un support en ligne sur une fonction de l'Aide de Windows. A travers le lien *Assistance par Internet* dans la barre de titre de la fenêtre *Aide et support*, vous faites directement appel au support ou bien vous accédez aux forums Microsoft où les utilisateurs Windows discutent et collaborent pour trouver une solution aux problèmes.

Support Microsoft

Cliquez sur *Assistance par Internet*. Pour vous connecter directement au support Microsoft, cliquez sur le lien *Microsoft Corporation* sous *Contactez le support*. La page Web Microsoft - Passport s'affiche immédiatement, elle permet de créer un Passport qui est nécessaire pour accéder au support en ligne.

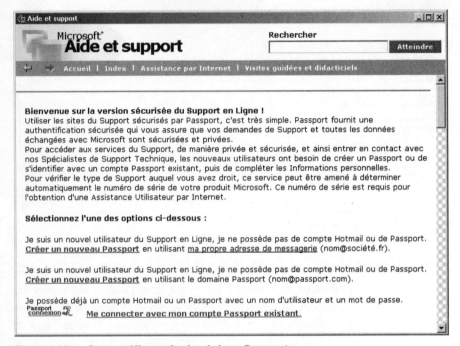

Figure 2.15   Support Microsoft sécurisé par Passport

Forum MSN

Si vous cliquez sur l'un des *Forums* proposés dans la fenêtre *MSN Computing Central*, l'Internet Explorer s'ouvre automatiquement et charge le grand site du support.

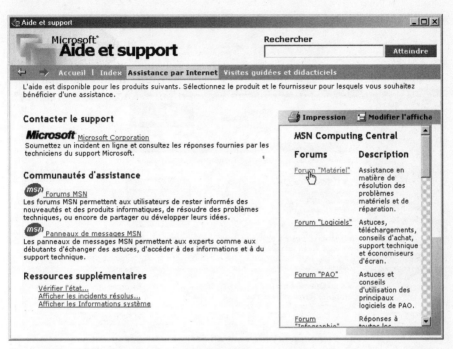

Figure 2.16   Sélection d'un forum de discussion

Ce site indique toutes les nouveautés concernant Windows, fournit un support sous forme de forums et d'interfaces de dialogue et même des liens pour télécharger des programmes et des outils utiles. Malheureusement il est tout en anglais !

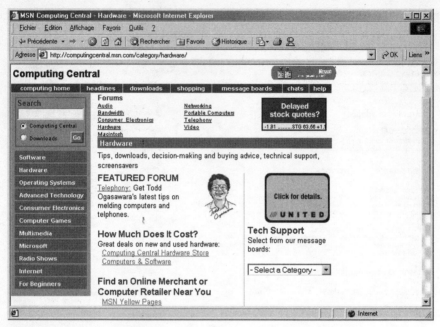

Figure 2.17   Le site *Computing Central* fournit des informations et des suggestions sur *Windows Me*

La zone de téléchargement de *MSN Computing Central* est un point de départ central pour télécharger des programmes Windows de base. On y trouve les principaux logiciels partagés et libres, rangés par rubriques, qui facilitent le travail quotidien sous Windows.

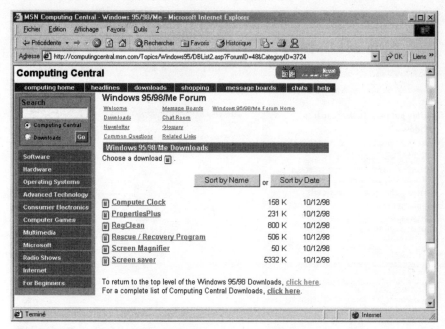

Figure 2.18 Outils utiles à télécharger pour *MSN Computing Central*

Visites guidées et didacticiels de l'*Aide de Windows*

Les visites guidées et les didacticiels sont de brefs cours de base proposés de façon claire et compréhensive dans une fenêtre à part. Après avoir lancé l'Aide de Windows à travers *Démarrer/Aide*, cliquez sur le lien *Visites guidées et didacticiels* dans la barre de titre de la fenêtre *Aide et support*.

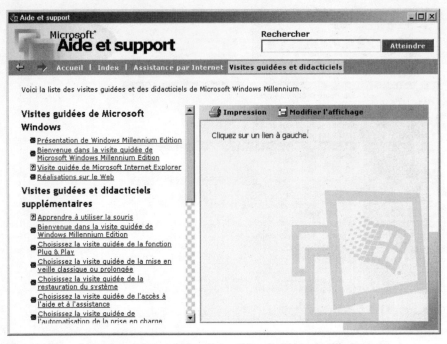

Figure 2.19   Liste des visites guidées disponibles de l'Aide de *Windows*

Liste des visites guidées disponibles

A ce stade, les visites guidées disponibles s'affichent dans la partie gauche de la fenêtre. Si vous cliquez sur l'une des rubriques, la fenêtre *Visite guidée de Windows Millennium* apparaît.

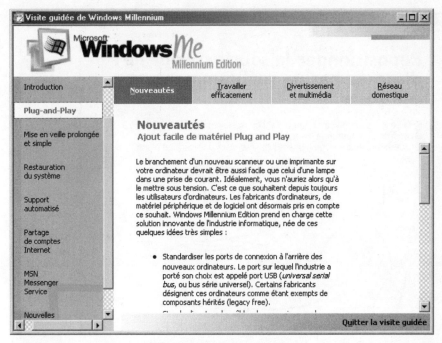

Figure 2.20 La *Visite guidée de Windows Millennium*

La rubrique *Sur l'utilisation de la souris* est un didacticiel qui s'adresse en particulier aux débutants qui doivent encore se familiariser avec la souris et son pointeur. Cliquez sur *didacticiel* pour ouvrir la fenêtre *Didacticiel de la souris*. Si vous cliquez sur le bouton *Suivant*, vous suivrez une leçon sur l'utilisation de la souris.

Figure 2.21 Le didacticiel pour les novices *Sur l'utilisation de la souris*

Visite guidée de Windows Millennium

La *Visite guidée de Windows Millennium* est partagée en quatre rubriques, *Nouveautés*, *Travailler efficacement*, *Divertissements et multimédia* et *Réseau domestique*. Sélectionnez l'un de ces sujets en cliquant sur son titre. Un clic sur les titres qui se trouvent dans la colonne à gauche entraîne l'affichage des informations correspondantes dans la partie principale de la fenêtre.

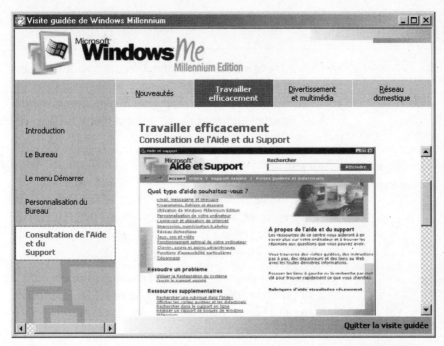

Figure 2.22   Sélection des sujets dans la *Visite guidée de Windows Millennium*

Lorsque vous cliquez sur une visite guidée à l'intérieur de la fenêtre *Aide et support*, vous sautez directement au point important du texte. Vous pouvez parcourir les différentes rubriques et titres en cliquant dans la fenêtre *Visite guidée de Windows Millennium*.

Quitter la visite guidée

Pour fermer la *Visite guidée de Windows Millennium*, cliquez sur le lien *Quitter la visite guidée* situé en bas à droite ou bien sur le bouton *Fermer* ✖ en haut à droite.

Rappel de l'*Aide rapide* pour les éléments de *Windows Me*

Windows Me offre des aides supplémentaires. Ainsi, dans presque toutes les boîtes de dialogue mais aussi dans les applications, vous pouvez rappeler un type d'aide spécial - l'*Aide rapide* - qui fournit des informations sur les éléments de l'écran dans une *Info bulle*.

Ouverture de la boîte de dialogue

Pour essayer ce type d'aide, ouvrez tout d'abord une boîte de dialogue. Lancez par ex. *Wordpad (Démarrer/Programmes/Accessoires)* et choisissez *Fichier/Enregistrer sous....* Dans la boîte de dialogue *Enregistrer sous*, le bouton *Aide* ? se trouve dans la barre de titre à côté du bouton *Fermer*.

Bouton *Aide*

Cliquez sur ce bouton, un point d'interrogation apparaît à côté du pointeur, déplacez-le vers un objet de la boîte de dialogue et cliquez pour afficher les informations relatives.

Info-bulle

Si un texte d'aide est disponible, *Windows Me* affiche une *Info bulle* contenant une explication relative à la fonction ou à l'élément choisi. Si aucune information n'est disponible, le point d'interrogation disparaît de l'écran. Vous pouvez alors rappeler cette aide et pointer une autre zone de la boîte de dialogue. Cliquez sur l'*info-bulle* pour la fermer.

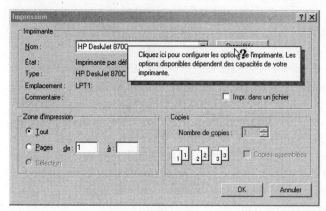

Figure 2.23 Activation de l'*Aide rapide* dans les boîtes de dialogue

Aide rapide

Un autre système pour afficher l'Aide relative à un élément de l'écran est de cliquer à l'aide du bouton droit sur la zone voulue pour afficher la rubrique « *Qu'est-ce que c'est ?* » puis de cliquer sur celle-ci à l'aide du bouton gauche.

Pour rappeler l'aide rapide, vous pouvez aussi utiliser la combinaison de touches ⬆ + F1 . Dans ce cas, l'info-bulle qui s'affiche concerne l'élément actif et mis en évidence dans la boîte de dialogue. En ce qui concerne les zones de textes, l'élément actif correspond à celui où se trouve le curseur ou bien au texte sélectionné (et mis en évidence avec une couleur). Les boutons, les cases d'option ou les autres éléments actifs sont entourés d'un cadre en tirets. Pour mettre en évidence un élément sans l'activer, cliquez sur celui-ci, faites glisser le pointeur vers une zone libre de la boîte de dialogue puis relâchez le bouton de la souris.

Aide de *Windows* – Rappel et utilisation à l'intérieur des applications

Etant donné le grand nombre d'applications de *Windows Me,* même les spécialistes trouvent qu'il est difficile d'avoir une vue générale de toutes les fonctions relatives à une application *Windows.* En effet, selon les statistiques, la plupart des utilisateurs n'utilisent que 10% environ des possibilités que le programme leur offre. Il ne devrait pas en être ainsi puisque chaque application *Windows* dispose d'une aide en ligne.

Aide en ligne

Dans cette ère multimédia, les constructeurs de programmes renoncent aux manuels sur papier et regroupent dans l'aide en ligne toutes les informations relatives au programme et à ses fonctions. Cette section décrit comment accéder à l'Aide d'une application *Windows.*

Lancement de l'application

Pour accéder à l'Aide d'un programme, il faut tout d'abord lancer l'application. Dans le menu *Démarrer,* pointez *Programmes* et cliquez soit directement sur le nom de l'application voulue soit sur le groupe de programmes où celle-ci figure.

Essayez, par exemple, de rappeler l'aide du programme de traitement de textes *Wordpad* de *Windows* en appuyant sur la touche F1.

Fenêtre d'application activée

Mais attention, vous devez activer la fenêtre d'application. Si la fenêtre active est une fenêtre de dossier, vous afficherez l'aide de *Windows.* Si un programme est réduit en icône, la touche F1 ne lance pas l'aide relatif à l'application.

Menu « ? »

Ce problème peut toutefois être facilement résolu à l'aide du menu *?* (*Aide*) qui est disponible dans les applications et qui offre la commande *Rubriques d'aide*.

Aide du programme

Cette commande rappelle une fenêtre d'aide interne au programme dont le contenu s'adapte au programme activé. Les fenêtres d'aide de la plupart des programmes sont partagées selon un modèle déterminé que nous allons illustrer ci-dessous ; sachez toutefois que certains programmes ne possèdent pas tous les onglets décrits.

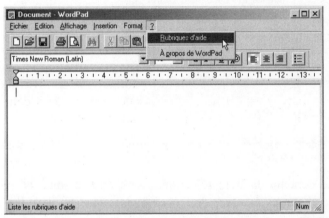

Figure 2.24   Rappel de l'aide des applications *Windows* (dans cet exemple *Wordpad*)

L'onglet *Sommaire* de l'aide

Ouverture à l'aide d'un seul clic

Les rubriques de menu figurant dans l'onglet *Sommaire* peuvent être ouvertes en cliquant sur l'icône 📚 puis sur un sujet 🔲. Le texte relatif à l'aide est généralement affiché dans la partie droite de la fenêtre mais parfois une autre fenêtre s'ouvre pour visualiser l'aide.

Pour dérouler davantage la structure, cliquez sur un sujet, par exemple dans *Wordpad* sur *Gestion des documents*. Vous affichez ainsi des pages d'aide importantes relatives à ce sujet.

Structure hiérarchique

Examinons à présent la structure hiérarchique des rubriques de l'onglet *Sommaire*. L'Aide est partagée en rubriques marquées d'une icône représentant un livre 📖. La liste de gauche constitue l'étagère où sont rangés les livres. Pour ouvrir un livre, il suffit de cliquer.

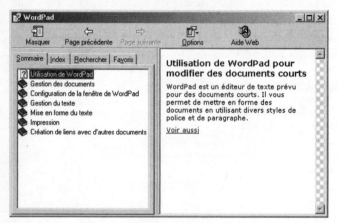

Figure 2.25   Aide spécifique du programme (dans cet exemple, *Wordpad*)

Livre

Le contenu du livre sélectionné sera affiché sous forme de chapitres marqués de l'icône représentant un livre fermé 📖.

Rubriques de l'aide

Un libre ouvert 📖 peut aussi contenir les premières rubriques de l'aide, marquées de l'icône suivante ❓ (voir l'Aide de Wordpad, Figure 2.24). Un clic permet d'afficher les chapitres d'un livre ouvert.

Technique Internet

D'une manière générale, cette structure est identique à celle des dossiers affichés dans l'*Explorateur Windows*, bien qu'ici l'icône du livre remplace celle du dossier et qu'un simple clic suffit pour l'ouverture.

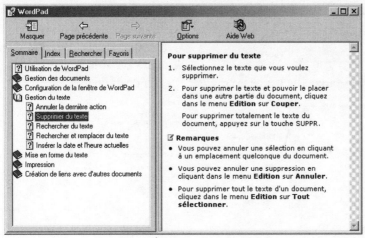

Figure 2.26   Livre/chapitre ouvert de l'Aide *Wordpad*

Livres ouverts

Les livres ouverts 📖 peuvent être refermés à l'aide d'un clic pour réduire la structure déroulée dans la fenêtre gauche. Utilisez la barre de défilement pour parcourir les livres fermés ou les rubriques d'aide. Pour afficher à droite un sujet précédé de l'icône ❓, il suffit de cliquer sur son nom.

Informations affichées

Lisez les informations qui sont affichées. Les boutons de la barre d'outils permettent de passer d'un sujet à l'autre.

Après avoir consulté un sujet, vous pouvez en sélectionner un autre en cliquant sur le livre 📕 ou sur la rubrique correspondante ❓. A l'aide des boutons *Page suivante* ⇨ et *Page précédente* ⇦, vous vous déplacez parmi les pages que vous avez rappelées.

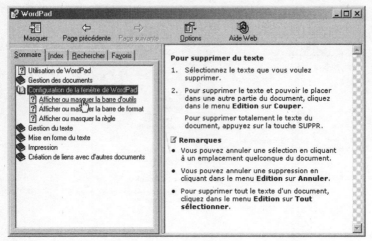

Figure 2.27   Affichage d'un texte d'aide dans la partie droite de la fenêtre

Bouton *Options*   Le bouton *Options* offre différentes rubriques permettant de modifier le type d'affichage de l'aide, de passer à l'aide Web (vous devez pour cela disposer d'un modem/ISDN et être connecté à Internet) ou bien de consulter les pages précédentes ou suivantes. Avec la commande *Imprimer...*, vous imprimez les informations relatives à un sujet de l'Aide sur une imprimante installée et reliée.

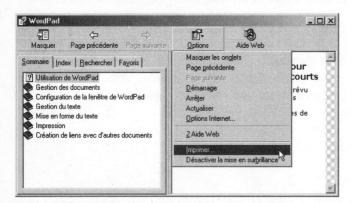

Figure 2.28   *Impression* d'un texte d'aide à partir du menu *Options*

Informations additionnelles	Pour afficher d'autres informations, cliquez sur les morceaux de texte soulignés à droite et sur les liens hypertextes que vous avez déjà rencontrés dans l'Aide de *Windows* ou dans Internet.

L'onglet *Index*

	Cette section décrit l'index analytique de l'Aide en ligne, auquel vous accédez à travers l'onglet *Index*.
Onglet *Index*	Rappelez tout d'abord l'Aide de l'application relative à l'aide de la touche F1 ou du menu *? /Rubriques d'aide*. Vérifiez que la fenêtre de programme est active car sinon vous lancez l'Aide de *Windows*.
Insertion du terme de recherche	Dans la partie gauche de la fenêtre de l'onglet *Index*, vous avez une zone de texte où il faut taper le mot à rechercher et une liste qui énumère toutes les rubriques disponibles rangées dans l'ordre alphabétique.
Insertion de mots clé	Tapez dans la zone de texte les premières lettres du mot à rechercher. Parfois la première lettre suffit.
Insertion de lettres de l'alphabet	Le contenu de la zone de liste est ajusté au terme recherché. Si vous tapez une seule lettre, la première rubrique de l'index commençant par cette lettre est affichée. Tapez par ex. la lettre « d » et observez la liste. A présent, tapez le mot « documents » en entier.
Sélection de la rubrique de l'aide	A ce stade, la première rubrique correspondant à votre frappe sera affichée. Choisissez la rubrique *Impression* dans la liste de l'index et cliquez sur *Afficher*. Choisissez la rubrique voulue dans la liste qui vous est proposée puis cliquez sur *Afficher*, les informations correspondantes sont alors affichées à droite.

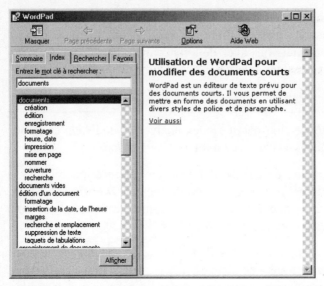

Figure 2.29   L'onglet *Index* dans l'Aide en ligne de *Wordpad*

L'onglet *Rechercher*

Dans l'onglet *Sommaire* les rubriques d'aide sont organisées en livres disposés d'une façon hiérarchique ; l'onglet *Index* contient une liste alphabétique de tous les sujets de l'aide. Si dans le Sommaire et l'Index vous n'avez pas trouvé le terme voulu, l'onglet *Rechercher* vous offre une autre possibilité.

Recherche par thèmes

Il permet d'examiner le contenu de tous les thèmes disponibles dans l'Aide. Les mots correspondants trouvés peuvent être réduits à l'aide de critères qui restreignent la recherche. Ainsi vous obtenez seulement les rubriques relatives au sujet voulu de l'Aide contenant le terme recherché.

Création de l'index des mots

Cette fonction correspond à une petite base de données en mesure d'effectuer une recherche intelligente dans tous les textes disponibles de l'Aide. Tapez le terme ou l'expression recherché dans la zone de texte.

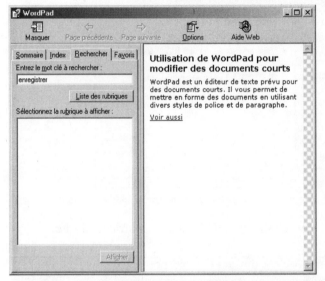

Figure 2.30   Onglet *Rechercher* dans l'Aide en ligne de *Wordpad*

Expression

L'expression doit contenir deux ou plusieurs termes. Tapez ces termes l'un après l'autre en les séparant par un espace. Cliquez sur le bouton *Liste des rubriques*.

Liste des rubriques

A ce stade, une liste de rubriques s'affichera dans la zone de liste située sous le bouton *Liste des rubriques*. Essayez de taper par exemple le terme *Enregistrer*.

Ensuite, sélectionnez dans l'Aide Wordpad la rubrique *Pour enregistrer les modifications apportées à un document*. Cliquez sur *Afficher* pour voir le sujet.

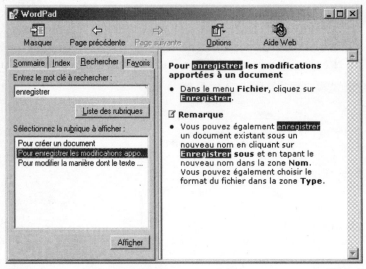

Figure 2.31   Affichage d'un sujet recherché (dans cet exemple l'Aide *Wordpad*)

Le sujet relatif sera affiché dans la partie de droite.

Pour afficher un sujet, vous pouvez également double-cliquer dans la liste sur le sujet voulu.

Les liens hypertextes permettent d'approfondir la recherche

Toutes les occurrences du terme ou de l'expression re-cherché sont mises en surbrillance dans le sujet affiché à droite. Les liens qui sont affichés et soulignés en bleu permettent d'approfondir la recherche. Les liens déjà lus (sur lesquels vous avez déjà cliqués) sont affichés en gris. La technologie utilisée ici correspond à celle du World Wide Web, un service d'information de l'Internet. Quittez l'*Aide de Windows* en cliquant sur le bouton Fermer ⊠.

L'onglet *Favoris*

L'onglet *Favoris* n'est disponible que dans les programmes de la maison Microsoft. On pourrait les comparer à des signets car ils sélectionnent et mémorisent des points dans les textes de l'Aide (ou dans les sites Web d'Internet Explorer) afin que l'on puisse les rappeler plus rapidement.

Ajouter aux Favoris — La fonction *Favoris* qui est disponible dans la fenêtre d'aide des programmes Microsoft, permet de mémoriser des pages de texte de l'Aide relatives aux programmes. Quand vous rencontrez une page de texte dont vous aurez besoin par la suite, sélectionnez l'onglet *Favoris* (il est parfois nécessaire d'élargir légèrement la fenêtre d'aide) et cliquez sur le bouton *Ajouter* situé au bas de la fenêtre.

A ce stade, la page est immédiatement prise comme signet et son titre est inséré dans la zone de liste qui se trouve dans la fenêtre gauche.

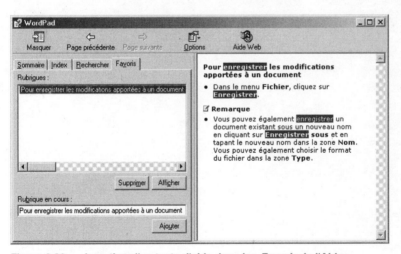

Figure 2.32   Insertion d'un texte d'aide dans les *Favoris* de l'Aide

Afficher les favoris   Pour rappeler les favoris, cliquer sur la rubrique en question et sur le bouton *Afficher*. Vous pouvez également double-cliquer directement sur le titre voulu.

Supprimer les
favoris   Si la liste est trop longue et qu'elle contient des rubriques inutiles, vous pouvez supprimer ces dernières. Pour cela, cliquez sur l'un des favoris puis sur le bouton *Supprimer*. Attention, aucun message de confirmation n'est affiché et la rubrique est supprimée immédiatement de la liste.

3. Programmes et documents

Ce chapitre décrit les programmes et les fichiers relatifs, à savoir les documents. Il illustre tout d'abord les différentes possibilités pour rappeler et fermer les applications sous *Windows Me*. Il décrit, en outre, comment enregistrer, charger et gérer les documents.

Lancement de programmes

Windows Me est extrêmement flexible. Comme dans le proverbe, on peut dire que sous *Windows* « tous les chemins mènent à Rome » et cela s'adapte en particulier aux programmes.

Décrivons tout d'abord comment rappeler les applications à l'aide du menu *Démarrer* de *Windows Me*. Cette opération est sûrement la plus facile pour les débutants, mais quand ces derniers se seront familiarisés avec Windows, ils constateront que cette procédure est la plus longue.

Rappel de programmes à l'aide du menu *Démarrer*

Le menu *Démarrer* représente la centrale de *Windows Me* et est rappelé en cliquant sur le bouton *Démarrer* qui se trouve à gauche dans la barre des tâches.

Rubrique
Programmes

Dans ce menu vous trouvez tout ce dont vous avez besoin dans Windows. Ainsi, par exemple chaque application *Windows Me* peut être rappelée en cliquant sur le menu *Démarrer*, en choisissant la commande *Programmes* et en sélectionnant l'application dans les sous-menus disponibles. Pour lancer un programme, sélectionnez dans le menu *Démarrer* la rubrique *Programmes* ; un sous-menu s'ouvre automatiquement. Le premier niveau contient par ex., les programmes *Internet Explorer* et le *Lecteur Windows Media*.

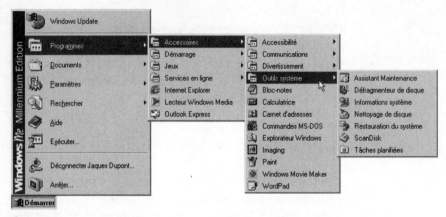

Figure 3.1   Applications figurant sous *Programmes*

Les autres programmes se trouvent dans le dossier *Accessoires*, par exemple la *calculatrice*, le programme de traitement de texte *Wordpad* et le programme graphique *Paint*.

Groupes de programmes

Placez le curseur sur le groupe de programme, le sous-menu s'ouvre automatiquement. Pour lancer un programme, cliquez simplement sur la rubrique désirée ; si vous devez créer un texte, cliquez sur *Wordpad*.

Fermeture automatique

Le menu *Démarrer* est automatiquement fermé après la commande de lancement d'un programme. Si vous essayez de rappeler deux outils système à travers *Démarrer/Programmes/Accessoires/Outils système*, vous constaterez que cette procédure est longue.

Le nombre de programmes disponibles dans le menu *Démarrer* dépend d'une part des composants du système sélectionnés pour l'installation *Windows*, de l'autre du nombre d'applications installées par la suite.

Ordre alphabétique

Le menu *Programmes* est rangé dans l'ordre alphabétique vous avez tout d'abord les groupes de programmes rangés par nom puis les commandes de programme. Les groupes de programmes sont des dossiers spéciaux où est enregistré le *raccourci* et non pas le fichier programme effectif auquel ce raccourci mène. Les groupes de programmes servent à ranger par sujet les différentes applications, ils peuvent être renommés, supprimés ou fournis de commandes de programme.

Quand vous installez un programme *Windows Me*, une rubrique est automatiquement ajoutée dans le menu *Démarrer*. La plupart des applications créent un nouveau groupe de programmes dont les commandes sont placées dans le sous-menu relatif. S'il n'en est pas ainsi, il faut effectuer manuellement l'opération. Nous parlerons de cela ci-après.

Windows Me offre différentes méthodes pour lancer une application. Commençons par la procédure à suivre à l'aide du *Poste de travail* de *Windows Me*.

Le *Poste de travail* est un dossier spécial de *Windows* où tous les répertoires disponibles de l'ordinateur sont affichés sous forme d'icône. Il contient par ailleurs l'icône du *Panneau de configuration*.

Rappel de programmes à partir du *Poste de travail*

Pour lancer un programme, double-cliquez sur l'icône *Poste de travail* qui se trouve sur le bureau. A présent, double-cliquez sur l'icône du répertoire où le programme a été enregistré. Si les dossiers et les fichiers de ce répertoire ne sont pas visualisés, cliquez sur le lien hypertexte *Afficher tout le contenu de ce lecteur*.

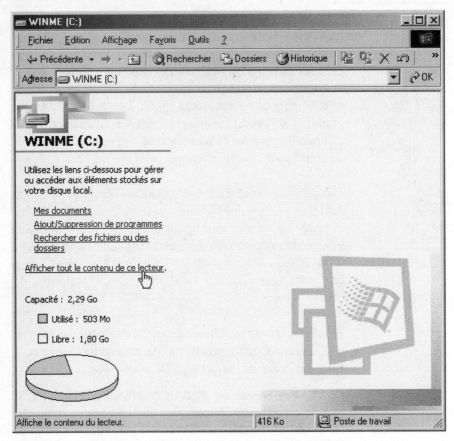

Figure 3.2 Sélection de l'affichage de fichiers sous *Windows Me*

Sélectionnez, à l'aide d'un double-clic, le dossier ou le sous-dossier contenant l'icône de programme voulue.

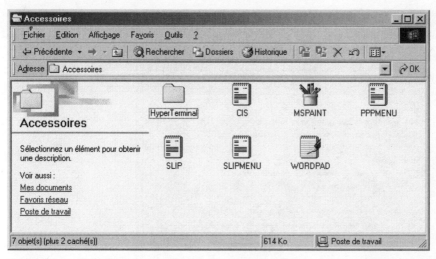

Figure 3.3   Sélection dans le dossier *Poste de travail*

Dossiers

Essayez avec les dossiers *(C:)*, *Programmes* et *Accessoires*. Ce dernier contient par exemple les fichiers programme de *Paint* (*MSPAINT*) et *Wordpad* (*Wordpad*).

Double clic

Pour lancer une application, double-cliquez sur l'icône de programme. Vous pouvez également sélectionner un objet d'un dossier ou d'un programme à l'aide d'un clic puis choisir la commande *Ouvrir* dans le menu contextuel ou le menu *Fichier*. Pour utiliser cette méthode, vous devez connaître le nom et l'emplacement dans la mémoire d'un fichier programme (par ex. *MSPAINT*) ou d'un raccourci.

Pour configurer le *Poste de travail* de manière à ce que le contenu des dossiers ouverts soit chaque fois affiché dans une nouvelle fenêtre, choisissez dans le menu *Outils* la commande *Options des dossiers...*. Dans l'onglet *Général*, sélectionnez l'option *Ouvrir chaque dossier dans une fenêtre séparée* sous *Parcourir les dossiers* et confirmez avec *OK*.

Figure 3.4   Sélections dans la boîte de dialogue *Options des dossiers*

Rappel de programmes à l'aide de l'*Explorateur Windows*

L'*Explorateur Windows* sert avant tout à organiser et gérer de façon professionnelle les fichiers et les dossiers. L'*Explorateur Windows* est le seul à offrir une représentation claire de la structure arborescente des dossiers. Il est bien évident qu'il possède d'autres fonctions outre la représentation des structures et des contenus des dossiers.

Menu contextuel

Rappelez avant tout l'*Explorateur Windows* à l'aide de *Démarrer/Programmes/Accessoires*. Vous disposez aussi d'une méthode alternative plus rapide, à savoir le *menu contextuel* du bouton *Démarrer*. Pointez ce dernier, appuyez sur le bouton droit de la souris puis cliquez sur la rubrique *Explorer*.

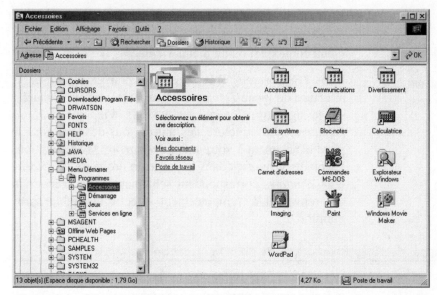

Figure 3.5   Un double-clic sur une icône de programme pour lancer l'application

Structure des dossiers

Pour lancer un programme dans l'*Explorateur Windows*, il est nécessaire de connaître le nom et l'emplacement dans la mémoire ou un raccourci. Cliquez sur le signe plus ⊞ précédant l'icône des répertoires pour afficher la structure des dossiers puis cliquez sur le dossier contenant le programme que vous voulez lancer. Pour afficher le contenu d'un dossier, cliquez sur les noms des dossiers.

Double clic

Pour lancer un programme, il suffit de double-cliquer sur le fichier programme affiché dans la partie de droite. Pour lancer, par exemple, la *Calculatrice*, sélectionnez le fichier *CALC.EXE* dans le dossier *C:\Windows*. Un système plus rapide consiste à travailler avec les raccourcis car, dans ce cas, il n'est pas nécessaire de connaître le nom du fichier programme. Les raccourcis permettant de lancer des applications Windows se trouvent par ex. dans le dossier *C:\Windows\Menu Démarrer \Programmes*.

Commande *Ouvrir*

Au lieu de double-cliquer, vous pouvez sélectionner un programme et l'activer à l'aide de la commande *Ouvrir* du menu contextuel ou du menu *Fichier*.

Structure du menu
Démarrer

Dans l'*Explorateur Windows*, vous pouvez visualiser la structure du menu *Démarrer*. Pour cela, cliquez à gauche sur le signe ⊞ précédant les dossiers *Windows* et *Menu Démarrer*. La structure des autres sous-dossiers correspond exactement à votre menu *Démarrer*. Mais attention, les objets visualisés dans la partie de droite de l'*Explorateur Windows* correspondent seulement à des raccourcis qui renvoient à l'emplacement effectif du fichier programme.

Rappel de programmes à l'aide de la commande *Exécuter*

Windows Me est extrêmement flexible en ce qui concerne le lancement de programmes. Si vous préférez la méthode directe et que vous avez déjà utilisé le vieux système d'exploitation *MS - DOS*, la procédure décrite dans ce chapitre pour rappeler une application à l'aide la boîte de dialogue *Exécuter* peut vous convenir.

Chemin d'accès

Pour utiliser cette méthode, il faut connaître l'emplacement dans la mémoire du fichier programme et le nom correct du fichier mais également la syntaxe avec laquelle les indications sont écrites dans une ligne de commande. Vous pouvez constater que cette méthode est destinée aux utilisateurs DOS, qui sont d'ailleurs de moins en moins nombreux, plutôt qu'aux utilisateurs *Windows*.

Commande
Exécuter

Voici la procédure à suivre : ouvrez le menu *Démarrer* et cliquez sur la commande *Exécuter* pour ouvrir la boîte de dialogue homonyme. Tapez le chemin du programme et le nom du fichier dans la zone de texte *Ouvrir* ; l'exemple illustrée dans la Figure 3.6 lance *Paint* dont le fichier programme s'appelle *MSPAINT.EXE*. Voici la syntaxe relative :

`Unité relative:\chemin\nom de fichier`

Ensuite appuyez sur ⏎ ou cliquez sur *OK*.

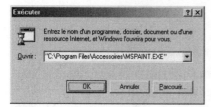

Figure 3.6 La commande *Exécuter* requiert la frappe du chemin d'accès complet

Sélection du fichier programme

Si un message d'erreur s'affiche, cela signifie que le chemin ou le nom de fichier est erroné. Dans ce cas, cliquez sur le bouton *Parcourir* et, dans la fenêtre homonyme, essayez de repérer son emplacement dans la mémoire. Après avoir trouvé le fichier programme désiré, sélectionnez-le et cliquez sur le bouton *Ouvrir*. Le chemin est aussitôt inséré dans la zone de texte *Ouvrir* de la boîte de dialogue *Exécuter*. Cliquez sur *OK* pour lancer l'application.

Figure 3.7 Recherche du fichier programme à l'aide de la fenêtre *Parcourir*

Pour rappeler les programmes figurant sous *Windows*, il suffit de taper le nom du fichier programme. Dans notre exemple, il s'agit de *mspaint*. *Windows* lancera automatiquement le programme.

Rappel de programmes et de document sous Windows Me

Si sous *Windows Me* vous travaillez essentiellement avec un programme de traitement de texte tel que *Wordpad*, il serait pratique de rappeler automatiquement ce programme après le démarrage de *Windows*.

Il en est de même pour les documents sur lesquels vous travaillez pendant longtemps, par exemple un mémoire ou un autre document. Dans ce cas, l'ouverture automatique du document, vous permettrez d'épargner deux étapes : le rappel du programme et l'ouverture du fichier.

Windows Me dispose d'un dossier spécial où vous pouvez enregistrer tous les objets avec lesquels vous voulez travailler immédiatement après le démarrage de *Windows*.

Démarrage

Ce dossier s'appelle *Démarrage* et se trouve dans le sous-menu de la commande *Programmes* sous *Démarrer*. Si vous n'avez pas encore installé des applications *Windows* supplémentaires, le dossier *Démarrage* est sûrement vide.

Ouvrez le menu *Démarrer* et pointez *Programmes/Démarrage*. Si le dossier ne contient aucun objet, vous verrez une seule rubrique en grisé indiquant que ce sous-menu est vide. Si par ex. le kit *Microsoft Office* a été installé, vous verrez certaines icônes relatives aux programmes auxiliaires des applications Office.

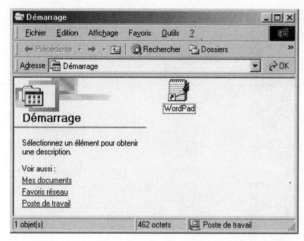

Figure 3.8   Le dossier *Démarrage* contenant le raccourci *Wordpad*

Pour lancer automatiquement un programme après le démarrage de *Windows Me*, il faut insérer son raccourci dans le dossier *Démarrage*. Cette opération peut être réalisée de différentes façons.

Examinons, tout d'abord, la méthode d'ajout de rubriques dans le menu *Démarrer* à l'aide de la boîte de dialogue des Propriétés de la barre des tâches.

Applications du menu *Démarrer* Cliquez sur le bouton *Démarrer* et pointez *Paramètres*, sélectionnez la rubrique *Barre des tâches et Menu démarrage* et passez à l'onglet *Avancées*. Cliquez sur le bouton *Ajouter*....

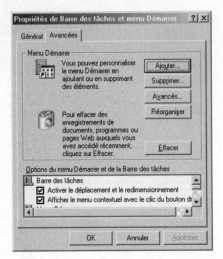

Figure 3.9   Ajout de rubriques dans le menu *Démarrer* à l'aide de *Ajouter...*

Boîte de dialogue
Création d'un
raccourci

Dans la boîte de dialogue *Création d'un raccourci*, cliquez sur le bouton *Parcourir*. A ce stade, vous devez connaître le chemin du fichier programme nécessaire ou du raccourci relatif. Achevez l'opération en sélectionnant par exemple, le programme de traitement de textes *Wordpad*.

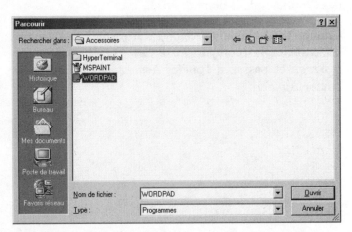

Figure 3.10   Recherche du chemin du fichier programme

Le fichier programme *Wordpad* s'appelle *WORD-PAD.EXE* et se trouve dans le dossier *C:\Program file\Accessoires*. Si vous voulez insérer dans le dossier *Démarrage* les composants d'un programme installé par la suite, utilisez les raccourcis de ces composants qui se trouvent dans le dossier *C:\Windows\Menu Démarrer\Programmes*.

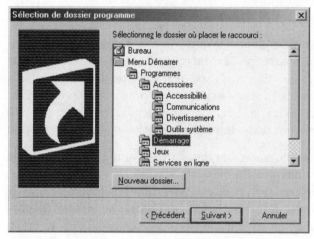

Figure 3.11   Sélection du groupe de programmes

Sélectionnez le fichier programme voulu et cliquez sur *Ouvrir*. Dans la boîte de dialogue d'après, double-cliquez sur le dossier *Démarrage*.

Dans la boîte de dialogue suivante, vous devez taper le nom qui sera visualisé dans le dossier *Démarrage* puis cliquer sur le bouton *Terminer*. Ensuite cliquez sur *OK* pour fermer la boîte de dialogue des Propriétés de la barre des tâches et sélectionnez *Démarrer/Programmes/Démarrage* pour contrôler le contenu du dossier *Démarrage*.

Les modifications entrent en vigueur au démarrage suivant du système. Pour en revenir à notre exemple, le pro-

Seulement les applications les plus importantes

gramme *Wordpad* sera à présent lancé en même temps que *Windows Me*. N'insérez que les applications principales dans le dossier *Démarrage*, pour éviter de ralentir l'amorçage du système et ne pas trop charger la mémoire.

Documents dans le dossier *Démarrage*

Outres les programmes, vous pouvez également y insérer des documents. Dans ce cas l'application correspondante est automatiquement lancée puis le document est ouvert.

Un système plus pratique consiste à copier dans le dossier *Démarrage* les raccourcis qui se trouvent sous *Démarrer*. Pour cela, ouvrez le menu *Démarrer* et sélectionnez par exemple *Programmes/Accessoires*. Sélectionnez la rubrique correspondant au programme à copier dans le dossier *Démarrage*.

Faites glisser dans ce dossier une copie de l'icône voulue en maintenant enfoncée la touche Ctrl. Si vous n'appuyez pas sur cette touche, l'icône de programme *sera déplacée*. Il est, en outre, possible de supprimer les raccourcis figurant dans le menu *Démarrer* à l'aide du menu contextuel et de la commande *Supprimer*.

Fermeture de programmes

Méthodes

Après avoir lancé un programme, exécuté des fonctions ou créé des documents, comment faire pour quitter le programme une fois les documents enregistrés ? Voici les méthodes disponibles :

- la commande *Quitter* du menu *Fichier*

- la combinaison de touches Alt + F4

- la commande *Fermeture* du menu système

- un double clic sur l'icône du menu système

- le bouton *Fermer* de la barre de titre ✖

- la commande *Fermeture* du menu contextuel qui s'affiche en cliquant (bouton droit) dans la barre des tâches sur le bouton du programme

Demande d'enregistrement

Toutes ces méthodes servent à fermer une application. Si un document n'a pas été encore enregistré, le système affiche un message (voir la Figure 3.12), permettant d'exécuter cette opération. Si vous cliquez sur *Oui*, la boîte de dialogue *Enregistrer sous* s'affichera. Si vous choisissez *Non*, l'application sera fermée sans enregistrement ; avec *Annuler*, vous revenez au programme.

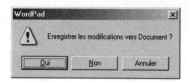

Figure 3.12   Demande de confirmation pour les fichiers non enregistrés

Pour rappeler le menu système, cliquez sur l'icône du programme située à gauche dans la barre de titre d'une fenêtre d'application. Cette icône est identique à celle utilisée dans le menu *Démarrer* ou dans l'*Explorateur Windows* pour les raccourcis permettant de lancer le programme.

Modification de l'icône du programme

Il faut avant tout nuancer le sens de ce titre : les icônes de programme de *Windows Me* sont mémorisées dans le fichier exécutable d'une application (extension de fichier

Raccourci

EXE) et elles ne peuvent être modifiées qu'avec des programmes d'édition spéciaux. Le terme « icône de programme » se réfère à l'icône du raccourci qui mène au fichier programme. Ces raccourcis se trouvent dans le menu *Démarrer*. Au premier abord, on dirait qu'il n'y a pas de différence entre une icône de programme et une icône de raccourci.

Icône de raccourci

Un raccourci est une copie de l'icône de programme qui contient toutes les indications relatives au chemin d'accès et au nom du fichier programme. Ainsi, par exemple, le raccourci de la *Calculatrice* qui figure dans le menu *Démarrer* renvoie au nom de fichier *CALC.EXE* qui est stocké dans le dossier *C:\Windows*. Le raccourci *Paint* renvoie au fichier programme *MSPAINT.EXE* qui se trouve dans le dossier *Programmes/Accessoires*. Les icônes de raccourci sont marquées du symbole situé en bas à gauche.

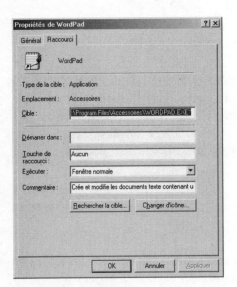

Figure 3.13   L'onglet *Raccourci*

Prenons encore une fois l'icône *Wordpad* pour vous montrer comment remplacer une icône de raccourci. Pour cela, passez au dossier *Windows/Menu démarrer/ Programmes/Accessoires*. Sélectionnez l'icône *Wordpad* et choisissez *Fichier/Propriétés*. Cette commande se trouve aussi dans le menu contextuel de l'icône.

Dans l'onglet *Raccourci*, cliquez sur le bouton *Changer d'icône*. Dans la boîte de dialogue homonyme, l'icône courante est sélectionnée sous *Icône actuelle*. Cette liste contient d'autres icônes. Utilisez éventuellement la barre de défilement pour parcourir les icônes disponibles.

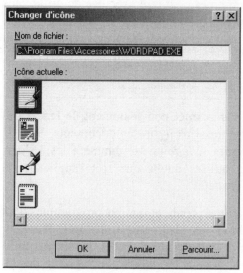

Figure 3.14   Sélection d'une autre icône

Sélectionnez une icône et confirmez à l'aide de *OK*. Si vous fermez la boîte de dialogue des Propriétés en cliquant sur *OK*, l'icône du raccourci sera remplacée par celle que vous avez choisie.

Si d'autres icônes ne sont pas disponibles dans la boîte de dialogue *Changer d'icône*, sélectionnez le bouton *Parcourir*. Dans la boîte de dialogue affichée, passez au dossier contenant le fichier d'icônes voulu ou une bibliothèque et cliquez sur *Ouvrir*.

Ouverture de documents

La grande flexibilité de *Windows Me* ne se limite pas seulement au démarrage des programmes. En effet, l'ouverture des programmes peut être exécutée de différentes façons. Commençons par la méthode la plus simple, à savoir l'ouverture de documents déjà enregistrés à partir du menu *Démarrer*.

Ouverture de documents à partir du menu *Démarrer*

Le menu *Démarrer* permet non seulement de lancer des programmes mais aussi d'ouvrir des documents. Sous la rubrique *Documents*, *Windows Me* énumère les 15 derniers documents utilisés quelle que soit l'application à laquelle ils sont associés.

Les 15 derniers documents

Toutefois cette liste ne contient que les programmes dont les extensions de fichier sont enregistrées sous *Windows Me*. Pour rappeler l'un des 15 derniers documents utilisés, cliquez sur le bouton *Démarrer* dans la barre des tâches et pointez la rubrique *Documents* pour ouvrir le sous-menu.

Icône de programme

L'icône de l'application relative au document est affichée devant le nom du fichier. Cliquez sur le nom voulu dans le sous-menu (voir la Figure 3.15). Le système lance l'application relative et ouvre automatiquement le fichier sélectionné.

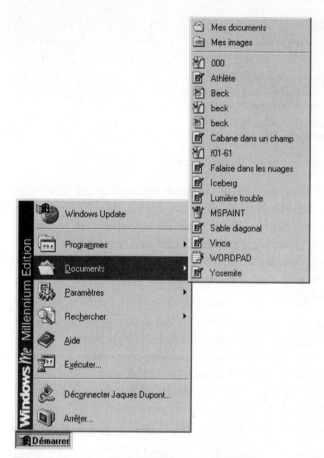

Figure 3.15   **Les 15 derniers documents utilisés sont affichés**

Si entre-temps vous avez déplacé un document qui figurait dans le menu *Documents*, *Windows Me* recherche automatiquement le nom du fichier à l'intérieur du disque dur. S'il le trouve, il lance automatiquement l'application d'origine et ouvre le document. Si la recherche échoue, le message suivant s'affiche :

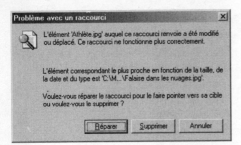

Figure 3.16   Recherche d'un nom de fichier semblable

Ou bien

Si le nom de fichier visualisé ne correspond pas parce que, par exemple, le fichier a été supprimé, cliquez sur *Annuler*, pour éviter d'ouvrir un fichier erroné portant le même nom. S'il s'agit du fichier correct, cliquez sur *Réparer* pour que le raccourci mène dorénavant à ce fichier. Examinons à présent une autre possibilité pour ouvrir les documents.

Organisation et gestion

Le dossier *Poste de travail* a été conçu pour organiser et gérer les répertoires et leurs contenus. Il permet en outre d'accéder au *Panneau de configuration*. Outre l'affichage du contenu des répertoires et des dossiers, le *Poste de travail* possède évidemment d'autres fonctions. Nous allons expliquer ci-dessous comment ouvrir les documents enregistrés sous *Windows Me* à l'aide du *Poste de travail*.

Ouverture de documents à partir du *Poste de travail*

Dossier Mes documents

Pour ouvrir un document à partir du *Poste de travail*, il faut connaître le nom et l'emplacement dans la mémoire du fichier ou de son raccourci. Double-cliquez sur l'icône de ce dossier 💻 située sur le bureau puis sur l'icône des répertoires où se trouvent les documents. Passez au dossier de document désiré en double-cliquant plusieurs fois. Les documents de la plupart des applications *Windows* sont enregistrés par défaut, par ex., dans le dossier *C:\Mes documents* qui s'ouvre à l'aide d'un double-clic sur l'icône homonyme située sur le bureau. Sous *Windows Me* d'autres sous-dossiers ont été ajoutés : ils contiennent des figures, des vidéos et des fichiers musicaux.

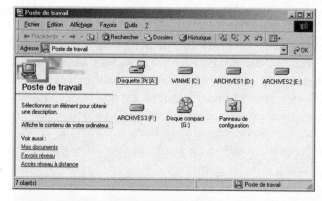

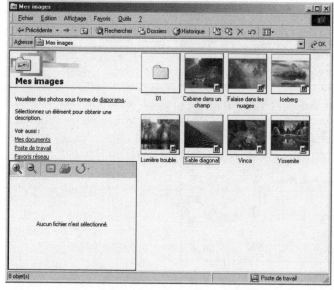

Figure 3.17   **Affichage des contenus des dossiers dans le** *Poste de travail*

Double clic   Pour ouvrir un document il suffit de double-cliquer sur son icône, cela entraînera le lancement de l'application

119

d'origine et l'ouverture automatique du document sélec-tionné. Comme alternative, vous pouvez sélectionner l'icône du document et choisir la commande *Ouvrir* dans le menu contextuel ou le menu Fichier.

Le double-clic sur une icône de document ne fonctionne que pour les fichiers enregistrés. *Windows Me* reconnaît le programme à lancer uniquement à partir de l'extension de ces fichiers. Normalement il en est ainsi pour tous les programmes installés correctement. Si vous cliquez sur des fichiers non enregistrés la boîte de dialogue *Ouvrir avec* apparaît, vous devez y sélectionner l'application de destination.

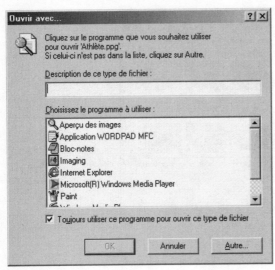

Figure 3.18   Boîte de dialogue *Ouvrir avec* pour les types de fichier non enregistrés

Ouverture de documents à partir de l'*Explorateur Windows*

Grâce à sa structure panoramique, l'*Explorateur Windows* permet d'organiser et de gérer de façon professionnelle des dossiers et des fichiers.

Structure panoramique

L'*Explorateur Windows* est le seul à offrir une représentation claire de la structure arborescente des dossiers. Il a bien évidemment d'autres fonctions. Il est possible, par exemple, de lancer les documents des applications enregistrées à partir de ce dossier.

Lancement de l'*Explorateur Windows*

Rappelez tout d'abord cette application en sélectionnant *Démarrer/ Programmes/ Accessoires/ Explorateur Windows*.

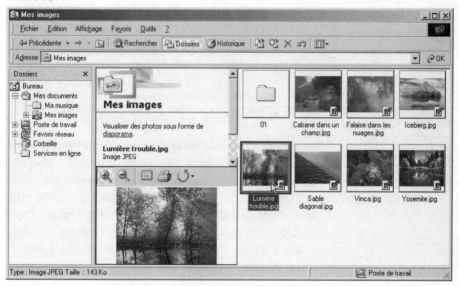

Figure 3.19 Un double-clic sur une icône de document dans l'*Explorateur Windows* ouvre le fichier

Ouverture d'un document

Pour ouvrir un document dans l'*Explorateur Windows*, il est nécessaire de connaître le nom et l'emplacement dans la mémoire du fichier ou du raccourci relatif. Cliquez sur les signes plus ⊞ précédant les icônes des répertoires pour parcourir la structure des dossiers et cliquez sur le nom des dossiers pour visualiser leur contenu.

Double clic

Pour ouvrir un document, il suffit de double-cliquer sur l'un des fichiers affichés dans la partie de droite. Le système lancera l'application d'origine qui ouvrira le document. Vous pouvez également sélectionner une icône du document et choisir la commande *Ouvrir* dans le menu contextuel ou le menu *Fichier*.

Le double clic sur une icône de document fonctionne seulement pour les fichiers enregistrés. *Windows Me* reconnaît le programme à lancer uniquement à partir de l'extension de ces fichiers. Si les fichiers sélectionnés ne sont pas enregistrés, le système affiche la boîte de dialogue *Ouvrir avec* où vous devez définir l'application de destination.

Ouverture directe des documents dans les programmes

Windows Me offre une série de programmes qui permettent d'exécuter des opérations normales ou de résoudre des situations plus particulières. Un programme de traitement de textes, tel que par ex. *Wordpad*, peut être utilisé pour écrire des lettres ; le programme graphique *Paint* sert à créer des images ou à élaborer de façon rudimentaire des figures. Pour d'autres fonctions, telles que le calcul de tableaux ou les présentations ou bien pour travailler avec des bases de données, il faut installer des applications supplémentaires.

Les documents créés avec différents programmes sont enregistrés dans des formats spécifiques relatifs à l'application et sont définis en tant que *type*.

Différents types de fichier

Chaque application permet en conséquence d'ouvrir seulement un certain type de fichiers. Il s'agit normalement du type de fichier utilisé par le programme lors de l'enregistrement et dont l'*extension* est reconnue par *Windows Me*.

Extension de fichier

L'extension de fichier est une abréviation de trois caractères. Un document *Word* possède l'extension *DOC*, qui signifie *DOCument*, un dessin *Paint* est suivi de l'extension *BMP*, à savoir *BitMap*. Pour ouvrir un document créé avec une application, lancez d'abord le programme en question.

Dans le programme, ouvrez le menu *Fichier* et choisissez la commande *Ouvrir*. Si l'application dispose d'une barre d'outils, vous pouvez cliquer sur le bouton *Ouvrir* qui la plupart du temps est représenté par un dossier ouvert.

Boîte de dialogue Ouverture

Dans tous les programmes, le système affiche la boîte de dialogue *Ouverture* semblable à celle illustrée dans la Figure 3.20.

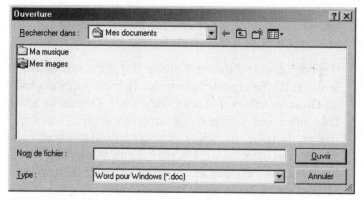

Figure 3.20   La boîte de dialogue *Ouverture* (de *Wordpad*)

Certains éléments de la boîte de dialogue *Ouverture* sont identiques pour toutes les applications *Windows Me*. Ouvrez tout d'abord la boîte à liste déroulante *Rechercher dans* et sélectionnez le lecteur où se trouve le fichier à ouvrir.

Dans la zone de liste située au-dessous, double-cliquez pour passer au dossier contenant le fichier. Les documents de différentes applications *Windows* sont enregistrés par défaut dans le dossier *C:\Mes documents*. Les rubriques musicales, les vidéos et les figures sont regroupés dans les sous-dossiers appropriés.

Bouton *Ouvrir*

Utilisez la barre de défilement pour afficher les fichiers éventuellement non visualisés. Sélectionnez l'icône de document voulue et cliquez sur le bouton *Ouvrir*. Le document est chargé.

Les boutons situés en haut à droite permettent de modifier le mode d'affichage de la liste des documents ou de passer aux dossiers placés à un niveau supérieur.

Dossier parent

Le bouton *Dossier parent* 🖿 permet de passer du dossier courant au niveau supérieur. Le dossier courant est affiché dans la boîte à liste déroulante *Rechercher dans*.

Bouton *Détails*

Le bouton qui se trouve à droite 🖽▾ permet de modifier le mode d'affichage de la liste des fichiers, vous disposez de *Grandes icônes*, *Petites icônes*, *Liste*, *Détails* (le mode liste offre des informations supplémentaires, telles que par ex. la taille du fichier et la date du dernier enregistrement) et *Miniatures*. Un petit menu permettant de sélectionner la rubrique en question apparaît lorsque vous cliquez sur la flèche de ce bouton.

Le type de fichier par défaut est indiqué dans la boîte à liste déroulante *Type* de la boîte de dialogue *Ouverture*. Pour savoir quels types de fichier vous pouvez ouvrir avec cette application, déroulez la liste *Type* à l'aide de la flèche prévue à cet effet. Si vous choisissez la rubrique *Tous (*.*)*, tous les fichiers enregistrés du dossier ouvert s'afficheront dans la liste.

Vous pouvez toutefois ouvrir seulement les types de fichier que l'application reconnaît, par ex. les documents de texte d'un programme d'écriture vidéo. Les applications modernes peuvent généralement ouvrir des dizaines de fichiers de type différent, elles utilisent pour cela des programmes de conversion spéciaux.

Icônes de
Windows

Le tableau suivant énumère les types de fichier standard des programmes regroupés sous Windows :

Programme Windows	Type de fichier	Extension
Wordpad	Documents	*DOC/.RTF*
Paint	Bitmap	*BMP*
Internet Explorer	Pages Web	*HTM*
Enregistreur de son	Audio	*WAV*

Figure 3.21   Les types de fichier des applications *Windows*

Enregistrement de documents dans les applications

Les textes composés à l'aide de Wordpad ou les figures dessinées avec Paint sont enregistrés par ces programmes dans un format spécifique approprié aux textes ou aux figures et à l'application utilisée.

Extension de fichier

Chaque application permet d'enregistrer les données uniquement sous des types de fichier déterminés. Pour cela les programmes assignent une extension de fichier, à savoir une abréviation composée de trois caractères. Un document *WordPad* possède l'extension *DOC*, qui signifie *DOCument*, un dessin *Paint* est suivi de l'extension *BMP*, à savoir *BitMap*.

Pour enregistrer un document dans une application avec le format spécifique du programme, créez tout d'abord un document, par ex. écrivez une lettre dans *Wordpad*.

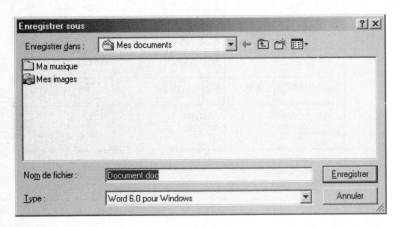

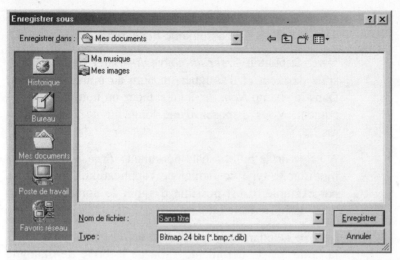

Figure 3.22   La boîte de dialogue *Enregistrer sous* (en haut *Wordpad*, en bas *Paint*)

Commande *Enregistrer*	Dans le programme, sélectionnez le menu *Fichier* puis choisissez la commande *Enregistrer*. Si l'application dispose d'une barre d'outils, vous pouvez cliquer sur le bouton *Enregistrer*.
	A ce stade, le système affiche la boîte de dialogue *Enregistrer sous* illustrée dans la Figure 3.22. Certains éléments de la boîte de dialogue *Enregistrer sous* sont identiques pour toutes les applications *Windows Me*.
Lecteur et dossier de destination	Pour enregistrer le document de l'application active, Windows demande quatre données : lecteur et dossier de destination, nom et type de fichier. Pour choisir le lecteur et le dossier de destination déroulez le menu *Rechercher dans* et sélectionnez le lecteur où vous voulez enregistrer un fichier. Ensuite double-cliquez dans la zone de liste située au-dessous sur le dossier de destination où vous voulez enregistrer le fichier.
Dossier parent	Le bouton *Dossier parent* 🔼 permet de passer du dossier courant au niveau supérieur, il annule donc le double-clic

effectué sur ce dossier. Le dossier courant est visualisé dans la boîte à liste déroulante *Rechercher dans*.

Création d'un nouveau dossier

Avec le bouton *Créer un nouveau dossier* ⬛, il est possible de créer et d'assigner un nom au nouveau dossier. Dans le champ *Nom de fichier*, tapez un nom pour le document. Vous disposez d'une longueur de 255 caractères !

A l'aide de la boîte à liste déroulante *Type*, vous pouvez modifier le type de fichier de l'application. Dans *Paint*, par exemple, il est possible d'établir le nombre de couleurs définies d'une bitmap.

Type standard

Le type standard de l'application activée est indiqué dans la boîte à liste déroulante *Type* de la boîte de dialogue *Enregistrer sous*. Pour visualiser les types de fichier pouvant être enregistrés sous cette application, cliquez sur la flèche de la boîte à liste déroulante *Type*. Les applications modernes permettent d'enregistrer des dizaines de types de fichiers différents. Ces autres types de fichier sont nécessaires uniquement si vous devez ouvrir les documents avec d'autres applications. Il y a, par exemple, des types de fichiers valables pour tout le système d'exploitation qui servent à échanger des données entre des systèmes sans offrir le meilleur format de mémorisation pour l'application utilisée lors de la création du document.

Quelle différence y a-t-il entre les commandes *Fichier/Enregistrer* et *Enregistrer sous* ? Si un fichier n'a pas encore été enregistré, les deux rubriques rappellent la boîte de dialogue *Enregistrer sous*. Par contre, si votre fichier porte déjà un nom et que vous voulez l'enregistrer après des modifications, choisissez *Fichier/Enregistrer* ; Si pour une raison quelconque vous devez l'enregistrer sous un autre nom, sélectionnez *Fichier/Enregistrer sous*.

Création de documents vides sous *Windows Me*

Nouveau, document vide

En général, quand vous voulez créer un document, vous ouvrez l'application nécessaire puis au terme de la création, vous enregistrez votre document. Dans *Windows Me* vous pouvez choisir le parcours inverse : c'est-à-dire, créer tout d'abord un nouveau document vide, lui assigner un nom puis l'ouvrir avec l'application associée au type de fichier sélectionné. Cette méthode qui peut vous sembler illogique est couramment utilisée comme alternative aux commandes *Fichier/Nouveau* dans la plupart des programmes.

Explorateur Windows ou Poste de travail

Nous vous conseillons d'enregistrer le nouveau document dans son emplacement définitif. Pour cela, lancez *Explorateur Windows* ou ouvrez le *Poste de travail*. Passez au dossier où vous souhaitez enregistrer le document.

Veillez à ne pas sélectionner des fichiers qui existent déjà. Dans l'*Explorateur Windows* ou le *Poste de travail*, choisissez le menu *Fichier* puis la commande *Nouveau*.

Menu contextuel

La commande *Nouveau* peut également être rappelée à l'aide du menu contextuel. Dans l'*Explorateur Windows* le pointeur de la souris doit se trouver dans la fenêtre droite.

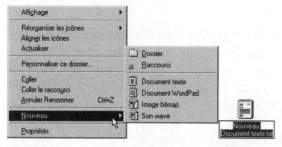

Figure 3.23   Les types de fichier dépendent des applications installées

Commande
Nouveau

Le sous-menu de la commande *Nouveau* énumère tous les types de fichiers disponibles dans le système. Le nombre et le type de documents pouvant être créés dépendent des applications additionnelles installées sur l'ordinateur.

Sélection du type
de fichier

Cliquez sur le type de fichier voulu pour le nouveau document. Pour créer un document à ouvrir avec l'*Editeur de texte*, sélectionnez par exemple la rubrique *Fichier texte ;* pour un document *Paint*, sélectionnez *Image bit-Map* et pour les documents de texte *Wordpad*, choisissez *document Wordpad*. Si *Word* est installé, vous devez choisir *Document Microsoft Word*.

Nouveau [type de
fichier]

Vous verrez dans le dossier activé une nouvelle icône de document avec l'inscription *Nouveau[Type de fichier]...* (voir la Figure 3.23) dont l'inscription est en surbrillance. Assignez-lui le nom voulu.

Les lettres composant l'extension du fichier ne doivent jamais être inverties. Confirmez avec ⏎ puis double-cliquez sur cette icône pour ouvrir le document vide et l'application qui y est associée.

Création de raccourcis vers des documents sur votre bureau

Les raccourcis permettent d'accéder rapidement aux programmes et aux documents utilisés couramment quel que soit le dossier où ils sont stockés. Si, par exemple, vous enregistrez votre travail dans un document enregistré comme *Barème*, un raccourci vers le fichier *Barème* sera créé sur le bureau, mais en réalité ce fichier se trouve dans le dossier *C:\Mes documents*. Pour ouvrir le document *Barème*, il suffit de double cliquer sur l'icône de raccourci qui se trouve sur votre bureau.

Observation sur l'emplacement

Ainsi, il n'est plus nécessaire de lancer l'application d'origine avant d'ouvrir le document. Le raccourci ne modifie pas l'emplacement dans la mémoire d'un document car il contient uniquement les indications relatives à l'emplacement effectif et au nom du fichier. Si vous supprimez un raccourci, le document original n'est pas effacé.

Créer un raccourci

Il est possible de créer un raccourci vers un élément quelconque, par exemple des programmes, des dossiers, des répertoires, d'autres ordinateurs et des imprimantes. Pour créer un raccourci sur le bureau, procédez comme suit : dans le *Poste de travail* ou l '*Explorateur Windows*, cliquez sur l'objet voulu, par exemple sur un document, choisissez la commande *Créer un raccourci* dans le menu *Fichier* ou dans le menu contextuel.

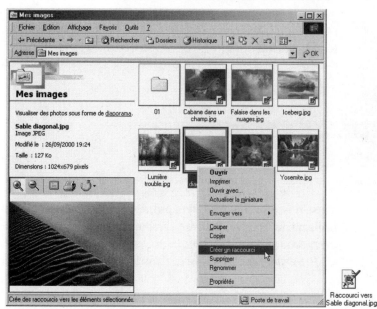

Figure 3.24 Création d'un raccourci vers un document

Le système affiche une icône portant le nom de *raccourci vers [nom de fichier]*. A ce stade, vous pouvez faire glisser cette icône à un endroit quelconque, par ex. sur le bureau ou sur la barre de lancement rapide (située à droite dans la barre des tâches). Il suffit de double-cliquer (un seul clic dans la barre de lancement rapide) sur le raccourci pour ouvrir le document ou un objet.

Nous vous conseillons de réserver le bureau uniquement à la création de raccourcis vers des documents ou des programmes effectivement importants que vous utilisez fréquemment. Si vous chargez trop votre bureau, vous aurez du mal à repérer les icônes dont vous avez besoin.

Icône de raccourci Les raccourcis sont marqués du symbole ⊡ situé en bas à gauche à l'intérieur de l'icône. Si vous voulez placer sur votre bureau un programme utilisé fréquemment, vous devez créer un raccourci. De nombreux programmes permettent d'exécuter automatiquement cette procédure lors de l'installation.

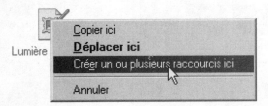

Figure 3.25   Création du raccourci à l'aide de bouton droit de la souris

Il est possible de créer plus rapidement les raccourcis en utilisant le bouton droit de la souris. Créez par exemple un raccourci vers *Wordpad* ; pour cela, ouvrez le dossier *C:\Program file\Accessoires* dans le *Poste de travail*.

Bouton droit de la souris

Faites glisser l'icône *Wordpad* à l'aide du bouton droit de la souris sur le bureau. Relâchez la touche et sélectionnez la commande *Créer un ou plusieurs raccourcis ici* dans le menu contextuel.

Il est possible de modifier une définition quelconque de raccourci (combinaison de touches, icône, description, etc.) en cliquant à l'aide du bouton droit de la souris sur le raccourci et ensuite sur *Propriétés*. Pour éliminer un raccourci, il suffit de faire glisser l'icône de raccourci dans la *Corbeille* ou sélectionner la rubrique *Supprimer* du menu contextuel de l'icône. L'objet source reste sur le disque dur dans le dossier où il est stocké.

Icônes de document des applications Windows

Les différentes applications *Windows* enregistrent les documents relatifs dans des formats spécifiques appelés également type.

Extension de fichier interne

Le type de fichier est enregistré dans *Windows*. L'extension permet à *Windows* de reconnaître le programme utilisé pour créer un document.

En général, l'extension est composée de trois caractères. Un document *Wordpad* possède l'extension *DOC* qui signifie *document*, un dessin *Paint* est suivi de l'extension *BMP*, à savoir BitMap.

Icônes de document

Windows Me assigne par ailleurs une icône de document spéciale aux fichiers enregistrés. Celle-ci permet à l'utilisateur de reconnaître le programme d'origine d'un document.

Icônes de Windows

Le tableau qui suit illustre les icônes de document les plus importantes appartenant aux applications figurant sous *Windows* :

Programme Windows	Type de document	Icône de document	Type de fichier
Editeur	*Fichier texte*		*Txt*
Wordpad	*Document Wordpad*		*DOC*
Paint	*BitMap*		*BMP*
Internet Explorer	*Document HTML*		*HTM*
Internet Explorer	*Fichier GIF*		*GIF*
Lecteur multimédia	*Audio*		*WAV*
Lecteur multimédia	*Fichier MP3*		*MP3*
Lecteur multimédia	*Séquence MIDI*		*MID*

Icônes de document d'autres applications enregistrées

D'autres icônes de document

Si vous voulez avoir une vue d'ensemble des types de fichier enregistrés, choisissez la commande *Outils/Options des dossiers...* dans une fenêtre de dossier ou dans l'*Explorateur Windows*. Affichez ensuite l'onglet *Types de fichiers*.

La liste *Types de fichiers enregistrés* contient toutes les icônes de document et la description des applications enregistrées. La description qui suit l'icône peut aussi être visualisée dans l'*Explorateur Windows* en activant l'affichage *Détails*.

Détails sur le fichier

Si vous cliquez sur l'un des types de fichiers enregistrés, vous verrez d'autres informations sous *Détails concernant l'extension [abréviation de l'extension]*, par ex. sur le programme qui est lancé quand vous double-cliquez sur un document dans l'*Explorateur Windows*.

Figure 3.26   Liste des fichiers enregistrés à l'aide de *Outils/Options des dossiers...*

L'icône d'un type de fichier sélectionné peut être modifiée à travers la fenêtre *Modification du type de fichier* qui s'ouvre en cliquant sur le bouton *Avancés*. Cliquez sur le bouton *Changer d'icône* pour visualiser les options disponibles.

Ouverture d'un document non enregistré

Chaque application permet d'ouvrir uniquement certains types de fichiers. Il s'agit généralement du type de fichier par défaut utilisé par le programme lors de l'enregistrement et que *Windows Me* reconnaît grâce à l'extension.

Document enregistré

Pour ouvrir un document enregistré à l'aide du *Poste de travail* ou de l'*Explorateur Windows*, il suffit de double-cliquer sur l'icône de programme.

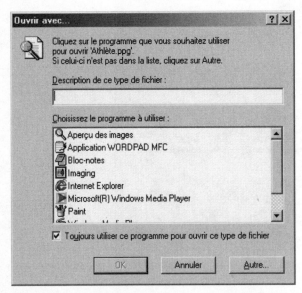

Figure 3.27   Liste des programmes enregistrés dans la boîte de dialogue *Ouvrir avec...*

Type de fichier
non enregistré

Si vous essayez d'ouvrir dans le *Poste de travail* ou l'*Explorateur Windows* un fichier *non* enregistré en double-cliquant, la boîte de dialogue *Ouvrir avec...* apparaît automatiquement.

Applications
enregistrées

La zone de liste énumère toutes les applications *Windows* enregistrées.

Ouvrir le fichier

Sélectionnez le nom du programme voulu dans la liste et cliquez sur *OK* pour ouvrir le fichier. Mais attention, si le programme sélectionné n'arrive pas à lire le type de fichier, un message d'erreur s'affiche. L'application et le type de fichier doivent toujours être compatibles sinon cette méthode ne fonctionne pas.

Si vous voulez utiliser encore cette procédure pour ouvrir les fichiers à partir du programme que vous venez de sélectionner, veillez à ce que la case à cocher *Toujours utiliser ce programme pour ouvrir ce type de fichier* soit sélectionnée.

Affichage du contenu du document sans programme d'application

Pour examiner le contenu d'un document, ouvrez normalement le fichier dans le programme d'origine. Un système plus rapide consiste à double-cliquer sur l'icône de document dans l'*Explorateur Windows* ou dans le *Poste de travail*.

Affichage du contenu du document

Windows Me offre d'autres méthodes pour afficher le contenu du document. Il est en effet possible de visualiser le contenu de bitmaps, de pages Web ou de graphiques Web directement dans les dossiers ou dans l'*Explorateur Windows*. Le système d'exploitation dispose d'un mode d'affichage spécial qui utilise un afficheur de fichiers : l'*Aperçu*. Ce mode permet de visualiser certains contenus du fichier sans ouvrir aucun programme.

Aperçu des documents dans les dossiers et dans l'*Explorateur Windows*

Pour afficher un aperçu d'un document, passez dans le *Poste de travail* ou l'*Explorateur Windows*, au dossier contenant le document. Sélectionnez dans le menu *Affichage* la commande *Miniatures*. Pour certains dossiers, l'option est déjà définie par défaut. Visualisez par exemple les fichiers d'images partiellement installés avec *Windows Me* dans le dossier *C:\Mes documents\Mes images*.

Miniature

Lorsque vous sélectionnez l'option miniature, l'*Explorateur Windows* essaie de visualiser, en plus de l'icône, un aperçu des fichiers sélectionnés. Ainsi *Windows Me* reconnaît, par ex., la plupart des fichiers d'image suivis de l'extension *BMP*, *JPG* ou *GIF*.

Aperçu

Si vous sélectionnez l'un de ces fichiers, l'*Explorateur Windows* représente une version agrandie de cet aperçu. Cela ne fonctionne que si la fenêtre de dossier ou celle de l'*Explorateur Windows* dispose d'une taille minimum déterminée.

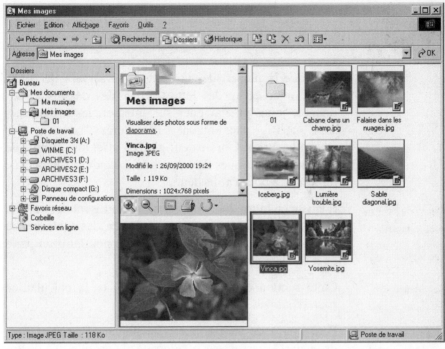

Figure 3.28 Aperçu du contenu d'une bitmap dans l'Explorateur Windows

Afficheur de fichiers

Le kit de *Windows Me* comprend un afficheur de fichiers à part, en mesure de lire les formats de fichiers des applications les plus importantes et donc d'afficher rapidement leur contenu.

Utilisation de la calculatrice de poche pour effectuer des calculs

Bien que la plupart des utilisateurs se servent de l'ordinateur pour écrire des lettres, créer des dessins et des images, jouer ou naviguer sur Internet, les ordinateurs sont aussi couramment considérés comme des « calculateurs ». L'ordinateur gère en effet une infinité de colonnes numériques incompréhensibles qui n'ont aucune importance pour l'utilisateur.

Calcul de valeurs et de nombres

Il existe en outre des applications qui utilisent des valeurs et des nombres, par ex. pour calculer des tableaux ou analyser des bases de données. Voilà pourquoi on parle de « calculateur ».

Calculatrice de Windows

Cette section explique comment utiliser la calculatrice sous *Windows*.

Pour ouvrir ce programme, sélectionnez *Démarrer/Programmes/Accessoires/Calculatrice* : la calculatrice de poche est affichée en mode *standard*.

Figure 3.29   Mode *standard* de la *Calculatrice* de Windows

**Affichage/
Scientifique**

Pour passer à l'affichage agrandi illustré dans la Figure 3.30, sélectionnez le menu *Affichage/Scientifique* dans la fenêtre de la calculatrice. Ainsi en plus des types de calcul de base, vous disposez des fonctions permettant de calculer les angles et les courbes.

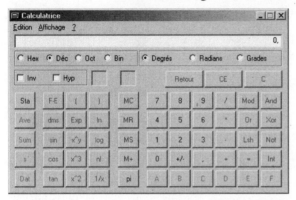

Figure 3.30   Affichage *Scientifique* de la *Calculatrice* de Windows

Boutons

Vous pouvez utiliser la souris pour travailler sur la calculatrice : il suffit de cliquer sur les nombres et sur les fonctions de calcul.

Pour obtenir plus d'informations sur la fonction d'un bouton, sélectionnez-le puis cliquez sur le bouton droit de la souris et sélectionnez la seule rubrique du menu contextuel, à savoir *Qu'est-ce que c'est*.

Clavier

Pour accélérer la procédure, vous pouvez utiliser le clavier : le meilleur système est d'utiliser le pavé numérique qui s'active en appuyant sur la touche [Verr num]. Tapez les nombres à calculer et pour les calculs de base, utilisez les touches [*], [+], [-] et [/].

Les résultats du calcul peuvent être copiés à l'aide de *Edition/Copier* ou la combinaison de touches ⌈Ctrl⌉ + ⌈C⌉ ; pour les coller dans une application *Windows*, utilisez *Edition/Coller* ou les touches ⌈Ctrl⌉ + ⌈V⌉.

4. Bureau, Barre des tâches et menu *Démarrer*

Ce chapitre est entièrement consacré au bureau électronique de *Windows Me* et à ses éléments de commande. Il explique comment personnaliser la barre des tâches en fonction de vos exigences et comment passer d'un programme à l'autre. Vous apprendrez toutes les notions relatives à la configuration de la salle opérationnelle de *Windows Me*, c'est-à-dire le menu *Démarrer*. Ce chapitre explique par ailleurs comment modifier l'affichage de ce menu, y insérer de nouveaux programmes ou groupes de programmes et effacer les raccourcis dont vous n'avez plus besoin.

Modification de la représentation de la barre des tâches

Le menu *Démarrer* qui se trouve dans la barre des tâches représente la salle opérationnelle de *Windows Me*. De ce point de vue, la barre des tâches est l'élément le plus important du bureau.

Glissement de la barre des tâches

Vous n'êtes pas obligé de travailler avec la barre des tâches affichée en bas de l'écran.

Position et largeur   Vous pouvez modifier la position et d'autres paramètres de la barre des tâches en fonction de vos propres exigences. Si vous voulez modifier sa position sur l'écran, cliquez dans une zone libre de cette barre, maintenez enfoncé le bouton de la souris et faites-la glisser à l'endroit voulu. Si vous approchez suffisamment la souris d'un côté de l'écran, un cadre de sélection représentant la nouvelle position apparaîtra ; la barre est collée au bord comme un aimant.

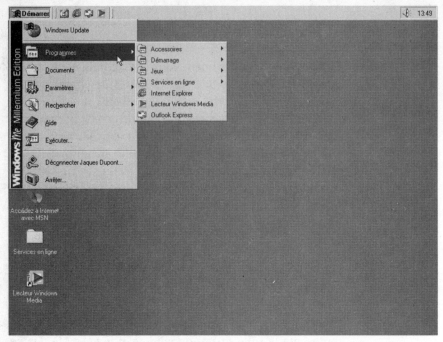

Figure 4.1   Barre des tâches positionnée en haut de l'écran

Pour placer cet objet à l'endroit voulu, relâchez le bouton de la souris. A ce moment-là, la barre des tâches, le menu *Démarrer* et ses sous-menus sont ajustés dans la nouvelle position.

Modification de la hauteur de la barre des tâches

Si de nombreux dossiers ou programmes sont ouverts, les abréviations des boutons figurant dans la barre des tâches ne seront pas claires. Pour mieux les visualiser, vous pouvez agrandir la barre des tâches. Pour cela positionnez le pointeur sur le bord supérieur de la barre des tâches ; celui-ci se transforme en double flèche $\updownarrow$, maintenez enfoncé le bouton de la souris et faites glisser le curseur : un cadre indique la nouvelle hauteur.

Quand vous relâchez la souris, les boutons sont répartis sur plusieurs lignes et les inscriptions sont affichées en entier.

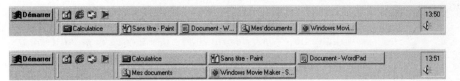

Figure 4.2   Modification de la hauteur de la barre des tâches (en haut) et de la disposition des barres d'outils qu'elle contient

Modification de la largeur

Vous pouvez également modifier la largeur et l'emplacement des barres d'outils figurant dans la barre des tâches.

Pour modifier la largeur de la barre d'outils des dossiers ouverts ou des applications activées pointez sa « poignée », à savoir la barre verticale blanche qui se trouve sur le côté gauche de la barre (le curseur prend cette forme ⟷) et faites-la glisser vers la droite ou la gauche en maintenant enfoncé le bouton de la souris (voir la Figure 4.2 en haut).

Modification de l'emplacement

Si vous voulez modifier l'emplacement de cette barre, cliquez sur sa « poignée » puis déplacez-la à votre gré (voir la Figure 4.2 en bas) devant, derrière, au-dessus ou au-dessous de la barre de lancement rapide.

Comment afficher ou masquer la barre des tâches

En tant qu'élément de commande le plus important de *Windows Me* la barre des tâches offre d'autres possibilités de configuration. Par défaut, celle-ci est toujours visible.

Paramètres / Barre des tâches

Pour configurer son mode d'affichage, ouvrez le menu *Démarrer*, pointez la rubrique *Paramètres* puis cliquez sur la commande *Barre des tâches et menu Démarrer* dans le sous-menu qui apparaît.

La partie supérieure de l'onglet *Général* de la boîte de dialogue *Propriétés de Barre des tâches et menu Démarrer*, offre un aperçu des paramètres définis.

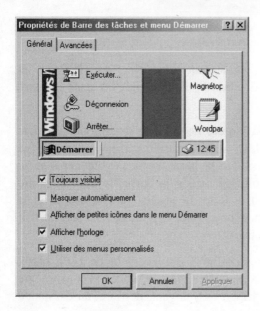

Figure 4.3   Définition du mode d'affichage de la barre des tâches

Toujours visible

Désactivez la case à cocher *Toujours visible*, si vous voulez que la barre des tâches soit masquée quand les fenêtres sont *agrandies*. Ainsi les fenêtres de programme ont plus d'espace ; toutefois pour passer aux autres applications, il faut réduire la fenêtre de programme afin de voir le bureau. Quand la barre des tâche est visible, le bouton ▒ permet de passer directement au bureau.

Masquer automatiquement	Sélectionnez la case à cocher *Masquer automatiquement* pour que la barre des tâches soit affichée seulement quand vous positionnez le pointeur contre la bordure inférieure de l'écran. Si vous déplacez de nouveau le pointeur vers le haut, la barre des tâches disparaît automatiquement après un instant.
Toujours visible	Si outre *Masquer automatiquement*, vous cochez la case *Toujours visible*, la barre des tâches est affichée ou masquée quand la souris touche la bordure inférieure même si la fenêtre est agrandie.
	Confirmez avec *OK* pour contrôler les modifications sur le bureau.

Affichage de l'horloge dans la barre des tâches

	Normalement, *Windows Me* affiche l'heure système exprimée en heures et en minutes en bas à droite dans la barre des tâches 13:52 . S'il n'en est pas ainsi, c'est parce que la case à cocher relative est désactivée. La section suivante explique comment afficher l'heure et des informations supplémentaires sur la date et l'heure.
Démarrer / Paramètre	Pour configurer la barre des tâches, sélectionnez *Démarrer/Paramètres/Barre des tâches et menu Démarrer*. La boîte de dialogue *Propriétés de Barre des tâches et menu Démarrer* s'affichera.
Afficher l'horloge	Cochez la case *Afficher l'horloge* et confirmez en cliquant sur *OK*. A présent, l'heure est (de nouveau) affichée.

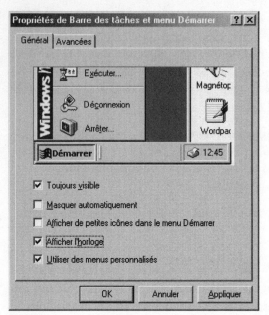

Figure 4.4   **Affichage et désactivation de l'heure dans la barre des tâches**

Positionnez le pointeur de la souris sur l'heure affichée dans la barre des tâches : *Windows Me* visualise après quelques secondes la date courante dans une *info-bulle*.

Si vous double-cliquez sur l'heure, le système affiche la fenêtre *Propriétés de Date/Heure* qui permet de modifier les paramètres.

Affichage du *Vumètre ressources* dans la barre des tâches

L'utilisateur de *Windows Me* pourrait se demander pourquoi l'ordinateur est particulièrement lent ou tombe en panne. Il remarquera, peut être après avoir lancé un programme déterminé, que les opérations effectuées par le biais du clavier sont plus lentes. *Windows Me* dispose d'un programme intégré qui donne certaines informations sur l'état de chargement du système : le *Vumètre ressources*.

Chargement maximum du système

Avec le *Vumètre ressources*, vous pouvez afficher dans la barre des tâches un « feu » qui signale constamment, de façon claire et simple, le chargement maximum du système.

Accessoires / Outils système

Dans le menu *Démarrer*, pointez les rubriques *Programmes/Accessoires/Outils système*, puis cliquez sur la commande *Vumètre ressources* dans le sous-menu qui apparaît.

Le *Vumètre ressources* n'est pas chargé lors de l'installation standard de *Windows Me*. Pour l'installer, rappelez le *Panneau de configuration* et sélectionnez la rubrique *Ajout/Suppression de programmes* puis choisissez l'onglet *Installation Windows*. Dans la liste qui s'affiche, sélectionnez la rubrique *Outils système*, cliquez sur *Détails...* et cochez la case du *Vumètre ressources système*. Cliquez sur OK dans les deux boîtes de dialogue ; le système installe automatiquement le composant ; au terme de cette opération le programme est disponible sous *Démarrer/ Programmes/ Accessoires/Outils système/Vumètre ressources*.

Figure 4.5   Installation du *Vumètre ressources* à partir du *Panneau de configuration/Ajout-suppression de programmes*

Boîte de message   Le programme affiche tout d'abord une fenêtre de message indiquant que le *Vumètre ressources* a besoin de ressources lors de son exécution. Cliquez dans la case à cocher *Ne plus afficher ce message* pour ne pas qu'il apparaisse la prochaine fois que vous rappellerez le *Vumètre ressources*.

Figure 4.6   Affichage du *Vumètre ressources*

Barres vertes   Cliquez sur *OK* dans la boîte de dialogue du *Vumètre ressources* ; l'icône relative ▤ apparaît dans la barre des tâches près de l'heure. Tant que des barres vertes sont affichées, tout est en ordre.

Système surchargé   Si une barre orange ▤ apparaît, cela signifie que le système est surchargé mais vous ne devez pas vous inquiéter.

En revanche, si le *Vumètre ressources* est rouge, enregistrez immédiatement tous les documents puis réamorcez *Windows Me*.

Le *Vumètre ressources* doit être rappelé après chaque démarrage du système. Toutefois, si vous copiez l'icône de programme du *Vumètre ressources* dans le dossier *Démarrage*, il sera toujours affiché dans la barre des tâches.

Pour visualiser les valeurs courantes exprimées en pourcentage des différents composants *Ressources système*, *Ressources utilisateur* et *Ressources GDI*, double-cliquez sur l'icône du *Vumètre ressources* ▤ dans la barre des tâches.

Une boîte de dialogue s'affichera ; pour la fermer cliquez sur *OK* :

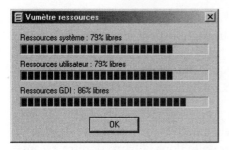

Figure 4.7   La boîte de dialogue du *Vumètre ressources*

Le chapitre 9 « Outils système » explique comment mieux contrôler l'exploitation du système à l'aide de l'outils *Moniteur système*. Cette application est extrêmement efficace mais il semble que seules les personnes qualifiées sont en mesure d'évaluer ses résultats.

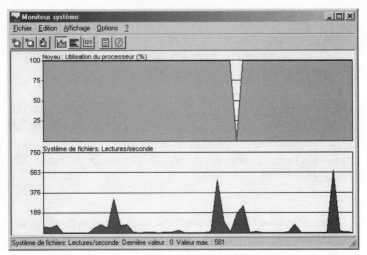

Figure 4.8   Le *Moniteur système* offre des informations plus détaillées

Basculer entre les applications

Le terme anglais *Windows* signifie « fenêtres » et sous *Windows Me* cette traduction peut être prise à la lettre. Dans les différentes fenêtres, vous pouvez afficher des informations quelconques ou exécuter des programmes. Grâce à la fonction multitâche, tout cela fonctionne en parallèle.

Fenêtre active

Les insertions ne peuvent être effectuées que dans la fenêtre active, à savoir celle dont la barre de titre est mise en évidence par une couleur. Les programmes des fenêtres inactives sont encore en cours mais ils n'acceptent aucune introduction. Si différentes applications sont ouvertes, vous pouvez basculer entre les programmes pour échanger des données par exemple. La méthode la plus simple est d'avoir recours à la barre des tâches.

Basculer entre les applications à l'aide de la barre des tâches

Boutons de
l'application

Tout programme dispose d'un bouton situé dans la barre des tâches contenant son icône et le nom du document ouvert. Le bouton de l'application *active* est enfoncé tandis que les autres sont en relief.

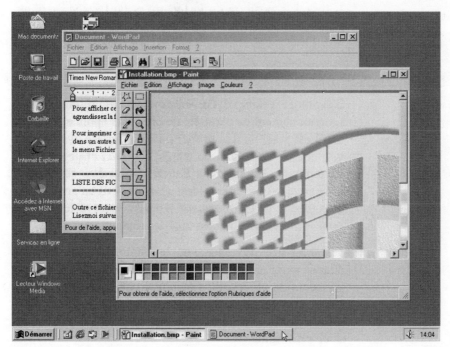

Figure 4.9   Passage d'une application à l'autre

Bouton dans la barre des tâches

Pour basculer entre les programmes, cliquez sur le bouton correspondant dans la barre des tâches. La fenêtre d'application qui y est associée s'affiche en premier plan. Vous pouvez alors travailler dans cette fenêtre qui est *active*.

A l'aide du menu contextuel de la barre des tâches, vous pouvez superposer (*Cascade*) les fenêtres du bureau ou bien les mettre côte à côte horizontalement ou verticalement (*Mosaïque horizontale/verticale*). Tandis que le menu contextuel des boutons figurant dans la barre des tâches offre les commandes permettant de modifier la taille ou la position de la fenêtre et de fermer l'application.

Basculer entre les applications à l'aide d'une combinaison de touches

L'avantage principal de *Windows* est représenté par le fonctionnement en parallèle de plusieurs applications. Par ex. il est possible d'imprimer une lettre créée avec le programme de traitement de textes *Wordpad* et de créer entre-temps un dessin dans *Paint*. Le *Vumètre ressources*, dont nous avons parlé ci-dessus, reste actif en arrière plan et la fenêtre de l'*Explorateur Windows* peut rester ouverte pour rechercher, si nécessaire, des fichiers.

Windows Me travaille avec le multitâche *préventif* où chaque programme utilise un pourcentage des capacités de calcul du processeur exactement quand il en a besoin. Dans le système d'exploitation précédent, à savoir *Windows 3.1*, la répartition des capacités de calcul était beaucoup plus rigide.

**Plusieurs
programmes**

Par ailleurs, si vous devez échanger des données entre des applications, différents programmes seront exécutés simultanément. Comme il faut passer d'une application à l'autre pour copier puis coller les informations, les combinaisons de touches peuvent vous faciliter la tâche.

*Gestionnaire de
tâches* **en miniature**

Appuyez sur la touche ⌈Alt⌋ et maintenez-la enfoncée, puis appuyez sur la touche ⌈⇆⌋. Sur l'écran le *Gestionnaire de tâches* en miniature s'affichera ; il s'agit d'une petite fenêtre contenant les icônes de toutes les applications actives ou des dossiers ouverts. Dans le champ situé au-dessous, vous pouvez lire le nom de l'application active qui est encadrée en bleu.

**Passage au
programme suivant**

Maintenez toujours enfoncée la touche ⌈Alt⌋ et appuyez sur ⌈⇆⌋ pour passer à l'icône de programme suivante. Appuyez sur la touche ⌈⇆⌋ jusqu'à ce que l'application voulue soit encadrée. Quand vous relâchez les deux touches, *Windows* passe à l'application sélectionnée.

Si vous travaillez avec deux programmes entre lesquels vous devez échanger des données, il vous suffit d'appuyer et relâcher les touches ⌈Alt⌋ + ⌈⇆⌋ pour basculer d'une application à l'autre.

Modification de l'affichage du menu *Démarrer*

Nous avons déjà dit que la salle opérationnelle de *Windows Me* est représentée par le menu *Démarrer*. Cette section décrit comment introduire de nouvelles rubriques dans le menu *Démarrer*, supprimer des rubriques existantes ou y ajouter de nouveaux groupes de programmes. Avant tout, nous allons vous expliquer comment modifier le mode d'affichage du menu *Démarrer* en fonction de vos exigences.

Modification de la taille des icônes du menu *Démarrer*

Il faut immédiatement freiner l'utilisateur qui pense que le menu *Démarrer* offre la même flexibilité de paramétrage que *Windows Me*.

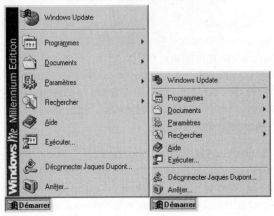

Figure 4.10   Grandes (à gauche) et petites (à droite) icônes dans le menu *Démarrer*

Taille d'une icône   La modification de la taille des icônes de menu *Démarrer* est la procédure la plus simple. Pour cela, sélectionnez *Démarrer/Paramètres/Barre des tâches et menu Démarrer* et restez sur l'onglet *Général*.

Petites icônes   Cochez la case *Afficher de petites icônes dans le menu Démarrer* et confirmez avec *OK*. Contrôlez les modifications sur l'écran.

L'emplacement du bouton *Démarrer* dépend de la position de la barre des tâches sur l'écran. Si vous voulez déplacer le bouton ailleurs, faites glisser la barre des tâches vers un autre bord de l'écran en maintenant enfoncé le bouton de la souris.

Personnalisation du menu *Démarrer*

Au terme de l'installation de nouvelles applications, les raccourcis qui mènent aux fichiers programme sont automatiquement chargés dans le menu *Programmes* auquel vous accédez en cliquant sur le bouton *Démarrer*.

Insertion de *nouvelles rubriques* dans le menu *Démarrer*

L'insertion de raccourcis vers le programme dans le menu *Démarrer/Programmes* peut aussi être effectuée par l'utilisateur, par ex. si la méthode automatique ne fonctionne pas ou s'il veut adapter le menu *Démarrer* en fonction de ses exigences.

Applications du menu *Démarrer*

Cette section explique comment insérer de nouvelles rubriques dans le menu *Démarrer* à l'aide de la boîte de dialogue des *Propriétés*.

Sélectionnez *Démarrer/Paramètres/Barre des tâches et menu Démarrer* et passez à l'onglet *Avancées*.

Ajouter

A ce stade, cliquez sur le bouton *Ajouter...* et dans la boîte de dialogue *Création d'un raccourci*, cliquez sur *Parcourir*. Maintenant il faut connaître le chemin du fichier programme nécessaire ou du raccourci relatif. Pour mieux comprendre la procédure, voici l'exemple du programme de traitement de textes *Wordpad* de *Windows Me*.

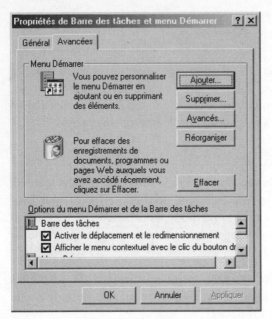

Figure 4.11   Ajout de nouvelles rubriques dans le menu *Démarrer*

Fichier programme   Le fichier programme *Wordpad* s'appelle *WORD-PAD.EXE* et se trouve dans le dossier *C:\Program file\Accessoires*. Cherchez le fichier programme dans la boîte de dialogue *Parcourir*, sélectionnez-le et cliquez sur le bouton *Ouvrir*. Revenez à la boîte de dialogue *Création d'un raccourci*, cliquez sur *Suivant* puis sélectionnez le dossier où vous voulez insérer le raccourci.

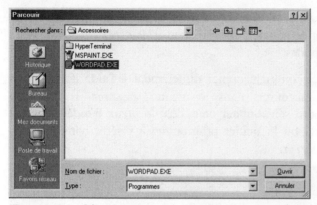

Figure 4.12   Sélection du programme à insérer dans le menu *Démarrer*

Nom du dossier   Cliquez sur *Suivant* et, dans la zone de texte, tapez le nom à assigner au dossier, par ex. *Traitement de texte*. Ensuite cliquez sur le bouton *Terminer*. Cliquez sur *OK* pour fermer la boîte de dialogue des *Propriétés* et contrôler si la nouvelle rubrique se trouve dans le menu *Démarrer*.

Personnalisation du menu *Démarrer* à l'aide de la technique *glisser-déplacer*

A l'aide du menu *Démarrer* de *Windows Me*, vous pouvez lancer tous les composants fournis avec *Windows* mais aussi les applications installées par la suite. Pour les programmes que vous utilisez couramment, la procédure consistant à passer par le menu *Programmes* et ses sous-menus n'est pas très pratique, surtout si vous devez lancer plusieurs programmes l'un après l'autre.

Windows Me qui est extrêmement flexible permet également de personnaliser le menu *Démarrer* à l'aide de deux méthodes.

Voici comment copier directement à l'aide de la souris des raccourcis dans le menu *Démarrer*. Il faut tout d'abord sélectionner dans l'*Explorateur Windows* le raccourci ou le fichier programme à insérer dans le menu *Démarrer*.

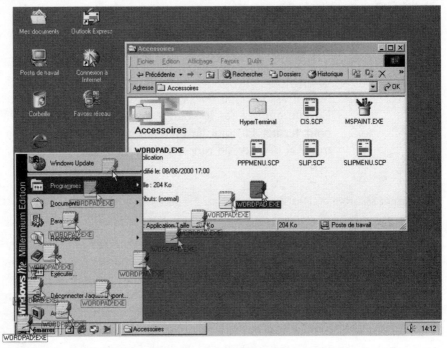

Figure 4.13   Insertion de programmes dans le menu *Démarrer* à l'aide d'un glissement

Bouton de la souris enfoncé

Appuyez simultanément sur le bouton de la souris et sur la touche Ctrl et faites glisser le raccourci ou l'icône de programme voulue sur le menu *Démarrer*. Ce dernier s'ouvrira. Déplacez-vous lentement vers la position d'insertion voulue (*Programmes/Accessoires* ou à un autre endroit). *Windows Me* indique avec une barre noire la position de la nouvelle icône.

Copie dans le menu *Démarrer*

Relâchez le bouton de la souris, *Windows Me* copie l'icône de programme ou de raccourci dans le menu *Démarrer* (voir la Figure 4.13).

Figure 4.14   Nouveau raccourci vers *Wordpad* dans le menu *Démarrer*

Copie dans un groupe de programmes

Si vous voulez copier l'icône de programme dans un groupe de programmes déterminé, il suffit de placer le pointeur sur la rubrique. Le sous-menu correspondant est ouvert après quelques secondes. Dans ce cas également, une barre noire indique la position d'insertion. Quand vous relâchez le bouton de la souris, *Windows Me* copie l'icône de programme ou de raccourci dans le groupe voulu.

Déplacement au lieu d'une copie

A présent, vous pouvez rappeler le programme copié à partir du menu *Démarrer*. Si lors du glissement vous n'appuyez pas sur la touche Ctrl, les icônes de programme ou de raccourci seront *déplacées*, c'est-à-dire supprimées du groupe de programmes d'origine et insérées dans le menu *Démarrer*.

Personnalisation du menu *Démarrer* à l'aide de l'*Explorateur Windows*

De nos jours, la publicité, les kits de programmes d'électronique et les revues d'ordinateurs offrent une quantité énorme de programmes ou de jeux sur CD-ROM à des prix donnés. Certaines applications figurant sur ces CD-ROM trouvent rapidement le répertoire où elles doivent être stockées et sont installées presque automatiquement.

Surchargé

Ainsi le menu *Programmes* est surchargé de groupes de programmes et d'icônes d'application. Bien vite le contenu du menu *Programmes* ne peut plus être affiché entièrement sur l'écran.

Organisation par sujet

Si tous les programmes installés sont effectivement nécessaires, il faut absolument les ranger par sujet et les réorganiser en groupes de programmes individuels dans le menu *Démarrer*.

A présent, nous allons expliquer comment adapter d'une façon simple le menu *Démarrer* à vos propres exigences en utilisant l'*Explorateur Windows*.

De simples raccourcis

Les groupes de programmes représentés dans le menu *Démarrer* ne sont que des raccourcis qui mènent à une zone déterminée du disque dur. Le terme « raccourci » se réfère à un fichier contenant uniquement des informations sur l'emplacement dans la mémoire et sur le nom du fichier programme auquel il est associé. Comme les raccourcis et le menu *Démarrer* sous *Windows Me* sont respectivement de véritables fichiers et un dossier, vous pouvez les voir dans l'*Explorateur Windows*.

Hiérarchie du menu *Démarrer*

Pour afficher la hiérarchie du menu *Démarrer* dans la fenêtre gauche de l'*Explorateur Windows*, cliquez sur le signe ⊞ précédant la rubrique du *Poste de travail* puis celle du disque dur (*C:*), celle de *Windows* et enfin celle du *Menu Démarrer*.

> Pour accéder plus rapidement à cette position du disque dur, cliquez à l'aide du bouton droit de la souris sur le bouton *Démarrer* et sélectionnez la rubrique *Explorer*. A ce stade, le système ouvre une fenêtre de l'*Explorateur Windows* où le menu *Démarrer* est déjà ouvert.

A ce stade, cliquez sur le signe + précédant la rubrique *Programmes*. Maintenant, le système affiche tous les groupes de programmes du *menu Démarrer* dans la partie gauche de la fenêtre de l'*Explorateur Windows*.

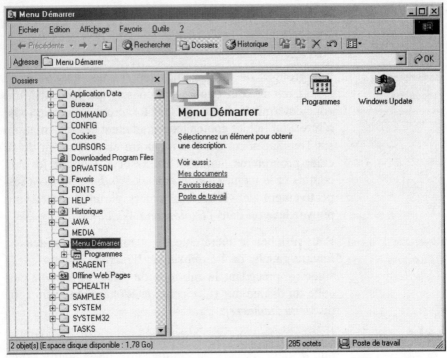

Figure 4.15   Affichage et personnalisation du *menu Démarrer* dans l'*Explorateur Windows*

Cliquez à gauche sur un groupe de programmes pour voir son contenu dans la fenêtre droite.

Pour créer de nouveaux groupes de programmes, utilisez la commande *Fichier/Nouveau/Dossier*. Le menu *Fichier/Renommer* permet d'assigner un nouveau nom aux groupes de programmes qui existent déjà, après les avoir sélectionnés.

Suppression de groupes de programmes

Les groupes de programmes vides ou qui ne sont plus nécessaires peuvent être sélectionnés et supprimés à l'aide de ⌗Suppr⌗ (ou avec le menu *Fichier/Supprimer*). De cette manière, vous supprimez seulement les raccourcis et non les fichiers programme effectifs.

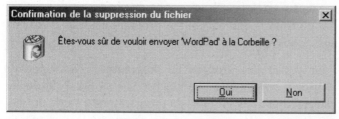

Figure 4.16　Boîte de message pour confirmer la suppression d'un raccourci

Reconfiguration du menu *Démarrer*

Si vous voulez reconfigurer le menu *Démarrer*, vous devez simplement copier et déplacer les groupes de programmes voulus. Nous vous conseillons de créer tout d'abord de nouveaux groupes de programmes, rangés par sujets, par ex. *Création d'images* et *Programmes Internet*.

Transfert de groupes de programmes

Pour déplacer des groupes entiers de programmes à l'aide de la souris, maintenez enfoncé le bouton de la souris et faites glisser le dossier voulu sur la nouvelle position dans la partie gauche de la fenêtre.

Si vous voulez déplacer en une fois plusieurs groupes de programmes, vous pouvez utiliser la sélection multiple mais seulement dans la partie droite de la fenêtre. Pour cela, appuyez sur la touche ⌗Ctrl⌗ ou ⌗⇧⌗ et cliquez.

Pour déplacer un groupe de programmes à l'aide d'une combinaison de touches, sélectionnez l'élément voulu puis appuyez sur les touches $\boxed{\text{Ctrl}}$ + $\boxed{\text{X}}$.

Cliquez sur le dossier où vous voulez déplacer cet élément puis, dans la position d'insertion, appuyez sur les touches $\boxed{\text{Ctrl}}$ + $\boxed{\text{V}}$. Si le groupe de programmes contient des raccourcis qui lancent des programmes, ils seront eux aussi copiés.

Copie de groupes de programmes

Pour copier des groupes de programmes, vous pouvez utiliser la combinaison de touches $\boxed{\text{Ctrl}}$ + $\boxed{\text{C}}$. Pour déplacer ou copier des groupes de programmes à l'aide du menu *Edition*, sélectionnez dans ce menu la commande *Couper* ou *Copier*. Affichez le dossier de destination puis choisissez la commande *Coller*. De la même manière, il est possible de copier ou déplacer des *raccourcis* d'un dossier à l'autre.

Copie de raccourcis

Vous pouvez également copier des raccourcis ou des groupes de programmes à l'aide des commandes du menu contextuel. Positionnez le pointeur sur l'objet et enfoncez le bouton droit de la souris. Sélectionnez la commande *Couper ou Copier* dans le menu contextuel. Affichez le dossier de destination puis positionnez le pointeur sur un point libre. Rappelez le menu contextuel et sélectionnez la commande *Coller*.

Méthode de glissement

Si les raccourcis ou les groupes de programmes à déplacer sont affichés dans la fenêtre droite de l'*Explorateur Windows* et le dossier de destination est visualisé dans la fenêtre gauche, la méthode la plus simple est de déplacer ou copier les objets avec la méthode du *glissement* citée au début de ce chapitre.

Pour déplacer l'objet, pointez-le, faites-le glisser sur le dossier voulu puis relâchez le bouton de la souris. Pour faire des copies, maintenez enfoncée la touche Ctrl lors du glissement.

Bouton droit de la souris

Comme alternative, vous pouvez copier ou déplacer des raccourcis ou des groupes de programmes en utilisant le bouton droit de la souris et la *méthode du glissement*. Pour cela pointez le raccourci ou le groupe de programmes et faites-le glisser à l'aide du bouton droit de la souris sur l'unité ou le dossier de destination. Relâchez le bouton de la souris. Choisissez dans le menu contextuel la commande *Déplacer ici*. Pour créer des copies, sélectionnez *Copier* dans ce menu contextuel ou bien durant le glissement enfoncez la touche Ctrl.

Suppression de rubriques dans le menu *Démarrer*

Suppression de rubriques

Si l'on considère la quantité d'informations, de programmes ou de jeux disponibles sur des CD-ROM ou sur Internet, il est bien évident que tôt ou tard le menu *Démarrer* est destiné à être surchargé de groupes de programmes et de raccourcis. Quand vous mettez un peu d'ordre sur le disque dur, en désinstallant de façon appropriée les programmes ou les jeux que vous n'utilisez plus, souvent les groupes de programmes et les raccourcis créés par les applications ne sont pas éliminés. Il faut en conséquence, les supprimer directement dans le menu *Démarrer*:

Pour ce faire, pointez *Démarrer/Paramètres* et cliquez sur la commande *Barre des tâches et menu Démarrer*. Dans la boîte de dialogue des *Propriétés*, choisissez l'onglet *Avancées* et cliquez sur le bouton *Supprimer*....

167

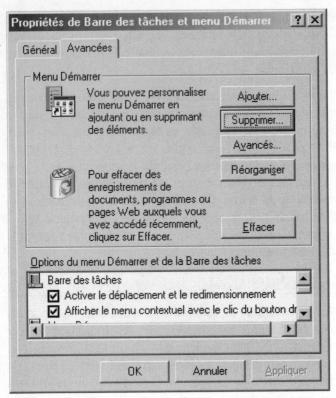

Figure 4.17   *Suppression* de rubriques du menu *Démarrer*

Suppression de raccourcis et de dossiers

La boîte de dialogue *Suppression de raccourcis et de dossiers* affiche la structure du menu *Démarrer* semblable à celle de l'*Explorateur Windows*. Cliquez sur le signe + précédant les rubriques pour afficher celle que vous voulez éliminer.

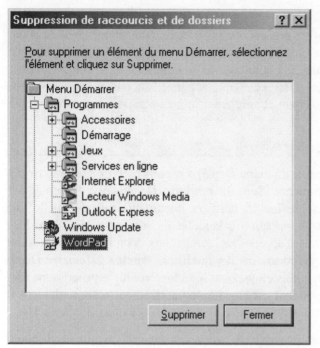

Figure 4.18   Suppression de raccourcis ou de dossiers inutiles

Supprimer   Sélectionnez les dossiers ou les raccourcis à éliminer et cliquez sur le bouton *Supprimer*. La boîte de dialogue reste ouverte. Répétez cet étape pour tous les dossiers ou les raccourcis dont vous n'avez plus besoin. Cliquez sur *Fermer* puis sur *OK* pour confirmer vos modifications.

Avec cette méthode, vous effacez exclusivement des groupes de programmes ou des raccourcis. Les dossiers et les données qui y sont associés doivent être supprimés à part à moins qu'ils n'aient déjà été éliminés précédemment à l'aide d'une désinstallation appropriée.

Les rubriques inutiles du menu *Démarrer* peuvent être supprimées encore plus facilement et rapidement. Pour cela ouvrez le menu *Démarrer*, sélectionnez la rubrique voulue et cliquez sur le bouton *droit* de la souris. Dans le menu contextuel qui apparaît, choisissez la commande *Supprimer* et confirmez le message par *Oui*.

Suppression du contenu du menu *Documents*

A partir du menu *Démarrer*, vous pouvez aussi ouvrir des documents. Sous la rubrique *Documents*, *Windows Me* énumère les 15 derniers documents utilisés quelle que soit l'application à laquelle ils sont associés. Cette liste permet d'accéder rapidement aux documents, par ex. pour les parcourir ou les modifier. Pointez *Démarrer/Documents* puis cliquez sur le fichier voulu, le programme correspondant est lancé automatiquement mais seulement si l'extension du fichier est enregistrée dans *Windows Me*.

Démarrer /
Paramètre

Il est possible de vider la liste des documents figurant dans le menu *Démarrer* à tout moment. Pour cela, sélectionnez *Démarrer/Paramètres/Barre des tâches et menu Démarrer* et passez à l'onglet *Avancées*.

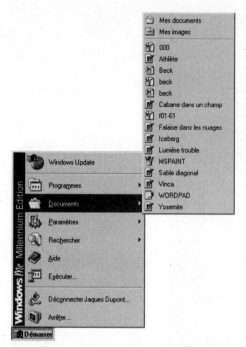

Figure 4.19   Affichage des 15 derniers documents utilisés

Supprimer

Cliquez sur le bouton *Effacer* pour vider la liste des derniers fichiers utilisés. Attention, *Windows Me* « oublie » également les derniers programmes et sites Web rappelés. Au terme de l'opération de suppression, le bouton *Effacer* n'est plus disponible. Fermez la boîte de dialogue *Proprietés de Barre des tâches et menu Démarrer* en cliquant sur *OK*. Cette fonction supprime uniquement les rubriques de menu tandis que les fichiers relatifs restent sur le disque dur.

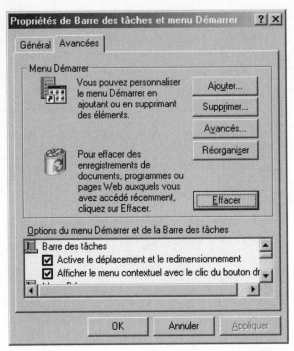

Figure 4.20   Suppression de toutes les rubriques du menu *Documents*

Modification de l'affichage du menu *Démarrer*

A l'aide du menu *Démarrer*, vous pouvez rappeler toutes les fonctions de *Windows*, lancer des programmes et ouvrir des documents. Les débutants se familiariseront rapidement avec la structure et l'organisation interne des fonctions de *Windows* à l'aide du menu *Démarrer*.

Si le menu *Programmes* contient différents programmes ou des structures de menus avec beaucoup de ramifications, vous aurez du mal à rechercher une application déterminée dans cette longue liste qui peut même prendre tout l'écran.

Rappels répétés de programmes

Cela est particulièrement évident si vous devez rappeler deux fois de suite un programme. Par exemple lorsque vous voulez contrôler à l'aide de *Scandisk* les erreurs éventuelles du disque dur et optimiser les fichiers fragmentés avec le *Défragmenteur de disque*, vous devez sélectionner deux fois de suite les commande *Démarrer/Programmes/Accessoires/Outils système*.

Affichage du menu *Démarrer* comme fenêtre de dossier

Le menu *Démarrer* peut aussi être affiché sous la forme d'une fenêtre de dossier qui offre une structure plus claire. Pour cela, positionnez-vous sur le bouton *Démarrer* et cliquez à l'aide du bouton droit de la souris. Dans le menu contextuel sélectionnez la commande *Ouvrir*.

Fenêtre de dossier

La fenêtre de dossier *Menu Démarrer* apparaît, elle contient au moins l'icône *Programmes*.

Figure 4.21   Affichage du menu *Démarrer* sous forme d'une fenêtre de dossier

173

Double-cliquez sur l'icône *Programmes* ou bien sélectionnez-la et choisissez la commande *Ouvrir* du menu contextuel ou du menu *Fichier*. La fenêtre *Menu Démarrer* est immédiatement mise à jour et le contenu du dossier *Programmes* apparaît.

Pour visualiser le contenu du dossier ouvert que vous venez d'ouvrir dans une autre fenêtre, dans le menu *Outils*, sélectionnez la commande *Options des dossiers....* Dans l'onglet *Général*, sous *Parcourir les dossiers* sélectionnez l'option *Ouvrir chaque dossier dans une fenêtre séparée* et confirmez la modification avec *OK*.

Icônes des groupes de programmes Les icônes des groupes de programmes sont identiques à celles que vous trouvez dans le menu *Démarrer* et qui ouvrent un sous-menu. Double-cliquez sur l'une de ces icônes pour afficher son contenu dans une fenêtre puis double-cliquez sur l'application voulue pour la lancer.

La structure de la fenêtre correspond exactement à celle du menu *Démarrer* mais montre seulement le menu *Programmes* et ses sous-menus. Si vous avez déjà travaillé avec la version *Windows 3.x*, vous trouverez que ce type d'affichage est pratique. Il correspond en effet à l'affichage des groupes de programmes dans le *Gestionnaire de programmes*.

L'affichage comme fenêtre de dossier est particulièrement utile pour rappeler différents programmes à partir d'un sous-menu (très ramifié) du menu *Démarrer*. Vous pouvez alors laisser la fenêtre de dossier en question ouverte tant que vous en avez besoin.

Il y a un autre avantage : si vous quittez *Windows* sans fermer les fenêtres de dossier utilisées, celles-ci seront automatiquement ouvertes lors du démarrage suivant.

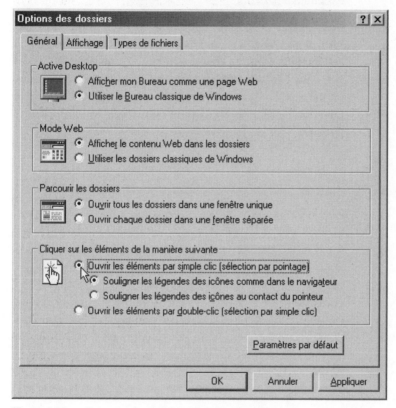

Figure 4.22 Passage du simple clic au double clic

Si le double-clic ne vous convient pas et que vous préférez cliquer une seule fois comme on fait couramment sur Internet, dans les présentations multimédia ou dans les jeux, vous pouvez éliminer définitivement le double-clic dans Windows. Dans ce cas pour sélectionner un élément, il suffit de le pointer ; pour lancer ou ouvrir des programmes ou des fichiers, un simple clic suffit. Mais attention, prenez un peu de temps pour vous y habituer car si vous double-cliquez par erreur, l'opération sera exécutée deux fois.

Pour passer du double-clic au simple clic, rappelez l'*Explorateur Windows*, dans le menu *Outils,* sélectionnez la commande *Options des dossiers....* Dans l'onglet *Général*, sous *Cliquez sur les éléments de la manière suivante*, choisissez l'option *Ouvrir les éléments par simple clic (sélection par pointage)* puis confirmez la modification avec *OK*.

5. *Poste de travail* et *Explorateur Windows*

Ce chapitre décrit deux applications *Windows Me* servant à organiser et gérer les données. Vous apprendrez à rechercher des dossiers sur le disque dur à l'aide du *Poste de travail* et de l'*Explorateur Windows*, à modifier le mode d'affichage et l'organisation, à copier, déplacer ou supprimer des fichiers. Mais également à créer et nommer de nouveaux dossiers ou préparer des disquettes pour l'enregistrement de données.

Travailler avec le *Poste de travail*

Le dossier *Poste de travail* sert à organiser et gérer les lecteurs. Grâce à sa structure orientée vers les objets, il facilite le travail des utilisateurs débutants. Pour l'ouvrir, double-cliquez sur l'icône *Poste de travail* située sur votre bureau.

Affichage du contenu du lecteur dans le *Poste de travail*

Lecteurs

Le nombre de lecteurs contenus dans le dossier dépend de la configuration du système. Une icône spécifique est associée à chaque lecteur. Le *Poste de travail* permet d'accéder rapidement au dossier *Panneau de configuration*.

Parcourir

Pour afficher le contenu d'un lecteur, sélectionnez l'icône voulue et choisissez la commande *Ouvrir* dans le menu contextuel ou le menu *Fichier*. Vous pouvez également double-cliquer simplement sur son icône.

Si la première fois que vous double-cliquez sur un lecteur, par ex. *C:* vous voyez une fenêtre vide, vous devez activer l'affichage des fichiers. Cliquez sur le lien *Afficher tout le contenu de ce lecteur* situé à gauche dans la fenêtre.

A ce stade, *Windows Me* affiche tous les dossiers qui se trouvent sur le premier niveau de ce lecteur ; le nom de lecteur parcouru est toujours affiché dans la barre de titre de la fenêtre.

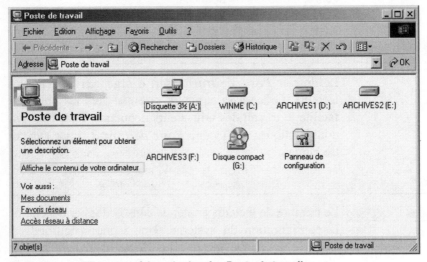

Figure 5.1   Niveau supérieur du dossier *Poste de travail*

Lettre identifiant le lecteur

Chaque type de lecteur (disque dur, lecteur de disquettes, de CD-ROM ou unité réseau) est marqué par une propre icône accompagnée d'un nom qui, pour les disques durs peut être modifié à l'aide du menu contextuel et de la commande *Renommer*. Il y a aussi la lettre couramment utilisée sous MS-DOS comprise entre parenthèses, à savoir *(A:)* pour le premier lecteur de disquettes et *(C:)* pour le premier disque dur.

Des difficultés avec le double clic

Si au début, vous avez du mal à ouvrir les dossiers en double-cliquant, sélectionnez un dossier et appuyez sur ⏎. Pour ouvrir le dossier, vous pouvez également utiliser la commande *Ouvrir* du menu contextuel ou du menu *Fichier*. Par ailleurs, vous disposez de la méthode indiquée ci-dessous.

Les personnes qui naviguent souvent sur Internet n'aiment pas utiliser le double-clic ; dans ce cas, il est possible d'activer une fonction particulière de *Windows Me*. Ainsi, toutes les opérations exécutées normalement par double-clic seront lancées à l'aide d'un simple clic et les objets seront sélectionnés par pointage.

Dans le menu *Outils*, choisissez la commande *Options des dossiers...* Dans l'onglet *Général*, sous *Cliquer sur les éléments de la manière suivante*, sélectionnez l'option *Ouvrir les éléments par simple clic* et confirmez en cliquant sur *OK*.

Avertissement : dès à présent, si vous double-cliquez sur un objet, celui-ci sera ouvert ou lancé deux fois.

Recherche de dossiers à l'aide du *Poste de travail*

La plupart des utilisateurs novices qui travaillent sous *Windows Me* se servent du *Poste de travail* pour afficher les contenus des lecteurs et des dossiers. Cela est compréhensible car la structure orientée vers les objets de *Windows* facilite considérablement le travail.

Ouverture du *Poste de travail*

Pour ouvrir le *Poste de travail*, double-cliquez sur son icône située sur votre bureau. Le nombre d'objets contenus dans le dossier varie selon la configuration du système. Une icône spécifique est associée à chaque lecteur.

A travers le *Poste de travail*, vous pouvez accéder rapidement au *Panneau de configuration* qui permet d'adapter le système *Windows* en fonction des propres exigences mais aussi d'installer et configurer de nouveaux périphériques. Le *Panneau de configuration* sera décrit plus en détails dans son propre chapitre.

Pour rechercher un dossier il faut, avant tout, ouvrir le lecteur où il est mémorisé. Pour cela, double-cliquez sur l'icône du lecteur voulu, par exemple sur *(C:)*.

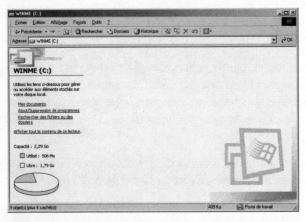

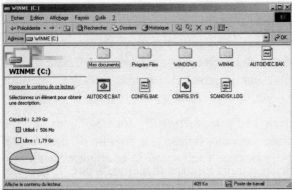

Figure 5.2   Pour voir tous les fichiers , cliquez sur *Afficher tout le contenu de ce lecteur*

Dossier recherché

A ce stade, *Windows Me* affiche dans la même fenêtre le contenu du premier niveau du disque dur. Le nom du lecteur ou du dossier sélectionné apparaît dans la barre de titre de la fenêtre relative.

Ouverture de dossiers

Pour ouvrir un dossier, double-cliquez sur son nom. Si la fenêtre contient un grand nombre de dossiers et de fichiers ne pouvant pas être tous affichés simultanément, utilisez les barres de défilement ou modifiez le type d'affichage à l'aide du menu *Affichage* (nous vous fournirons d'autres détails plus loin dans ce chapitre).

Si vous affichez la barre d'outils, vous pouvez sauter à l'aide du bouton *Dossier parent* 🖼 à un niveau de dossier supérieur. Vous pouvez également indiquer dans la barre d'adresses le dossier auquel vous voulez passer. Pour cela, déroulez la boîte à liste *Adresse* et cliquez sur le dossier voulu. A l'aide des rubriques vous pouvez passer à un autre lecteur ou à des dossiers se trouvant à un niveau supérieur. Il est aussi possible de taper directement un chemin dans la zone de texte de cette boîte.

Modification de l'affichage dans le *Poste de travail*

La structure orientée vers les objets de *Windows Me* pourra sembler insolite à certains utilisateurs, en particulier à ceux qui passent du système d'exploitation *MS - DOS* (*Microsoft Disk Operating System*), orienté vers les caractères et les commandes, au système d'exploitation graphique *Windows Me*.

Modification de l'affichage

Cela est particulièrement évident quand on travaille avec le *Poste de travail*. Comme tous les dossiers ouverts y sont affichés par défaut dans la même fenêtre, il est difficile de comprendre la hiérarchie et d'exécuter les opérations de copie et déplacement des contenus. Cet inconvé-

nient du *Poste de travail* devient encore plus évident pour
les structures de dossiers ayant de nombreuses ramifications. C'est pour cette raison que l'*Explorateur Windows*
représente la meilleure solution pour gérer et organiser
les données. Il n'est toutefois pas obligatoire de travailler
avec la configuration standard du *Poste de travail*.

Fenêtre à part

Vous pouvez faire en sorte que chaque dossier soit affiché dans une fenêtre à part. Dans ce cas, votre bureau
sera encombré de fenêtres de dossier ouvertes.

Affichage/Options
des dossiers

Pour modifier le mode d'affichage, choisissez la commande *Options des dossiers* du menu *Outils* dans une
fenêtre de dossier quelconque. Dans l'onglet *Général*,
sous *Parcourir les dossiers*, sélectionnez l'option *Ouvrir
chaque dossier dans une fenêtre séparée* et confirmez en
cliquant sur *OK*.

Figure 5.3   Modification des options d'affichage pour *la recherche de dossiers*

A présent, le système ouvre une nouvelle fenêtre pour chaque dossier ouvert. Ce paramètre est valable pour chaque nouvelle fenêtre rappelée dans le *Poste de travail*.

A l'aide du bouton *Dossier parent* 🔼, vous remontez d'un niveau dans la hiérarchie ; dans ce cas également une nouvelle fenêtre de dossier est ouverte. Il est également possible de taper directement le chemin dans la zone de texte en regard de la boîte à liste *Adresse* pour accéder au dossier voulu.

Modification du mode d'affichage dans le *Poste de travail* et dans les fenêtres de dossier

Grandes icônes

Dans un système d'exploitation à interface graphique orienté vers les objets tel que *Windows Me*, tous les éléments de l'ordinateur, c'est-à-dire les lecteurs, les dossiers et leur contenu (fichiers,documents, etc.) sont représentés sous forme d'icônes. Le grand avantage que l'on en tire et que chaque opération de *Windows* peut être exécutée à l'aide de la souris. Pour afficher les objets dans les dossiers sélectionnés, *Windows* utilise par défaut de grandes icônes portant le nom de l'objet.

Affichage/ Grandes icônes

Menu *Affichage*

Dans le menu *Affichage*, cette représentation standard est définie *Grandes icônes*. Ouvrez tout d'abord le menu *Affichage* et vérifiez si l'option *Grandes icônes* est précédée d'un point. Ce paramètre standard s'adapte bien à l'affichage du contenu des dossiers et est particulièrement appropriée aux débutants.

Figure 5.4   La représentation Affichage/ Grandes icônes

Par ailleurs, avec *Affichage/Grandes icônes* (voir la Figure 5.4) un nombre limité d'icônes peut être visualisé dans la fenêtre. Si le contenu du dossier est très long, des barres de défilement s'affichent automatiquement pour vous permettre de parcourir tout le dossier. L'affichage *Grandes icônes* peut également être activé à l'aide d'un bouton situé dans la barre d'outils *Boutons standard* des fenêtres de document. La taille et l'aspect de ces boutons dépendent de la définition effectuée sous *Affichage/Barre d'outils/Personnaliser...* Au bas de la boîte de dialogue qui s'affiche, choisissez les paramètres voulus dans les boîtes à liste déroulante *Options de texte* et *Options d'icône*.

Figure 5.5   Différents affichages de la barre d'outils *Boutons standard*

Si les boutons de la barre d'outils standard ne sont pas disponibles dans les fenêtres, il faut les activer. Sélectionnez pour cela *Affichage/Barre d'outils/Boutons standard*

Bouton *Affichage*

Pour définir le mode aux grandes icônes, cliquez sur le bouton *Affichage* ▦ dans la barre d'outils puis sur la commande *Grandes icônes*.

Affichage/Petites icônes

Choisissez la commande *Petites icônes* du menu *Affichage* pour afficher le contenu de la fenêtre avec des icônes plus petites. Les rubriques seront tout d'abord affichées côte à côte et puis l'une sous l'autre. Ce mode peut aussi être activé en cliquant dans la barre d'outils sur le bouton *Affichage* ▦ puis sur la commande *Petites icônes*.

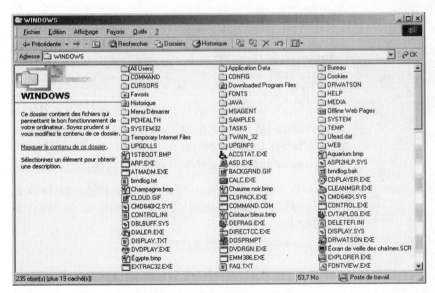

Figure 5.6   La représentation *Affichage/Petites icônes*

Affichage/Liste

Avec la commande *Liste* du menu *Affichage*, *Windows Me* montre tous les objets placés les uns sous les autres et utilise de petites icônes.

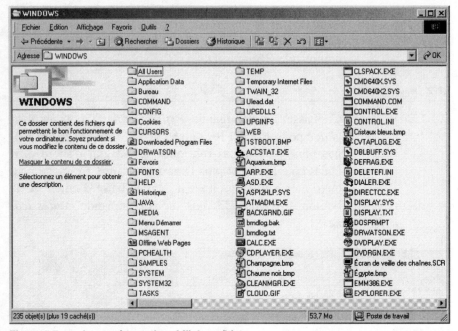

Figure 5.7   La représentation *Affichage/Liste*

Si la fenêtre est trop petite et qu'il n'y a pas assez d'espace pour afficher tous les objets de la liste, une deuxième ou troisième colonne est automatiquement créée.

Ce mode peut également être activé à l'aide du bouton *Affichage* ▦▾ situé dans la barre d'outils et de la commande *Liste*.

Affichage/Détails

Si vous choisissez la commande *Affichage/Détails*, le contenu du dossier prend l'aspect d'une liste claire offrant des informations détaillées sur les fichiers. Si l'espace est insuffisant pour afficher tout le contenu, la fenêtre n'est pas partagée en colonnes.

Indications sur la taille, le type et la date

Cette liste offre, outre les petites icônes, des indications relatives à la *taille*, au *type* de fichier et à la date et heure de la dernière modification (*Modifié le*).

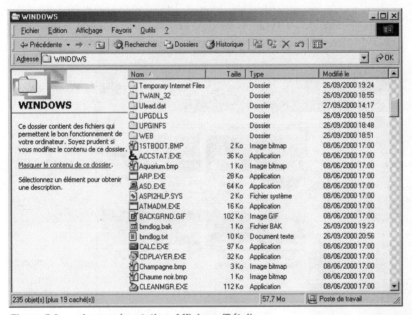

Figure 5.8   La représentation *Affichage/Détails*

Si la liste est très longue, une barre de défilement sera automatiquement affichée pour vous permettre d'atteindre les parties non visualisées.

Ce mode peut aussi être activé à l'aide du bouton *Affichage* 🔲▾ situé dans la barre d'outils et la rubrique *Détails*.

Affichage/Miniature

Le mode d'affichage *Miniatures* sert exclusivement pour les dossiers où sont stockées des photos ou des images. *Windows Me* montre un aperçu réduit de chaque fichier d'image ainsi que l'icône du programme et le nom du fichier, par exemple dans le dossier créé précédemment *C:\Documents\Mes images*. Lorsque vous ouvrez un dossier de ce type, vous devrez patienter quelques secondes pendant que le système charge les miniatures.

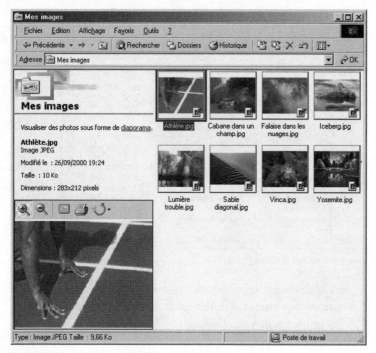

Figure 5.9   La représentation *Affichage/Miniatures*

Par défaut, les commandes du menu *Affichage* doivent être rappelées dans chaque nouvelle fenêtre de dossier. Pour modifier cela, définissez le mode voulu dans votre dossier actuel, puis dans le menu *Outils,* choisissez la commande *Options des dossiers....* Dans l'onglet *Affichage*, sous *Affichage des dossiers*, cliquez sur le bouton *Comme le dossier actuel.* Confirmez en cliquant sur *OK* pour donner la même apparence à toutes les fenêtres de dossier.

L'affichage *Grandes icônes* est idéal pour les dossiers où figurent seulement quelques objets. Tandis que l'affichage *Liste* est plus approprié aux dossiers contenant de nombreux objets. Pour tous les autres dossiers, nous vous conseillons le mode *Détails* qui offre de nombreuses informations sur chaque fichier. Pour les dossiers contenant des fichiers d'image, vous pouvez choisir le mode *Miniatures*, mais vous devrez patienter car le chargement des images requiert un certain temps.

Modification de l'organisation dans le Poste de travail ou dans les fenêtres de dossier

Par défaut, *Windows Me* range le contenu des dossiers dans l'ordre alphabétique quel que soit le mode d'affichage sélectionné. Il affiche d'abord tous les dossiers à partir de A jusqu'à Z puis les fichiers rangés eux aussi alphabétiquement.

La représentation des objets dans une fenêtre de dossier varie cependant en fonction du type d'affichage défini.

Avec l'affichage *Grandes icônes,* les objets sont disposés de gauche à droite : en haut à gauche, il y aura par ex. l'icône du dossier dont la première lettre du nom s'approche le plus de « A ».

Ordre alphabétique   A côté à droite, il y aura le deuxième dossier selon l'ordre alphabétique et ainsi de suite. Après ces dossiers, vous verrez les fichiers rangés eux aussi alphabétiquement.

Certains dossiers ou objets système tels *Mes documents*, *Poste de travail* ou *Internet Explorer* font toutefois exception car ils sont toujours affichés en premier (par exemple sur le bureau).

Cette disposition des icônes est aussi appliquée aux modes d'affichage *Petites icônes* et *Miniatures*. Avec l'affichage *Liste* le contenu du dossier est rangé verticalement et alphabétiquement : tout d'abord les dossiers et ensuite les fichiers.

Deuxième colonne   Si la fenêtre de dossier a été réduite et qu'elle contient de nombreux objets, le système crée automatiquement une deuxième colonne qui reprend la liste à l'endroit où elle est coupée.

Mode *Détails*   Seul l'affichage *Détails* offre une liste de tous les objets du dossier disposés sur une colonne et rangés alphabétiquement.

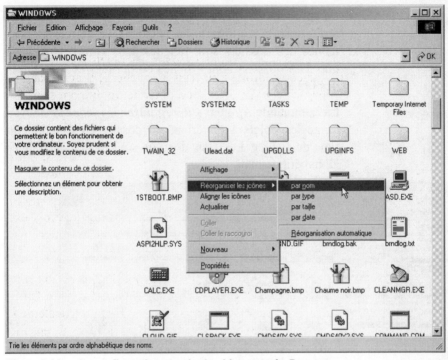

Figure 5.10 **La configuration standard : objets rangés *Par nom***

Sous *Windows Me*, vous pouvez définir un ordre de rangement pour chaque dossier : pour cela, choisissez la commande *Réorganiser les icônes* dans le menu *Affichage* ou le menu contextuel (aucun objet ne doit être sélectionné).

Définition de l'organisation

Le sous-menu propose les commandes suivantes pour organiser le contenu du dossier : *Par nom*, *Par type*, *Par taille*, *Par date* et *Réorganisation automatique*. La commande *Réorganisation automatique* (dont le nom est bien clair) sera illustrée plus en détails à la fin du chapitre.

Par nom

La commande *Affichage/Réorganiser les icônes/Par nom* représente la configuration standard de *Windows*. Les icônes des dossiers sont rangées dans l'ordre alphabétique. Les dossiers sont affichés en premier et sont suivis des fichiers.

Par type

La commande *Affichage/Réorganiser les icônes/Par type* range les objets à l'intérieur du dossier en fonction du type de fichier. Les sous-dossiers sont également rangés alphabétiquement.

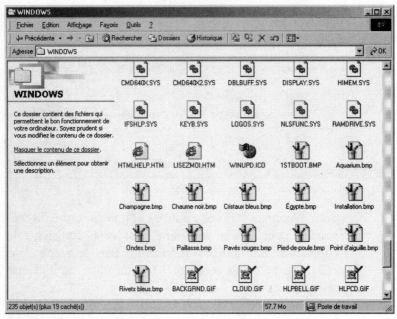

Figure 5.11   Contenu d'un dossier rangé *Par type*

Cette commande est particulièrement utile pour rechercher dans la fenêtre de dossier des types de fichier spécifiques, tels que les bitmaps qui dans les affichages *Bitmap* ou *Liste* sont visualisées l'une sous l'autre. L'organisation est toujours effectuée en fonction de la description qui apparaît sous *Type* en mode *Détails*.

Par taille

La commande *Affichage/Réorganiser les icônes/Par taille* range les objets à l'intérieur du dossier en fonction de la taille du fichier. Vous avez tout d'abord, les dossiers disponibles puis les fichiers rangés en fonction de leur taille. Les petits fichiers précèdent toujours les fichiers plus grands quel que soit leur nom ou leur type. C'est pour cette raison que les dossiers qui ne contiennent ni des sous-dossiers ni des fichiers se trouvent toujours au début de la liste.

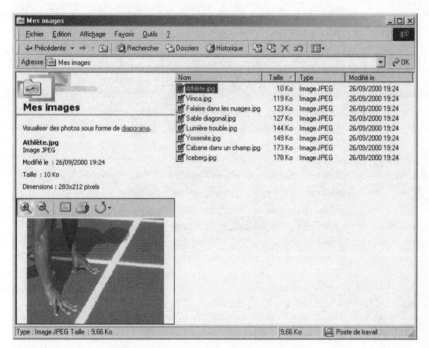

Figure 5.12   Organisation du contenu du dossier *Par taille*

Taille du fichier

La taille d'un dossier ou d'un fichier peut être de 0 Ko. N'utilisez cette option que si vous devez rechercher des fichiers dont vous connaissez la taille.

Par date

La commande *Affichage/Réorganiser les icônes/Par date* range le contenu du dossier en fonction de la date de la dernière modification. Vous aurez tout d'abord les dossiers triés par date puis les fichiers rangés eux aussi en fonction de la date de modification. L'organisation *Par date* place les fichiers plus vieux avant les plus récents quel que soit leur nom ou leur type.

Windows Me reconnaît trois types de données : la *date de création, la date de la dernière modification* et la *date du dernier accès*. Le type *Créé le* correspond à la date de création d'un objet.

Le type *Modifié le* indique la date de modification d'un objet suivant la version *Créé le*.

Le *Dernier accès le* se réfère à la dernière date où le ficher a été ouvert mais pas enregistré.

Dans l' *Explorateur Windows* et une fenêtre de dossier quelconque, pour modifier rapidement l'ordre de rangement d'une liste de fichiers, sélectionnez l'affichage *Détails* puis cliquez sur l'en-tête de colonne voulu (*Taille, Type*, etc...).

Travailler avec l'*Explorateur Windows*

A ce stade, l'utilisateur se sera sûrement familiarisé avec le bureau de Windows. Le terme « bureau » peut être pris à la lettre car on peut dire que l'écran de *Windows* ressemble à un véritable bureau et qu'il permet d'exécuter tout type de travail dans un environnement virtuel.

Bureau

électronique

Normalement, pour écrire une lettre vous prenez du papier et un stylo ; eh bien, pour effectuer la même opération sur l'ordinateur, vous devez lancer un programme de traitement de textes. Si votre courrier expédié est rangé dans l'un des tiroirs de votre bureau, vous créerez sûrement un dossier approprié pour stocker vos lettres. Ensuite, si vous laissez habituellement sur votre bureau votre mémento, vous pouvez de même mettre sur le bureau *Windows* des fichiers texte.

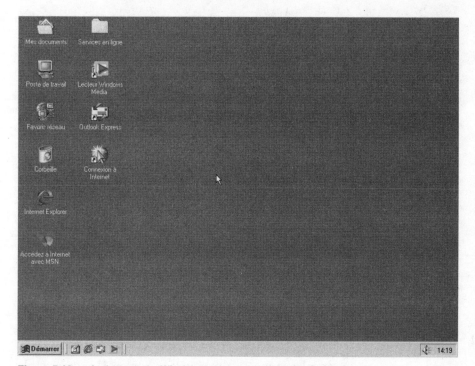

Figure 5.13   Le bureau de *Windows* est comme votre table de travail

Hiérarchie

Si l'on applique cet exemple à un ordinateur, on peut dire que la lettre créée sera enregistrée sur le disque dur au niveau d'un dossier spécifique. On pourrait faire d'autres comparaisons de ce genre à l'infini. Ce que nous voulons dire c'est qu'il est important qu'un système soit à la base de tout, même sur votre ordinateur. Pour que la procédure soit exécutée selon les critères voulus, il est nécessaire de créer une bonne hiérarchie.

Affichage de la structure de *Windows Me* dans l'*Explorateur Windows*

Pour mieux comprendre la hiérarchie de *Windows*, il vous convient d'utiliser l'*Explorateur Windows*. Cette application représente tous les objets de *Windows Me* selon un point de vue hiérarchique dans une fenêtre partagée en deux.

Clarté

La hiérarchie affichée dans l'*Explorateur Windows* a une structure arborescente semblable à celle utilisée sous MS-DOS ou dans le fameux Norton Commander. A l'aide de *Explorateur Windows*, toute la structure peut être gérée et organisée de façon plus ordonnée qu'avec les fenêtres du *Poste de travail*. L'affichage offert par l'*Explorateur Windows* est particulièrement approprié aux utilisateurs experts de *Windows* qui enregistrent sur le disque dur leurs données dans divers dossiers et à des niveaux différents.

Commande

Explorer

Rappelez avant tout l'*Explorateur Windows* à l'aide de *Démarrer/Programmes/Accessoires* et de la commande *Explorateur Windows*. Une méthode plus rapide consiste à rappeler le menu contextuel du bouton *Démarrer* et de cliquer sur la rubrique *Explorer*.

La fenêtre de l'*Explorateur Windows* est partagée en deux : la partie gauche affiche toute la structure tandis que la partie droite visualise le contenu du dossier sélectionné.

Observez les rubriques affichées dans la partie gauche de la fenêtre de l'*Explorateur Windows*.

Hiérarchie avec des niveaux égaux

Au niveau supérieur de la hiérarchie, il y a toujours le *Bureau*. Si vous ne voyez pas cette rubrique, faites glisser jusqu'en haut la barre de défilement de la partie gauche. Au-dessous, vous verrez le dossier *Mes documents* (peut-être déjà ouvert), le dossier *Poste de travail* et le *Corbeille*. Si vous êtes relié à un réseau, vous verrez aussi la rubrique *Favoris réseau*.

Cliquez sur le signe positif ⊞ précédant la rubrique *Poste de travail*. *Windows Me* considère les supports de données disponibles, à savoir les lecteurs, comme des objets ayant une position identique dans la hiérarchie.

Le nombre d'icônes de lecteurs affichées dépend de votre ordinateur. Un ordinateur moderne possède au moins un disque dur, un lecteur de disquettes et un lecteur de CD-ROM.

Signification des icônes de lecteur

Chaque lecteur est représenté par une icône spécifique accompagnée d'une description.

- 🖳 *disquette 3 ½ (A:)* Lecteur de disquettes de 3,5 pouces

- 🖳 *disquette 5 ¼ (B:)* Lecteur de disquettes de 5,25 pouces

- ▭   *[C:\]* *[nom]* disque dur

- ◪   *[D:\]* *[nom]* ou *[numéro]* lecteur de CD

- ▭   *[lettre:\]* *[nom]* unité réseau

Lettre identifiant le lecteur

Observez les descriptions : la rubrique *Disquette 3½* correspond à un lecteur de disquettes de 3,5 pouces. Si votre ordinateur possède un seul lecteur de disquettes, celui-ci sera toujours indiqué par la lettre *(A:)*. Cette dénomination a été adoptée pour des raisons de compatibilité avec système d'exploitation *MS -DOS*.

Avec la description Disquette *5¼*, *Windows* indique les lecteurs de disquettes ayant une capacité de 5,25 pouces. Le deuxième lecteur de disquettes est marqué par la lettre *(B:)*.

Disque dur et lecteur de CD-ROM

Cette classification par lettres continue avec la lettre *C:*, qui est normalement affectée au premier disque dur et suit l'alphabet pour les autres disques durs ou partitions de disque éventuels mais aussi pour le ou les lecteurs de CD-ROM ou les graveurs. Sur un système doté d'un disque dur et d'un lecteur de CD-ROM, il y aura donc les lettres *C:* (disque dur) et *D:* (CD-ROM).

Des noms de supports de données étranges

Ne vous étonnez pas si vous rencontrez des noms de supports de données étranges. Parfois un disque dur est caractérisé par un chiffre ou par le nom d'un constructeur tel que *SEAGATE*, *MAXTOR* ou *CONNER* etc. La procédure pour modifier la dénomination du support de données est décrite dans le chapitre 9 « Outils système ».

La description du lecteur de CD-ROM change en fonction du CD introduit. Vous verrez différents noms, à partir de *CD Audio* jusqu'aux numérotations cryptiques.

Premier niveau

Au-dessous des lecteurs, il y a des dossiers qui représentent un premier sous-niveau. Pour afficher ces dossiers, cliquez sur le signe positif ⊞ 🖫 précédant l'icône du lecteur. Ainsi, l'*Explorateur Windows* montre ses premières ramifications et le signe positif est remplacé par un signe négatif ⊟ 🖫.

Niveaux hiérarchiques

Ce changement de signe indique que la structure du lecteur est affichée. Pour masquer cette structure, il suffit de cliquer sur le signe négatif.

Le signe positif ⊞ 🗀 précédant une icône de dossier indique que des sous-dossiers sont disponibles.

Panneau de configuration

Le dossier du *Panneau de configuration* se trouve au même niveau que les lecteurs sous *Windows Me* ; celui-ci permet d'effectuer toutes les définitions techniques relatives aux composants installés et au logiciel.

Si vous ouvrez le dossier *Panneau de configuration* en cliquant sur le signe positif, le système affiche d'autres dossiers système :

Le programme *Tâches planifiées* permet d'automatiser les procédures d'entretien et de réglage pour tous les supports de données.

Le dossier *Scanners et appareils photo* est réservé à des dispositifs matériels spéciaux. Vous pouvez y installer des scanneurs à plat, des télécaméras ou des télécaméras Web.

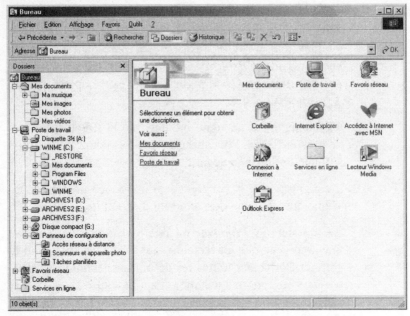

Figure 5.14   Le bureau se trouve en haut de la hiérarchie *Windows*

Accès réseau à distance

Si vous disposez d'un *accès réseau* nécessaire pour accéder à Internet le dossier *Accès réseau à distance* apparaîtra comme sous-dossier du Panneau de configuration.

> Les ramifications du bureau et de ses objets sont représentées par une ligne pointillée qui unit les différentes icônes.

Objets

Cette ramification permet de suivre facilement la hiérarchie d'un ordinateur où tourne *Windows*.

Il y a tout en haut le *Bureau* à partir duquel vous accédez au dossier *Mes documents* et au *Poste de travail*. Vous pouvez bien évidemment « placer » sur votre *bureau* des fichiers ou des dossiers qui auront une position déterminée dans la hiérarchie : les dossiers se trouveront au même niveau que *Mes documents* et le *Poste de travail* ; en revanche, les fichiers apparaîtront dans la partie droite de la fenêtre quand vous cliquez à gauche sur l'icône du Bureau.

Différences par rapport au *Poste de travail*

Le *Poste de travail* et l'*Explorateur Windowss* ne présentent pas la hiérarchie de la même façon. Dans le *Poste de travail*, vous ne voyez la structure que par morceaux, c'est-à-dire le contenu d'un seul dossier à la fois dans une fenêtre, par contre l'*Explorateur Windows* vous offre une vue d'ensemble de la structure que vous pouvez dérouler et enrouler à l'aide d'un clic.

Affichage de la structure des lecteurs et des dossiers dans l'*Explorateur Windows*

L'*Explorateur Windows* est sans aucun doute l'application la plus importante de *Windows Me* car il permet de gérer les données d'une façon générale. C'est la seule qui offre une vue générale effective de l'organisation des fichiers et des structures de dossiers des supports de données.

Dans l'*Explorateur Windows,* les différents objets ne sont pas représentés comme dans le *Poste de travail* qui permet toutefois d'exécuter les mêmes tâches. La différence principale est représentée par la structure des dossiers qui apparaît dans la partie gauche de la fenêtre.

Représentation hiérarchique

L'affichage hiérarchique de la structure arborescente des dossiers permet de travailler d'une façon claire et ordonnée avec des structures très ramifiées. La technique des fenêtres du *Poste de travail* n'offre pas cette facilité de gestion et d'organisation des dossiers. Ce type d'affichage qui offre une structure complexe où les dossiers sont organisés en niveaux est plutôt destiné aux utilisateurs chevronnés de *Windows*.

Travailler avec l'*Explorateur Windows* n'est cependant pas si difficile que cela : rappelez tout d'abord cette application à l'aide de *Démarrer/ Programmes/ Accessoires* puis la commande *Explorateur Windows*. Une méthode plus rapide consiste à utiliser le menu contextuel du bouton *Démarrer* dans la barre des tâches et la commande *Explorer*.

Fenêtre partagée en deux

La fenêtre de l'*Explorateur Windows* est partagée en deux : dans la partie gauche, vous avez la structure des dossiers et dans la partie droite le contenu du dossier sélectionné.

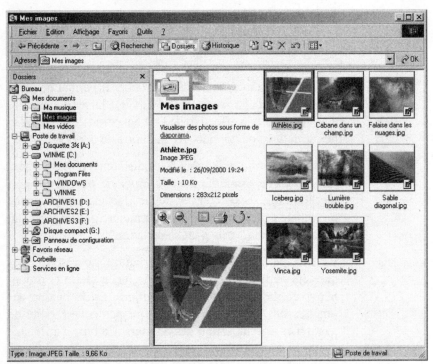

Figure 5.15   Fenêtre partagée en deux : à gauche, la structure des dossiers et à droite le contenu du dossier sélectionné

Affichage/Détails

Par défaut, la partie droite propose le mode d'affichage à *Grandes icônes*. Vous pouvez bien évidemment modifier ce mode à l'aide du menu *Affichage*. Nous vous conseillons la définition *Détails* que vous pouvez également sélectionner à l'aide du bouton *Affichage* 🔳▾ situé dans la barre d'outils et de la commande *Détails*.

Hiérarchie des dossiers

Dans la partie gauche, il est possible d'afficher la hiérarchie des lecteurs et des dossiers de l'ordinateur. Pour dérouler ou enrouler la structure, le système utilise des icônes spécifiques.

Structure des dossiers

L'élément de commande le plus important est le signe positif ⊞ qui précède les icônes des lecteurs ou des dossiers : une icône de lecteur est précédée du signe ⊞▱ quand des dossiers sont mémorisés sur ce support de données. Pour afficher la structure des dossiers dans la partie gauche, cliquez sur ce signe. Celui-ci sera remplacé par un signe négatif ⊟▱.

Signe positif

Quand vous voyez le signe négatif cela signifie que la structure du lecteur ou du dossier est déroulée. Vous verrez donc les icônes de dossier stockées à ce niveau, précédées du signe ⊞▢ indiquant qu'ils contiennent des sous-dossiers. Pour visualiser le contenu d'un dossier, il suffit de cliquer sur l'icône du signe positif correspondante.

Signe négatif

Le signe positif est de nouveau remplacé par un signe négatif. Une icône de dossier précédée d'un signe négatif ⊟▢ indique que la structure de ce dossier est déjà déroulée. Pour enrouler la structure, cliquez sur ce signe négatif.

Les icônes de dossiers sans signe ▢ ne contiennent aucun sous-dossier. Il est cependant possible d'y stocker des fichiers.

Lorsque vous cliquez sur le signe positif ou négatif, vous modifiez simplement l'affichage de la structure, à savoir vous visualisez/masquez les différentes ramifications.

Recherche de dossiers à l'aide de l'*Explorateur Windows*

Quand vous travaillez avec l'*Explorateur Windows*, vous devez prêter attention à ses deux parties. Les fichiers enregistrés dans des dossiers sont affichés uniquement dans la partie droite. En revanche les éventuels sous-dossiers sont affichés aussi bien à gauche qu'à droite.

Les débutants devront se familiariser avec les icônes utilisées dans la partie gauche de la fenêtre de l'*Explorateur Windows*. Affichez tout d'abord le dossier dont vous voulez voir le contenu. Pour cela, utilisez les icônes suivantes.

Icône précédée du signe positif

Les icônes précédées du signe positif ⊞ 🗀 contiennent d'autres sous-dossiers auxquels vous pouvez accéder en cliquant sur ce signe. Le signe positif sera alors remplacé par un signe négatif ⊟ 🗀.

Icône sans signe

Si des icônes de dossier sont affichées à gauche sans signe 🗀, cela signifie qu'elles ne contiennent aucun sous-dossier. Il est cependant possible d'y stocker des fichiers.

Lorsque vous cliquez sur le signe positif ou négatif vous affichez ou masquez des dossiers, il n'y a aucune limite au nombre de dossiers dont vous pouvez dérouler le contenu.

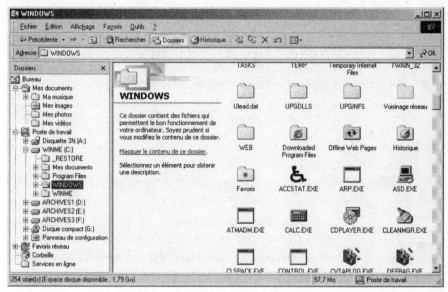

Figure 5.16   Affichage du contenu du dossier *Windows* dans la parte droite

Sélection du nom de dossier

Pour afficher le contenu d'un dossier dans la partie droite, cliquez sur son nom. Vous verrez que l'icône du dossier choisi s'ouvre 🗁. Le nom du dossier qui est en surbrillance est indiqué dans la *barre d'adresses* | Adresse 🗀 WINDOWS ▼ 𝒪OK |. Celle-ci peut être affichée ou masquée à l'aide du menu *Affichage* et de la commande *Barres d'outils*.

Si vous affichez la barre d'outils à l'aide de Affichage/Barre d'outils/Boutons standard et que vous cliquez sur le bouton Dossier parent 🔄, vous pouvez passer à un niveau supérieur. En revanche, si vous sélectionnez ou tapez le chemin dans la *Barre d'adresses*, vous atteignez directement d'autres lecteurs ou dossiers.

D'autres possibilités

Pour ouvrir ou fermer les icônes de dossiers, vous n'êtes pas obligé de pointer le signe positif ou négatif. Vous pouvez, en effet, double-cliquer sur le nom du dossier. Vous disposez par ailleurs d'une autre possibilité, à savoir double-cliquer sur l'icône du dossier voulu dans la partie droite. Dans ce cas, vous verrez le contenu du dossier à droite et les ramifications relatives au dossier parent à gauche.

Modification de l'affichage dans l'*Explorateur Windows*

La partie droite de l'*Explorateur Windows* montre les objets (fichiers ou sous-dossiers) qui figurent dans le dossier ouvert. Cette section illustre les différents modes d'affichage.

Par défaut

L'*Explorateur Windows* utilise par défaut et pour la plupart des dossiers de grandes icônes pour représenter les objets. Dans le menu *Affichage,* ce mode correspond à l'option *Grandes icônes*. Certains dossiers tels que *Mes images* font exception puisque leur mode d'affichage par défaut correspond à l'option *Miniatures*. Le mode d'affichage peut toutefois être modifié.

Affichage/ Grandes icônes

Ouvrez tout d'abord le menu *Affichage* et vérifiez si la rubrique *Grandes icônes* est précédée d'un point. Il faut remarquer que l'option d'affichage par défaut n'est pas appropriée aux objectifs de l'*Explorateur Windows* qui est généralement utilisé pour des tâches (la gestion et l'organisation des dossiers) requiérant d'autres informations outre l'icône de l'objet et son nom.

Barres de défilement

Par ailleurs, avec *Affichage/Grandes icônes* (voir la Figure 5.17), seul un nombre limité d'icônes est affiché dans la fenêtre de l'*Explorateur Windows*. Si le dossier contient un grand nombres d'objets, des barres de défilement s'affichent automatiquement pour vous permettre de parcourir tout le contenu du dossier.

Affichage *Grandes icônes*

L'affichage *Grandes icônes* peut aussi être activé à l'aide de la barre d'outils de l'*Explorateur Windows* (*Affichage/Barre d'outils/Boutons standard*). Pour cela, cliquez sur le bouton *Affichage* ▦▾ et sur la commande *Grandes icônes*.

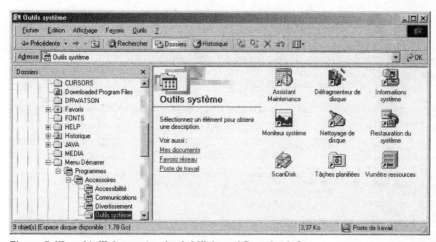

Figure 5.17   L'affichage standard *Affichage/ Grandes icônes*

Affichage/Petites icônes

Choisissez la commande *Petites icônes* du menu *Affichage* pour afficher le contenu du dossier avec des icônes réduites. Les rubriques sont disposées côte à côte puis les unes sous les autres.

Bouton

Affichages

L'affichage *Petites icônes* peut aussi être sélectionné à l'aide du bouton *Affichage* ▦▾ situé dans la barre d'outils et de la commande *Petites icônes*.

Affichage/Liste

Avec la commande *Liste* du menu *Affichage*, vous obtenez un affichage presque identique à la représentation *Petites icônes*. L'*Explorateur Windows* affiche d'abord tous les objets sous forme de liste disposée verticalement puis en colonnes les unes à côté des autres.

L'affichage *Liste* peut aussi être sélectionné à l'aide du bouton *Affichage* ▦▾ situé dans la barre d'outils et de la commande *Liste*.

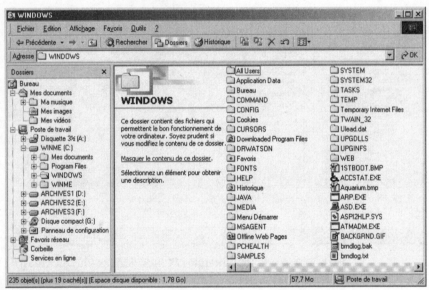

Figure 5.18   L'affichage *Liste* dans la partie droite de l'*Explorateur Windows*

208

Affichage/Détails

Si vous choisissez la commande *Affichage/Détails*, le contenu du dossier prend l'aspect d'une liste disposée sur une seule colonne. Si l'espace est insuffisant pour afficher tout le contenu, la fenêtre n'est pas partagée en colonnes et une barre de défilement apparaît automatiquement. Ce mode propose de petites icônes et offre des indications relatives à la *Taille*, au *Type* de fichier et à la date et l'heure de la dernière modification (*Modifié le*).

Affichage conseillé Nous estimons que l'affichage *Détails* est celui qui s'adapte le mieux à l'*Explorateur Windows* car les informations qu'il fournit permettent de bien organiser et gérer les fichiers.

Le mode reste en vigueur Une fois que vous avez défini le mode *Détails* (ou un autre affichage) celui-ci reste toujours en vigueur mais seulement au niveau du dossier où il a été choisi.

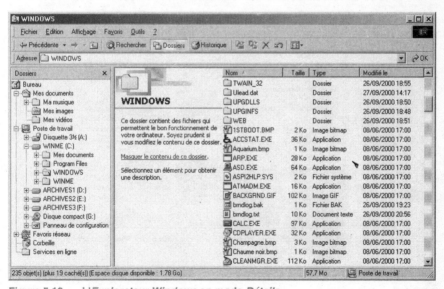

Figure 5.19 L'*Explorateur Windows* en mode *Détails*

Barre de défilement

Si vous choisissez le mode *Détails*, une barre de défilement vous permettra de parcourir toutes les rubriques. L'affichage *Détails* peut aussi être sélectionné à l'aide du bouton *Affichage* 🔳▾ situé dans la barre d'outils et de la commande *Détails*.

Affichage/Miniatures

Aperçu des

dossiers

Le mode d'affichage *Miniatures* est utile pour les dossiers contenant des images ou des photos. Il fournit pour chaque fichier un aperçu de l'image accompagné de l'icône de programme et du nom de fichier. Le chargement des aperçus requiert toutefois plusieurs secondes ; en conséquence, pour afficher le contenu des dossiers où sont stockées des images, il faudra patienter.

Figure 5.20 *Affichage/Miniatures* pour les fichiers d'image

Si vous ouvrez en parallèle plusieurs fenêtres de l'*Explorateur Windows*, vous verrez qu'elles offrent le mode d'affichage par défaut, vous devrez en conséquence rappeler le mode qui vous convient dans chaque fenêtre. Pour ce faire, pointez une zone libre de la partie droite, cliquez sur le bouton droit de la souris pour rappeler le menu contextuel puis sélectionnez la rubrique *Affichage*.

Modification de l'organisation de l'*Explorateur Windows*

Cette section décrit les méthodes permettant de modifier l'organisation des dossiers affichés dans la partie droite de l'*Explorateur Windows*. Par défaut, les objets y sont rangés dans l'ordre alphabétique.

L'organisation ne dépend pas du mode d'affichage défini. Dans cette fenêtre, vous avez tout d'abord les dossiers rangés de A à Z puis les fichiers triés eux aussi en fonction de leur nom. La *disposition* des objets change en fonction du mode d'affichage défini.

Affichage *Grandes icônes* — En affichage *Grandes icônes*, les objets sont disposés de gauche à droite et de haut en bas. En haut à gauche vous aurez, par ex., l'icône d'un dossier dont l'initiale s'approche le plus de la lettre « A » ; à côté à droite, il y aura le deuxième dossier selon l'ordre alphabétique et ainsi de suite. Après les dossiers rangés par nom, vous aurez les fichiers triés alphabétiquement.

Affichage *Petites icônes* — La disposition des icônes illustrée ci-dessus est également appliquée au mode *Petites icônes*. Avec l'affichage *Liste* le contenu du dossier est rangé verticalement et alphabétiquement : d'abord les dossiers ensuite les fichiers.

211

Mode *Détails*

Si vous choisissez le mode *Liste* alors que vous travaillez avec une fenêtre réduite de l'*Explorateur Windows* et que le dossier sélectionné contient un grand nombre d'objets, ces derniers seront disposés par colonnes et, si nécessaire, une barre de défilement horizontale vous permettra de parcourir toute la liste. Seul le mode *Détails* présente tous les objets dans l'ordre alphabétique sur une seule colonne quelle que soit la taille de la fenêtre.

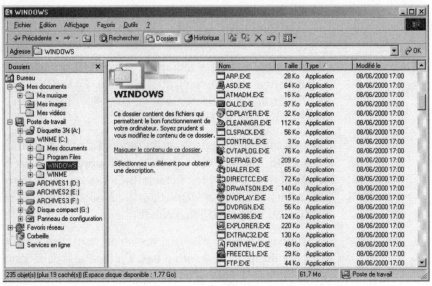

Figure 5.21   Icônes rangées par nom dans l'*Explorateur Windows* (configuration standard)

Mode *Miniature*

La disposition des objets en mode *Miniatures* est identique à celles du mode *Grandes icônes :* tout d'abord les dossiers puis les fichiers rangés alphabétiquement.

Commande
Réorganiser les
icônes

Vous pouvez définir à votre gré dans chaque fenêtre de l'*Explorateur Windows* ouverte la façon dont les icônes sont organisées dans la partie droite : pour cela, choisissez dans le menu *Affichage* ou dans le menu contextuel de la partie droite (aucun objet ne doit être sélectionné) la commande *Réorganiser les icônes*. Dans le sous-menu, vous verrez les commandes *Par nom*, *Par type*, *Par taille*, *Par date* et *Réorganisation automatique*. La commande *Réorganisation automatique* sera décrite à la fin du chapitre.

Par nom

La commande *Affichage/Réorganiser les icônes/Par nom* est la configuration standard de l'*Explorateur Windows*. Les icônes des objets affichées à droite sont donc toujours rangées alphabétiquement. Vous verrez d'abord les dossiers disponibles puis les fichiers.

Par type

La commande *Affichage/Réorganiser les icônes/Par type* range les objets à l'intérieur du dossier en fonction du type de fichier. Vous verrez d'abord les sous-dossiers disponibles rangés alphabétiquement puis les fichiers triés par type.

Cette commande est utile pour rechercher des types de fichiers spécifiques, tels que par ex. les *Bitmaps*, qui en mode *Liste* ou *Détails,* ne sont pas toutes énumérées les unes sous les autres. Cette organisation est effectuée en fonction de la description qui, en mode *Détails,* apparaît sous *type*.

Par taille

La commande *Affichage/Réorganiser les icônes/Par taille* range les objets du dossier sélectionné en fonction de la taille du fichier. Vous avez tout d'abord les éventuels sous-dossiers puis les fichiers rangés en fonction de leur taille.

Avec l'organisation *Par taille*, les petits fichiers précèdent toujours les fichiers plus grands quel que soit le nom ou le type de fichier. Utilisez cette commande pour rechercher un fichier dont vous connaissez la taille.

Par date

La commande *Affichage/Réorganiser les icônes/Par date* organise le contenu du dossier en fonction de la date de la dernière modification. Vous verrez tout d'abord les dossiers puis les fichiers rangés par date. L'organisation *Par date* place les fichiers plus vieux avant les plus récents quel que soit leur nom ou leur type.

Windows Me reconnaît trois types de données : la *date de création*, la *dernière date de modification* et la *date du dernier accès*. Le type *Créé le* correspond à la date de création d'un objet. La rubrique *Modifié le* correspond à la date où l'objet a été modifié après sa création. *Dernier accès le* indique la dernière fois que le fichier a été utilisé sans effectuer un enregistrement.

Sélection et ouverture d'objets

Dans la section suivante, il est sous-entendu que vous travaillez avec la configuration par défaut des dossiers qui prévoit un double-clic pour effectuer la sélection.

Sous *Windows Me*, il faut sélectionner l'objet voulu avant d'exécuter une commande ou une opération quelconque.

Après toutes les explications que nous vous avons données, la sélection d'un objet ne devrait plus vous poser de problèmes. Dans la fenêtre correspondante, cliquez donc sur l'objet (par ex. un fichier ou un dossier).

Sélection de plusieurs objets en même temps

Règles

La sélection multiple est particulièrement utile pour votre travail quotidien : il s'agit de sélectionner simultanément plusieurs fichiers ou dossiers. Si vous essayez de cliquer sur une série de fichiers, vous verrez que chaque clic désactive la dernière sélection. Si vous voulez sélectionner simultanément plusieurs fichiers ou dossiers, vous devez tenir compte de certaines règles :

▪ Les sélections multiples ne peuvent être effectuées qu'à l'intérieur d'une fenêtre

▪ Dans l'*Explorateur Windows,* vous ne pouvez effectuer une sélection multiple que dans la partie droite

Pour sélectionner plusieurs fichiers dans le *Poste de travail,* l'*Explorateur Windows* ou dans une fenêtre de dossier quelconque, vous disposez de différentes méthodes : vous pouvez utiliser la souris et le clavier, seulement la souris ou avoir recours aux commandes de menu.

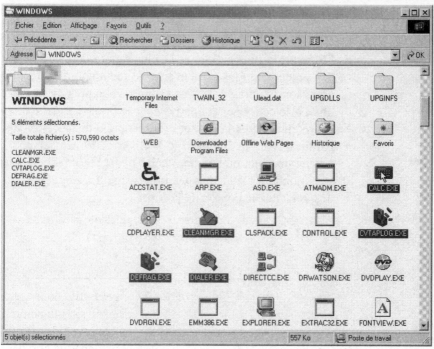

Figure 5.22   Sélection multiple non contiguë à l'aide de la touche ⎡Ctrl⎤

Souris et clavier

Commençons par la procédure prévoyant l'utilisation de la souris et du clavier : sélectionnez le premier fichier avec un clic de la souris. Appuyez sur la touche Ctrl, maintenez-la enfoncée puis cliquez sur les autres objets. Au terme de la sélection, relâchez la touche Ctrl. Il est ainsi possible de sélectionner différents objets quelle que soit leur position.

Sélection de lignes ou de colonnes

Si vous avez défini l'un des affichages *Liste* ou *Détails*, vous pouvez sélectionner simultanément plusieurs objets placés les uns sous les autres. Pour cela, cliquez sur le premier objet voulu, enfoncez la touche ⇧ et cliquez sur le dernier objet à sélectionner.

Touche ⇧ enfoncée

En maintenant enfoncée la touche ⇧, vous sélectionnez les objets compris entre les deux clics. Cette méthode peut bien sûr être adoptée pour l'affichage *Grandes icônes* mais dans ce cas, l'effet ne sera pas si évident.

Rectangle de sélection

La façon la plus simple et la plus rapide de sélectionner des objets contigus est d'utiliser le rectangle de sélection de la souris : pour cela, positionnez-vous près du premier objet à sélectionner et appuyez sur le bouton gauche de la souris puis faites-la glisser ; un rectangle de sélection apparaîtra (voir la Figure 5.23). Si le cadre du rectangle touche un objet ou son nom celui-ci est automatiquement sélectionné. Quand tous les objets voulus sont sélectionnés, relâchez le bouton de la souris.

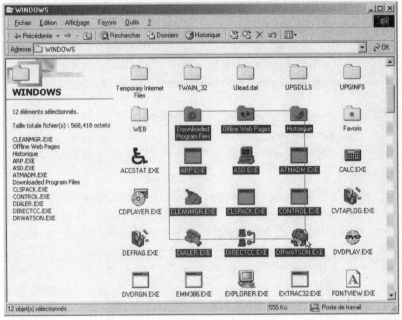

Figure 5.23   Sélection d'objets à l'aide du rectangle de sélection de la souris

Si dans le *Poste de travail* vous avez modifié l'option relative à l'ouverture des dossiers en choisissant de les ouvrir à l'aide d'un simple clic (*Outils/Options des dossiers...*, onglet *Général*, groupe d'options *Cliquer sur les éléments de la manière suivante*, option *Ouvrir les éléments par simple clic (sélection par pointage)* sélectionnée), la sélection fonctionne différemment :

Positionnez-vous sur les objets ou les dossiers voulus. Les objets sélectionnés sont mis en évidence avec une couleur. Comme alternative, les objets sélectionnés peuvent être soulignés (activez pour cela l'option relative sous *Outils/Options des dossiers....*). Toutes les autres méthodes de sélection (Ctrl et ⬦ etc.) fonctionnent comme décrit précédemment.

Sélection à l'aide d'une commande de menu

A présent, nous allons décrire la procédure relative à la sélection à l'aide des commandes de menu : si vous voulez sélectionner tous les objets d'un dossier ou de la fenêtre de l'*Explorateur Windows,* dans le menu *Edition* choisissez la commande *Sélectionnez tout.*

Pour sélectionner tous les objets d'un dossier, vous pouvez aussi utiliser la combinaison de touches $\boxed{\text{Ctrl}}$ + $\boxed{\text{A}}$ qui correspond à la commande *Edition/Sélectionner tout.*

Le menu *Edition* offre la commande *Inverser la sélection.* Vous pouvez l'utiliser par ex. pour sélectionner 49 objets sur 52. Sélectionnez tout d'abord les trois objets non nécessaires en maintenant enfoncée la touche $\boxed{\text{Ctrl}}$. Choisissez ensuite *Edition/Inverser la sélection* ; vous verrez que tous les objets non sélectionnés précédemment sont à présent en surbrillance.

Sélection par le biais du clavier

Si vous préférez utiliser le clavier plutôt que la souris, voici les méthodes de sélection par le biais du clavier : déplacez-vous à l'aide des touches de direction du curseur $\boxed{\leftarrow}$, $\boxed{\rightarrow}$, $\boxed{\uparrow}$ ou $\boxed{\downarrow}$ sur le premier objet à sélectionner. Appuyez sur la touche majuscule $\boxed{\Uparrow}$ et utilisez les touches de direction $\boxed{\leftarrow}$, $\boxed{\rightarrow}$, $\boxed{\uparrow}$ ou $\boxed{\downarrow}$ pour atteindre les objets voulus.

Barre de défilement

Pour sélectionner des objets non visualisés dans la fenêtre, durant la procédure de sélection vous pouvez cliquer sur la barre de défilement et la faire glisser, mais attention, si vous cliquez ailleurs votre sélection sera annulée.

Informations dans la barre d'état

Quelle que soit la méthode de sélection utilisée, nous vous conseillons d'afficher la barre d'état. Elle contient les informations relatives au nombre d'objets sélectionnés (à gauche) et à leur taille.

12 objet(s) sélectionnés

Figure 5.24   Nombre d'objets sélectionnés dans la barre d'état

Copie et glissement de fichiers

L'organisation et la gestion des données sont les opérations de maintenance les plus importantes pour l'ordinateur. Les fichiers sont souvent copiés ou déplacés par ex. pour ordonner les archives de documents. Dans *Windows Me* pour copier ou faire glisser les objets, vous pouvez utiliser différentes méthodes. Voyons tout d'abord la technique du *Glissement*.

Copie et déplacement de fichiers par glissement de la souris

Pour copier ou déplacer des fichiers, il est nécessaire d'utiliser les applications *Windows* qui visualisent la structure effective des données sur le disque dur et celle des dossiers. Le menu *Démarrer* affiche seulement les raccourcis et les groupes de programmes, les véritables données sont stockées ailleurs. En conséquence, pour copier et déplacer des dossiers, utilisez toujours le *Poste de travail* ou l'*Explorateur Windows*.

Sélection du dossier
Quelle que soit la méthode de copie ou de déplacement utilisée, choisissez tout d'abord le lecteur ou le dossier voulu puis le dossier contenant les fichiers à copier ou à déplacer.

Dans le *Poste de travail*, double-cliquez sur l'icône du disque dur, puis sur celle du dossier de travail et choisissez le sous-dossier voulu.

Dans l'*Explorateur Windows* vous pouvez dérouler la structure en cliquant sur le signe positif précédant la rubrique *Poste de travail* et si nécessaire, faites de même pour le disque dur.

Passez au dossier contenant les fichiers voulus. Si vous voulez copier plusieurs fichiers en une seule fois, vous pouvez effectuer des sélections multiples dans la partie droite.

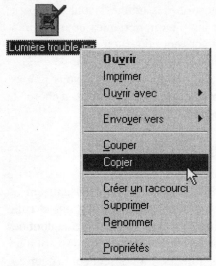

Figure 5.25   Copie d'objets à l'aide du menu contextuel

Sélection avant tout

Sélectionnez tout d'abord les objets. Cliquez sur une icône de fichier. Pour les sélections multiples, utilisez la touche [Ctrl] ou [⇧].

Copier

Dans le *Poste de travail*, il est nécessaire que les dossiers d'origine et de destination soient affichés dans deux fenêtres différentes. Dans l'*Explorateur Windows*, déroulez dans la partie gauche aussi bien la structure du dossier d'origine que celle du dossier de destination ou bien ouvrez une deuxième fenêtre.

Touche Ctrl
enfoncée

Pour copier à l'aide d'un *glissement*, positionnez le pointeur sur les fichiers sélectionnés. Appuyez ensuite sur la touche Ctrl et maintenez-la enfoncée. Faites glisser le (ou les) fichier(s) sur le lecteur ou le dossier de destination de l'autre fenêtre (dans l'*Explorateur Windows* sur le dossier voulu dans la ramification de destination). Relâchez d'abord le bouton de la souris puis la touche Ctrl. Si la copie est effectuée d'un lecteur vers un autre, il n'est pas nécessaire d'appuyer sur la touche Ctrl, vous verrez un signe positif ⊞ qui apparaît automatiquement sous le pointeur quand vous vous trouvez sur le lecteur de destination.

Déplacer

Pour déplacer un objet à l'aide d'un *glissement*, faites glisser le(s) fichier(s) vers le dossier de destination. Pour déplacer un objet d'un lecteur vers un autre, il faut maintenir enfoncée la touche ⇧ car sinon vous effectuez une copie.

Bouton droit de la
souris

Une autre méthode pour copier ou déplacer des fichiers consiste à utiliser le bouton droit de la souris et la technique du *glissement*. Pour effectuer une copie, sélectionnez l'objet à copier.

Copie à l'aide du
bouton droit de la
souris

Pointez l'objet voulu, cliquez et maintenez enfoncé le bouton droit de la souris, appuyez sur la touche Ctrl puis faites glisser l'objet sur le lecteur ou le dossier de destination. Relâchez d'abord le bouton de la souris et après la touche Ctrl. A ce stade, choisissez dans le menu contextuel qui apparaît, la commande *Copier*.

Déplacement à
l'aide du bouton
droit de la souris

Pour effectuer un déplacement, faites glisser les objets en cliquant et maintenant enfoncé le bouton droit de la souris vers le dossier de destination. Vous devez ensuite relâcher le bouton de la souris et choisir dans le menu contextuel qui apparaît la commande *Déplacer ici*.

Copie et déplacement de fichiers à l'aide du clavier

Cette section indique comment copier ou déplacer des fichiers à l'aide d'une combinaison de touches. Utilisez pour cela le *Poste de travail* ou l'*Explorateur Windows*.

Quelle que soit la méthode utilisée, il faut avant tout sélectionner le lecteur ou le dossier dans lequel vous voulez copier ou déplacer les fichiers. Affichez le dossier contenant les fichiers voulus. Dans le *Poste de travail*, double-cliquez sur l'icône du disque dur puis sur celle du dossier de travail pour afficher le dossier voulu.

Structure

Dans la partie gauche de l'*Explorateur Windows*, déroulez la structure en cliquant sur le signe positif ⊞ précédant la rubrique *Poste de travail* et si nécessaire, faites de même pour le disque dur et ses dossiers pour visualiser le dossier contenant les fichiers à copier ou à déplacer. Si vous voulez copier plusieurs fichiers en une seule fois, vous pouvez effectuer des sélections multiples dans la partie droite.

Sélections multiples

Sélectionnez tout d'abord les objets. Pour les sélections multiples, utilisez la touche Ctrl ou ⇧.

Combinaisons de touches

Une fois que les objets sont sélectionnés dans le dossier d'origine, appuyez sur Ctrl + C, pour effectuer la copie ou bien Ctrl + X pour couper, c'est-à-dire déplacer. Passez au dossier de destination et insérez les données contenues dans le Presse-papiers à l'aide Ctrl + V. Si les fichiers sont très grands, une petite fenêtre apparaîtra pour indiquer la progression de l'opération.

Copie et déplacement de fichier à l'aide du menu *Edition*

Poste de travail ou *Explorateur Windows*

Cette section décrit les procédures relatives à la copie et au déplacement des fichiers à l'aide des commandes du menu *Edition* (à savoir les commandes du *Presse-*

papiers). Utilisez pour cela le *Poste de travail* ou l'*Explorateur Windows*. Sélectionnez le lecteur ou le dossier à partir duquel vous voulez copier ou déplacer des fichiers.

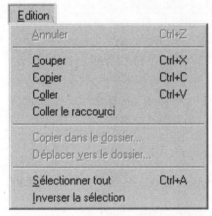

Figure 5.26   Le menu *Edition* avec les commandes du Presse-papiers

Affichez le dossier d'origine. Dans le *Poste de travail*, double-cliquez sur l'icône du disque dur puis sur celle du dossier de travail pour afficher le dossier voulu.

Structure

Dans la partie gauche de l'*Explorateur Windows*, déroulez la structure en cliquant sur le signe positif ⊞précédant la rubrique *Poste de travail* et si nécessaire, faites de même pour le disque dur. Affichez les autres dossiers à l'aide du signe positif et sélectionnez celui où figurent les fichiers voulus.

Sélections multiples

Si vous voulez copier ou déplacer plusieurs fichiers en une seule fois, vous pouvez effectuer des sélections multiples dans la partie droite. Pour cela, utilisez la touche `Ctrl` ou `⇧`.

Deux fenêtres

Il à présent nécessaire que le dossier d'origine soit affiché dans une fenêtre et le dossier de destination dans une autre fenêtre. Dans l'*Explorateur Windows*, cliquez sur les signes positifs jusqu'à ce que le dossier de destination soit visualisé.

Edition / Copier

Pour copier les fichiers à l'aide du menu *Edition*, sélectionnez dans ce menu la commande *Copier*. Pour les déplacer, choisissez la commande *Couper*. Affichez le dossier ou le lecteur où la copie du dossier doit être insérée puis sélectionnez la commande *Coller* dans le menu *Edition*.

Edition / Couper

Il est aussi possible de copier ou déplacer les fichiers à l'aide des commandes du menu contextuel : pointez le fichier et appuyez sur le bouton droit de la souris puis choisissez la commande *Copier ou Couper*.

Edition/Coller

Affichez le dossier ou le lecteur où la copie du dossier doit être insérée. Pointez une zone libre et cliquez à l'aide du bouton droit de la souris puis sélectionnez la commande *Coller* du menu contextuel.

Avec la commande *Couper*, le fichier original est éliminé et inséré dans le Presse-papiers. A l'aide de *Coller*, vous transférez ce fichier dans sa nouvelle destination.

Si dans le *Poste de travail*, vous avez modifié l'option relative à l'ouverture des dossiers en choisissant la méthode du simple clic, la sélection des objets a lieu par pointage.

Copie et déplacement de fichiers à l'aide des boutons

Sous *Windows Me* il est possible de copier ou déplacer et coller des objets sélectionnés en utilisant deux boutons qui se trouvent dans la barre d'outils des fenêtres de dossier ou de l'*Explorateur Windows*.

Pour faire une copie, sélectionnez un objet puis cliquez sur le bouton *Copier* 🖺. Si vous souhaitez déplacer un objet sélectionné, cliquez sur le bouton *Couper* 🖺. Dans les deux cas, le système affiche une boîte de dialogue où vous devez sélectionner le dossier de destination en cliquant sur tous les signes positifs ⊞ nécessaires.

Figure 5.27 Sélection du dossier vers lequel vous voulez déplacer les objets

Organisation des dossiers dans le *Poste de travail* ou l'*Explorateur Windows*

Sous *Windows Me*, les dossiers correspondent aux « répertoires » que les personnes qui ont travaillé sous MS-DOS connaissent bien. Il s'agit d'une boîte spéciale qui a pour fonction de reccueillir un ou plusieurs fichiers afin de bien les ranger sur le disque dur. Certains dossiers sont automatiquement créés lors de l'installation des applications, d'autres sont créés par l'utilisateur pour y enregistrer des données.

Gestion des fichiers

Lorsqu'un dossier contient d'autres dossiers, ces derniers sont nommés « sous-dossiers ». Pour travailler correctement sous Windows, il faut créer des dossiers où vous allez ranger les nouveaux fichiers afin d'obtenir une structure claire et simple sur le disque dur. Vous pouvez créer, par exemple, un dossier réservé aux fichiers texte contenant des sous-dossiers ayant chacun un titre significatif tel que « Procédures de bureau ».

Vous pouvez faire de même pour les dossiers de dessins, de graphiques ou de bases de données. Au terme de l'installation de *Windows Me*, les dossiers suivants apparaissent sur le disque dur : *Mes documents*, *Mes images*, *Ma musique* et après avoir rappelé le programme *Windows Movie Maker*, vous verrez aussi *Mes Vidéos*.

Création de nouveaux dossiers et affectation d'un nom

Structure effective des données

Pour créer de nouveaux dossiers il faut utiliser des applications *Windows* qui visualisent la structure effective des données stockées sur le disque dur. Le menu *Démarrer* affiche seulement les raccourcis et les groupes de programmes, les véritables données se trouvent ailleurs. Pour créer de nouveaux dossiers, vous pouvez utiliser le *Poste de travail* ou l'*Explorateur Windows*.

Passez au lecteur sur lequel vous voulez créer un nouveau dossier ou bien affichez le dossier au niveau duquel vous voulez créer un sous-dossier. Le dossier *Mes documents* qui se trouve sur le niveau principal du disque dur (*C:*) est particulièrement approprié aux fichiers personnels.

Poste de travail

Dans le *Poste de travail* 🖥 passez à ce dossier en double-cliquant sur l'icône du disque dur puis sur le dossier *Mes documents*. Vous pouvez également double-cliquer sur l'icône 📁 qui se trouve sur le bureau.

Explorateur Windows

Dans l'*Explorateur Windows* le dossier *Mes documents* est déjà ouvert quand vous rappelez le programme à l'aide de *Démarrer/Programmes/Accessoires*.

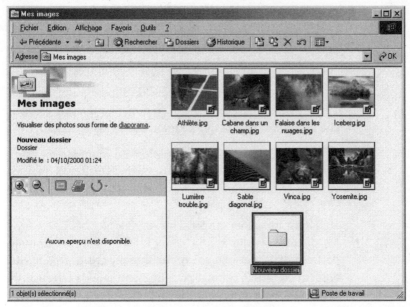

Figure 5.28   Création de dossiers dans *Mes images*

Fichier/Nouveau   Sélectionnez le dossier *Mes images*, ensuite choisissez la commande *Nouveau* dans le menu *Fichier* ou le menu contextuel. Pour rappeler ce dernier, il ne faut sélectionner aucun objet dans le *Poste de travail* tandis que dans l'*Explorateur Windows*, le pointeur de la souris doit se trouver dans la partie droite.

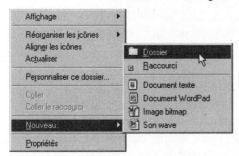

Figure 5.29   Création d'un nouveau dossier dans le menu contextuel

Dans le menu *Nouveau*, cliquez sur la rubrique *Dossier*. Une nouvelle icône de dossier est créée à l'intérieur du dossier actif, elle porte le nom *Nouveau dossier* qui est en surbrillance et peut être remplacé par un autre nom.

Affectation d'un nom

Tapez le nom voulu à la place de l'inscription, par ex. *Textes*. Confirmez avec ⏎ ; le nouveau dossier est affiché comme sous-dossier à l'intérieur du dossier actif.

Vous pouvez créer d'autres dossiers de la même manière. Lorsque vous créez des sous-dossiers, vérifiez à quel niveau de la hiérarchie vous vous trouvez.

Vous pourrez ainsi ranger dans un dossier spécifique tous les documents qui seront créés à l'aide d'un programme de traitement de textes. En conséquence, une fois le document terminé, choisissez la commande *Enregistrer sous...* dans le programme d'application en cours et déroulez la boîte à liste permettant de rechercher et sélectionner le lecteur ou le dossier de destination. Si vous créez des feuilles de calcul ou des présentations etc., il est conseillé de prévoir des dossiers spécifiques.

Renommer les fichiers et les dossiers

Sous *Windows Me* les fichiers et les dossiers peuvent être facilement renommés. Les procédés décrits dans cette section ne doivent être utilisés que pour les documents ou dossiers créés par l'utilisateur.

Il ne faut jamais modifier le nom d'un dossier créé par une application ou celui d'un fichier programme. Si tel est le cas, le programme ne pourra plus être lancé ou des messages d'erreurs s'afficheront ou bien le programme sera interrompu puisque des fichiers manquent.

Exception : les raccourcis

Les raccourcis qui se trouvent dans le menu *Démarrer* sous *Programmes* représentent une exception. Vous pouvez modifier leur nom à votre gré puisqu'ils ne contiennent que des informations relatives à l'emplacement sur le disque mais pas les données effectives du programme ou du document.

Sélection d'un seul objet

Deux méthodes permettent de renommer les objets. Rappelez le *Poste de travail* ou l'*Explorateur Windows* puis sélectionnez un objet. Choisissez ensuite dans le menu *Fichier* ou dans le menu contextuel (voir la Figure 5.30) la commande *Renommer*. Le nom de l'objet est en surbrillance. Tapez le nom voulu et appuyez sur ⏎. Pour annuler l'opération, appuyez sur la touche [Echap]

Si vous ouvrez les dossiers avec la méthode web, à savoir à l'aide d'un simple clic (*Outils/Option des dossiers...*), pour renommer les objets, vous devez utiliser le menu contextuel comme décrit ci-dessus.

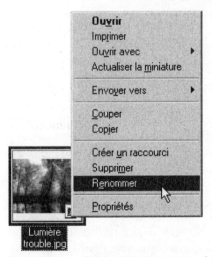

Figure 5.30   Fichier d'image renommé à l'aide du menu contextuel

Refrappe du nom

Pour renommer un objet, vous pouvez également le sélectionner à l'aide d'un clic. Attendez environ une seconde, pointez son nom puis cliquez. Vous verrez que le nom est mis en surbrillance. Tapez le nom voulu, vous disposez d'une longueur de 255 caractères ! Confirmez votre frappe avec ⏎. Mais attention : si les deux clics sont trop rapprochés l'opération sera considérée comme un double-clic et le fichier sera ouvert.

Si vous avez choisi d'afficher les extensions après les noms de fichiers à l'aide de *Outils/Option des dossiers...* (dans l'onglet *Affichage*, vous avez désactivé la case *Cacher les extensions des fichiers dont le type est connu*), quand vous renommez, vous devez absolument laisser l'extension d'origine avec un point la séparant du nom du fichier car sinon le fichier ne pourra plus être utilisé.

Si le nom de fichier n'est pas valable, un message d'erreur s'affiche, indiquant la présence de caractères non admis. Confirmez avec *OK* le message qui s'affiche et essayez de nouveau de renommer le fichier. A l'aide de la touche ⌜Echap⌟, vous rétablissez le nom d'origine.

Copie de dossiers

La procédure de copie des dossiers est identique à celle utilisée pour les fichiers. Pour cela, vous pouvez utiliser la technique du *glissement* à l'aide du bouton gauche ou droit de la souris, le menu *Edition* ou le *menu contextuel* mais aussi des combinaisons de touches. Cette section résume brièvement toutes les opérations.

Structure effective des données

Pour copier des dossiers, vous devez utiliser encore une fois un programme Windows qui visualise la structure effective des données stockées sur le disque dur. Le menu

Démarrer affiche seulement les raccourcis et les groupes de programmes, les véritables données sont stockées ailleurs. Il est donc nécessaire d'avoir recours au *Poste de travail* ou à l'*Explorateur Windows*.

Sélection du lecteur

Quelle que soit la méthode de copie utilisée, passez au lecteur dans lequel vous voulez copier un dossier ou bien affichez le dossier contenant le sous-dossier à copier. Dans le *Poste de travail* 🖳, double-cliquez sur l'icône du disque dur puis sur celle du dossier de travail pour afficher le dossier voulu.

Sélection

Dans l'*Explorateur Windows*, déroulez la structure dans la partie gauche de la fenêtre en cliquant sur le signe positif ⊞ précédant la rubrique *Poste de travail* et si nécessaire, faites de même pour le disque dur puis sélectionnez le dossier à copier.

Si vous voulez copier plusieurs dossiers en une seule fois, vous pouvez effectuer des sélections multiples dans la partie droite. Si vous travaillez avec la technique du simple clic pour ouvrir les dossiers, sélectionnez l'objet à l'aide du rectangle de sélection. Les sélections multiples fonctionnent comme décrit précédemment.

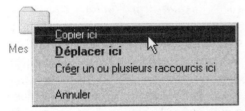

Figure 5.31   Copie de dossiers à l'aide du menu contextuel

Copier

Avant d'effectuer la copie d'un dossier, sélectionnez-le. Pour cela, cliquez sur son icône. Pour les sélections multiples, utilisez la touche ⌈Ctrl⌋ ou ⌈⇧⌋. Pour copier le dossier à l'aide d'une combinaison de touches, appuyez sur les touches ⌜Ctrl⌝ + ⌜C⌝ ; ensuite pointez le dossier ou le lecteur où vous voulez insérer la copie du dossier et au niveau de la position d'insertion, appuyez sur les touches ⌜Ctrl⌝ + ⌜V⌝.

Même les fichiers sont copiés

Si un dossier contient des fichiers, ils seront eux aussi copiés. Durant cette opération, le système affiche une petite fenêtre indiquant la progression de la copie.

Pour copier le dossier à l'aide du menu *Edition*, choisissez la commande *Copier* qui y figure. Affichez le dossier ou le lecteur où la copie doit être insérée puis sélectionnez *Edition/Coller*.

Commandes du menu contextuel

Il est également possible de copier les dossiers à l'aide des commandes du menu contextuel : positionnez le pointeur sur le dossier voulu et cliquez sur le bouton droit de la souris. Choisissez dans le menu contextuel la commande *Copier*. Affichez le dossier ou le lecteur où la copie doit être insérée, pointez un point libre et cliquez sur le bouton droit puis sélectionnez la commande *Coller* dans le menu contextuel.

Technique du glissement

Si le dossier à copier est affiché dans une fenêtre et que le dossier ou le lecteur de destination est sélectionné dans une autre fenêtre (dans l'*Explorateur Windows* vous aurez soit déroulé les structures nécessaires soit rappelé une autre fenêtre) les dossiers peuvent être copiés à l'aide d'un *glissement*. Pour ce faire, cliquez sur le ou les dossiers sélectionnés, appuyez sur la touche ⌜Ctrl⌝ et maintenez-la enfoncée. Faites-glisser le dossier sur le lecteur ou le dossier de destination et relâchez le bouton de la souris puis la touche ⌜Ctrl⌝.

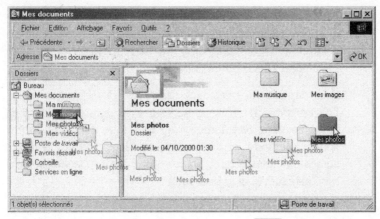

Figure 5.32 Copie d'un dossier avec la touche `Ctrl` enfoncée

Copie à l'aide du bouton droit de la souris

Comme alternative, vous pouvez copier les dossiers à l'aide du bouton droit de la souris et d'un *glissement*. Pour ce faire, sélectionnez le ou les dossiers voulus, cliquez sur le bouton droit de la souris puis faites glisser le dossier sur le lecteur ou le dossier de destination. Relâchez le bouton de la souris et choisissez dans le menu contextuel qui apparaît la commande *Copier*.

Glissement de dossiers

Sous *Windows Me*, vous pouvez faire glisser les dossiers vers un autre emplacement à l'aide de la méthode utilisée pour les fichiers.

Mais attention, cette opération ne doit être exécutée que sur des dossiers personnels.

En effet, si vous déplacez un dossier créé par un programme, lorsque vous rappellerez l'application à partir du menu *Démarrer*, celle-ci ne trouvera pas les fichiers dont elle a besoin et ne pourra pas être lancée.

Technique du glissement

Pour déplacer des dossiers, vous pouvez utiliser la technique du *glissement* à l'aide du bouton gauche ou droit de la souris, le menu *Edition* ou bien le *menu contextuel* mais aussi les combinaisons de touches.

Poste de travail ou Explorateur Windows

Pour déplacer des dossiers, utilisez le *Poste de travail* ou l'*Explorateur Windows* pour voir la structure effective et l'emplacement des données sur le disque dur. Quelle que soit la méthode de déplacement utilisée, passez d'abord au lecteur dans lequel vous voulez insérer le dossier ou bien affichez le dossier voulu.

Sélection

Avant de déplacer un dossier, il faut le sélectionner. Pour cela, cliquez sur son icône. Si vous travaillez avec la technique du simple clic pour ouvrir les dossiers, pointez les objets pour les sélectionner.

Pour les sélections multiples, utilisez la touche Ctrl ou ⇧. Pour couper les dossiers par le biais du clavier, appuyez sur les touches Ctrl + X. Affichez le dossier ou le lecteur où vous voulez déplacer le dossier et au niveau de la position d'insertion, appuyez sur les touches Ctrl + V. Si un dossier contient des fichiers, ils seront eux aussi déplacés. Une petite fenêtre apparaîtra pour indiquer la progression de l'opération.

Edition/Couper

Pour déplacer un dossier à l'aide du menu *Edition*, sélectionnez la commande *Couper*. Affichez le dossier ou le lecteur de destination puis choisissez la commande *Coller* dans le menu *Edition*.

Menu contextuel

Il est également possible de déplacer les dossiers à l'aide des commandes du menu contextuel : positionnez le pointeur sur un dossier et cliquez sur le bouton droit de la souris puis choisissez dans le menu contextuel la commande *Couper*. Affichez le dossier ou le lecteur de destination. Pointez une zone libre et cliquez à l'aide du bouton droit de la souris puis choisissez la commande *Coller* du menu contextuel.

Explorateur Windows

Si le dossier à déplacer est affiché dans une fenêtre et le dossier ou le lecteur de destination dans une autre fenêtre (dans l'*Explorateur Windows* vous aurez soit déroulé les structures nécessaires soit rappelé une autre fenêtre), les dossiers peuvent aussi être déplacés à l'aide d'un *glissement*. Pour cela positionnez le pointeur sur le dossier sélectionné et faites-le glisser vers le lecteur ou le dossier de destination.

Bouton droit de la souris

Comme alternative les dossiers peuvent être déplacés à l'aide du bouton droit de la souris et d'un *glissement*. Pour cela positionnez le pointeur sur le dossier sélectionné puis cliquez sur le bouton droit de la souris et faites glisser le dossier vers le lecteur ou le dossier de destination dans l'autre fenêtre.

Commande *Déplacer ici*

Vous devez ensuite relâcher le bouton de la souris et sélectionner dans le menu contextuel la commande *Déplacer ici*.

A l'aide de la commande *Couper*, l'objet est supprimé et inséré dans le Presse-papiers. La commande *Coller*, l'insère dans la nouvelle position.

La suppression de fichiers ou de dossiers est décrite en détails dans le chapitre 6 « La Corbeille ».

Préparation de disquettes pour l'enregistrement de données

Pour qu'une disquette puisse contenir des données, il faut la formater. Durant l'opération de formatage, la structure du support de données est organisée sous forme de traces et de secteurs nécessaires au système d'exploitation pour mémoriser les données de façon à ce que ces dernières puissent être lues. De nos jours, la plupart des disquettes que vous achetez sont déjà formatées ; il est toutefois utile de connaître la procédure de formatage.

1,44 Mo

Comme toutes les disquettes disponibles sur le marché offrent un format de 3,5 pouces avec une capacité de mémoire de 1,44 Mégaoctets, cette section ne traitera pas les formats utilisés dans le passé tels que la disquette de 5,25 pouces.

Formatage des disquettes

Disquette 3½ (A:)

Pour formater une disquette, utilisez le *Poste de travail* ou l'*Explorateur Windows*, la méthode de formatage est identique. Sélectionnez l'icône du lecteur où vous introduirez la disquette à formater. On utilise normalement la rubrique *Disquette 3½ (A:)*.

Capacité

Dans le menu *Fichier* ou dans le menu contextuel, choisissez la commande *Formater....* Dans la boîte à liste déroulante *Capacité* définissez le type de disquette utilisé. Pour les disquettes de 3,5 pouces HD (*High Density*), choisissez la rubrique *1,44 Mo* ; en revanche, pour les vieilles disquettes de 3,5 pouces DD (*Double Density*), sélectionnez la rubrique *720 Ko* – ce cas ne devrait plus se vérifier sur les ordinateurs modernes. Pour les disquettes non formatées sous *Type de formatage* sélection-

nez l'option *Complet*. Si des données figurent sur la disquette à formater, choisissez l'option *Rapide (Effacer)*.

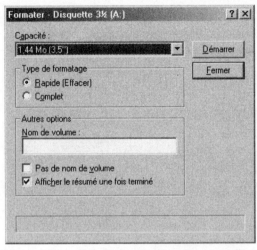

Figure 5.33   Préparation de disquettes pour l'enregistrement de données

Nom de volume

Cliquez ensuite dans la zone de texte *Nom de volume* et
tapez un nom ayant au maximum 11 caractères sans espaces.

Lancement du
procédé de
formatage

Cliquez sur *Démarrer* pour lancer la procédure de formatage. L'indicateur situé au bas de la boîte affiche la
progression de l'opération. Si l'option *Afficher le résumé
une fois terminé* est cochée, un rapport résumant le formatage est affiché à la fin. Cliquez sur *Fermer* et quittez
la boîte de dialogue de formatage à l'aide de *Fermer*.

Sachez que la procédure de formatage ne concerne que
les disquettes et surtout pas le disque dur. Le formatage
efface irrévocablement toutes les données enregistrées
sur un support de données.

Copie de données sur une disquette

Pour copier des fichiers sur une disquette, vous pouvez bien sûr utiliser toutes les méthodes déjà illustrées pour le *Poste de travail* ou l'*Explorateur Windows*. *Windows Me* offre cependant une commande spécifique ; ouvrez tout d'abord le *Poste de travail* ou l'*Explorateur Windows*.

Poste de travail

Passez au lecteur ou au dossier depuis lequel vous voulez copier les fichiers. Dans le *Poste de travail* 🖥 double-cliquez sur l'icône du disque dur puis sur celle du dossier voulu.

Explorateur
Windows

Dans l'*Explorateur Windows*, déroulez la structure dans la partie gauche de la fenêtre en cliquant sur le signe positif ⊞ précédant la rubrique *Poste de travail* et si nécessaire, faites de même pour le disque dur. Passez à l'aide des signes positifs au sous-dossier voulu et sélectionnez celui qui contient le fichier à copier.

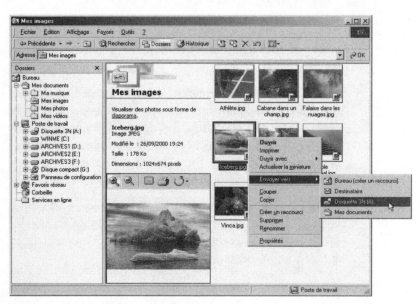

Figure 5.34   Choisissez la commande *Envoyer vers*

Sélection

Si vous voulez copier sur la disquette plusieurs fichiers en une seule fois, vous pouvez effectuer des sélections multiples dans la partie droite. Pour cela, utilisez la touche `Ctrl` ou `⇧`.

Commande

Envoyer vers

Pour copier des fichiers sur une disquette, sélectionnez la commande *Envoyer vers* dans le menu *Fichier* ou dans le menu contextuel. Cliquez sur la rubrique du lecteur de disquettes dans le sous-menu, par ex. *Disquette 3½ (A:)*. Si le fichier est assez grand, le système affiche une petite fenêtre pour indiquer la progression de l'opération de copie et éventuellement le temps nécessaire pour la terminer.

Organisation automatique des icônes

Les objets figurant dans les dossiers sont normalement rangés en fonction de critères tels que *Nom*, *Type*, *Taille* ou *Date*. La signification de ces critères a été décrite précédemment dans ce chapitre. Cette section montre comment organiser des icônes éparpillées dans des fenêtres de dossier, dans l'*Explorateur Windows* ou sur le bureau.

Icônes déplacées

Quand on travaille avec *Windows Me*, il arrive souvent de déplacer par mégarde une ou plusieurs icônes dans une fenêtre de dossier ou sur le bureau, par ex. parce qu'on n'a pas encore bien compris le fonctionnement du double-clic ou parce qu'en faisant des essais avec des fichiers et des dossiers on a exécuté des opérations erronées.

Réorganisation

automatique

Quand l'organisation à l'intérieur d'une fenêtre est désordonnée, il est difficile de remettre manuellement en place les icônes.

Pour ranger correctement les icônes déplacées dans un dossier quelconque, choisissez la commande *Réorganiser les icônes* dans le menu *Affichage* ou dans le menu contextuel. Dans le sous-menu qui apparaît sélectionnez l'option *Réorganisation automatique*. Les icônes sont rangées dans l'ordre par défaut. Cette procédure est également valable pour l'*Explorateur Windows* ou le bureau.

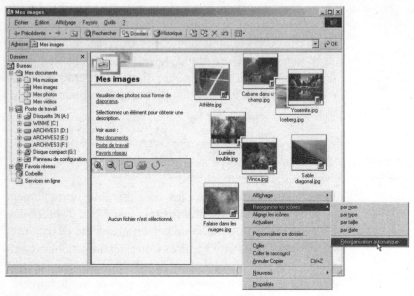

Figure 5.35   La commande *Réorganisation automatique*

Disposition automatique

Si vous agrandissez/réduisez une fenêtre, la disposition des icônes changera en fonction de la nouvelle taille. La commande *Réorganisation automatique* doit être activée dans chaque fenêtre ouverte.

La commande *Réorganisation automatique* est disponible dans le sous-menu *Réorganiser les icônes* si vous avez choisi l'un des modes *Grandes icônes, Petites icônes* ou *Miniature*.

Affichage de tous les types de fichiers

Windows Me a pour objectif de simplifier le plus possible le travail avec l'ordinateur. C'est pour cette raison que ce système d'exploitation graphique offre une structure orientée vers les objets. Etant donné que presque tous les éléments de *Windows Me* peuvent être affichés et manipulés comme des objets, il est possible d'effectuer la plupart des opérations à l'aide de la souris.

Extension de fichier non affichée

Par défaut *Windows Me* montre le contenu du dossier sélectionné sans les extensions couramment utilisées sous MS-DOS. En outre, le système n'affiche pas les fichiers système cachés, les pilotes pour machines virtuelles ou les bibliothèques de programme. C'est une forme de prévention contre les erreurs éventuellement commises par les utilisateurs novices qui pourraient, par ex., supprimer par erreur d'importants fichiers Windows. Il est toutefois bien évident que *Windows Me* dispose de mécanismes de sécurité faciles à utiliser qui garantissent le bon fonctionnement du système même en cas d'erreurs de la part de l'utilisateur.

Enregistrement automatique

Il est possible de renoncer à l'extension des fichiers car *Windows* reconnaît tous les fichiers dont les applications ont été enregistrées durant l'installation et est en mesure d'assigner automatiquement les extensions en fonction du programme relatif. Les utilisateurs chevronnés qui préfèrent avoir plus d'informations sur le système peuvent modifier le mode d'affichage globalement pour toutes les fenêtres de dossier et l'*Explorateur Windows*.

Commande

Options des

dossiers

Dans une fenêtre de dossier quelconque, ouvrez le menu *Outil* et sélectionnez la commande *Options des dossiers....* Dans l'onglet *Affichage*, sous *Paramètres avancés*, activez la case d'option *Afficher les dossiers et fichiers cachés* pour que les fichiers système, les pilotes virtuels et les bibliothèques de programme ne soient plus masqués.

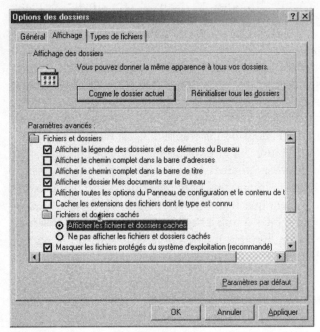

Figure 5.36   L'onglet *Affichage* permet de définir le type d'affichage des fichiers

Montrer les

extensions *MS-*

DOS

Désactivez en outre la case à cocher *Cacher les extensions des fichiers dont le type est connu,* si vous voulez voir l'extension après le nom du fichier. Cette extension permet de remonter au programme d'origine d'un fichier et vous évite de deviner le type de document en fonction de l'icône précédant son nom. Confirmez les modifications en cliquant sur *OK.*

Si vous avez choisi d'afficher l'extension de tous les fichiers, lorsque vous renommez un fichier, veillez à ne pas effacer les trois lettres composant l'extension car *Windows* ne saura plus à quel programme le document appartient.

Affichage du chemin MS-DOS complet dans la barre de titre

Les utilisateurs qui passent du vieux système d'exploitation *MS - DOS* (*Microsoft Disk Operating System*) - orienté vers le texte et les commandes - au système d'exploitation graphique *Windows Me* pourront être au premier abord déconcertés par sa structure orientée vers les objets et ils le seront bien davantage quand ils affronteront la configuration par défaut du *Poste de travail*.

Nom du dossier courant

Tous les dossiers ouverts à l'aide du *Poste de travail* sont affichés dans une propre fenêtre. Le nom du dossier courant est toujours affiché dans la barre de titre de la fenêtre. Ainsi l'utilisateur qui examine de nombreuses ramifications sait sur quel dossier il se trouve.

Figure 5.37   Fenêtre de dossiers avec le chemin complet dans la barre de titre

Affichage du chemin d'accès complet

Si l'utilisateur présume (mais n'est pas sûr) que le dossier *Outils système* se trouve sous *C:\Windows\Menu Démarrer\Programmes\Accessoires,* il peut avoir une réponse en regardant la barre de titre qui est disponible dans chaque fenêtre de dossier.

Modification de l'affichage

Pour modifier le mode d'affichage, choisissez dans une fenêtre de dossier quelconque, la commande *Options des dossiers...* du menu *Outils* puis passez à l'onglet *Affichage*. Sous *Paramètres avancés,* cochez la case *Afficher le chemin complet dans la barre de titre* et confirmez en cliquant sur *OK*.

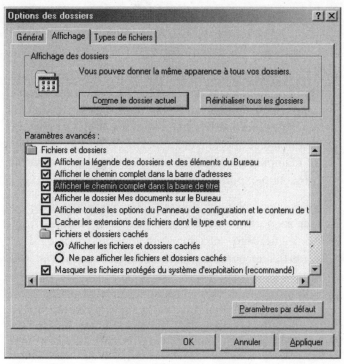

Figure 5.38   Case à cocher permettant d'afficher le chemin d'accès

Dès à présent, le chemin d'accès complet de chaque dossier ouvert est affiché avec la syntaxe de *MS-DOS* dans la barre de titre. Ce paramètre est valable pour toutes les fenêtres de dossier et l'*Explorateur Windows*.

Le chemin complet qui apparaît dans la barre du titre peut également être affiché dans la *barre d'adresses* de l'*Explorateur Windows* qui rappelle celle d'Internet Explorer que les personnes qui naviguent sur Internet connaissent bien. Pour cela, sélectionnez *Outils/Options des dossiers* puis dans l'onglet *Affichage*, cochez la case *Afficher le chemin complet dans la barre d'adresses*.

Fichiers protégés contre l'écriture

Windows Me dispose de différents mécanismes de protection qui empêchent de recouvrir un fichier existant par un autre fichier portant le même nom. Ces protections ne sont pas destinées aux fichiers systèmes qui sont protégés par un nouveau mécanisme appelé *PC Health* empêchant toute manipulation destructive du système d'exploitation. Cette section explique comment protéger vos fichiers.

Boîte de message   Si dans une application, vous essayez d'enregistrer un fichier sous un nom qui existe déjà dans le dossier, une boîte de message s'affiche pour vous informer qu'il y a déjà un fichier portant ce nom et vous demander si vous voulez le remplacer par le nouveau fichier. Si vous cliquez sur *Non*, le système affiche la boîte de dialogue *Enregistrer sous* où vous pourrez assigner un nouveau nom au fichier. En revanche, un clic sur *Oui* entraîne le remplacement du fichier existant.

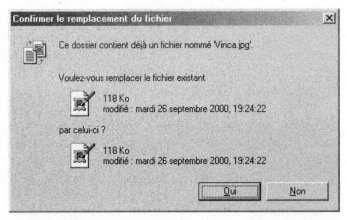

Figure 5.39   Message de confirmation pour les fichiers existants

Confirmation

Il en est de même quand vous créez (ou renommez) un fichier/dossier à un niveau où un fichier/dossier homonyme existe déjà. Dans ce cas également, le système affiche les demandes de confirmation ou les messages évitant le remplacement des objets.

Lecture seule

Sous *Windows Me,* vous pouvez définir une protection supplémentaire en attribuant l'attribut *lecture seule* à un fichier ou un dossier.

Pour cela, affichez le fichier ou le dossier dans le *Poste de travail* ou l'*Explorateur Windows* et sélectionnez l'objet voulu. Choisissez la commande *Propriétés* dans le menu *Fichier* ou le menu contextuel.

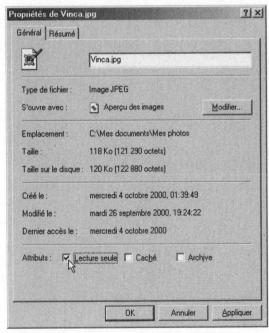

Figure 5.40   Activation de l'attribut *Lecture seule*

Lecture seule

Dans la boîte de dialogue des Propriétés activez la case à cocher *Lecture seule* sous *Attributs* et confirmez en cliquant sur *OK*.

Si vous essayez d'enregistrer un fichier protégé contre l'écriture, un message d'erreur s'affichera ; confirmez-le avec *OK*. Le système ouvrira la boîte de dialogue *Enregistrer sous* où vous pourrez sauvegarder le fichier sous un autre nom.

Pour annuler une lecture seule, désactivez cet attribut dans la boîte de dialogue *Propriétés* du fichier.

6. La *Corbeille*

Ce chapitre a pour sujet la suppression de fichiers et de dossiers. Il décrit le dispositif de sécurité appelé *Corbeille* et explique comment gérer les objets supprimés, afficher la *Corbeille* et restaurer des fichiers effacés par erreur.

Suppression de fichiers et de dossiers

Dans *Windows Me*, les objets dont vous n'avez plus besoin peuvent être enlevés de leur emplacement sur le disque. Les commandes de clavier et de menu permettant cette suppression sont énumérées au début de ce chapitre.

Attention

Avant d'effacer des fichiers ou des dossiers, il faut observer certaines précautions. N'effectuez pas de suppressions comme essai, même si vous connaissez bien la *Corbeille*. Supprimez seulement un fichier ou un dossier à la fois.

En effet, si vous supprimez par erreur un dossier nécessaire au programme, l'application ne pourra pas être rappelée à partir du menu *Démarrer* puisque les fichiers relatifs ont été effacés. Si vous éliminez des fichiers programme, il est probable qu'aucune fonctionnalité ne sera disponible ou qu'un message d'erreur s'affichera.

Structure effective des données

Les suppressions effectuées à partir du menu *Démarrer* ne sont pas très efficaces ; ce menu n'affiche en effet que des raccourcis (au lieu des fichiers programme) et des groupes de programmes (au lieu des dossiers), tandis que les applications et les données sont stockées ailleurs sur le disque dur.

Poste de travail ou
Explorateur
Windows

Si vous éliminez un raccourci (identifié par l'icône ▣), l'objet d'origine est conservé sur le support de données. Il faut donc avoir recours au *Poste de travail* ou à l'*Explorateur Windows*. Quel que soit votre choix, positionnez-vous sur le lecteur où vous voulez éliminer un dossier ou sélectionnez le dossier contenant le ou les objets à supprimer.

Suppression d'objets à l'aide de la touche Suppr

Sélection

Pour éliminer des fichiers, il faut les sélectionner. En outre, vous pouvez effectuer des sélections multiples ou sélectionner simultanément les fichiers et les dossiers. La méthode de suppression la plus rapide est d'appuyer sur la touche Suppr. Le système affiche ensuite un message vous demandant si vous voulez effectivement déplacer le fichier dont il indique le nom dans la *Corbeille*.

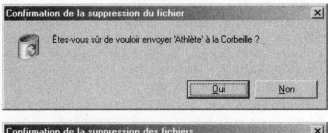

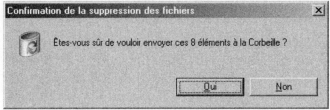

Figure 6.1   Confirmation de suppression d'un seul fichier (en haut) et de plusieurs éléments

Boîte de message Si vous cliquez sur *Oui*, l'objet sera supprimé. Choisissez *Non* pour interrompre l'opération. Pour les sélections multiples, la demande de confirmation sera différente (voir la Figure 6.1 en bas), *Windows Me* n'indiquera pas le nom des objets à supprimer mais simplement le nombre.

Suppression d'objets à l'aide de la commande *Fichier/Supprimer*

Fichier/Supprimer En plus de la touche ⌐Suppr⌐, les objets sélectionnés peuvent être éliminés à l'aide de la commande *Supprimer* du menu *Fichier* ou du menu contextuel.

La *Corbeille de Windows Me* est un dossier système spécial où sont placés les objets éliminés. Si les caractéristiques de la *Corbeille* ne sont pas modifiées, les objets supprimés restent sur le disque dur. Au terme de la suppression, ils sont seulement enlevés de leur dossier.

La protection contre l'effacement offerte par la *Corbeille* fonctionne pour le disque dur mais pas pour la disquette ! Si vous éliminez un objet enregistré sur une disquette, celui-ci sera définitivement perdu.

Suppression d'objets à l'aide d'un *glissement* de la souris

La suppression d'objets inutiles peut également être effectuée à l'aide de la souris. Pour cela, pointez le lecteur ou le dossier voulu dans le *Panneau de configuration* ou l'*Explorateur Windows*.

**Glissement sur
l'icône de la
*Corbeille***

Sélectionnez l'objet à éliminer et faites-le glisser sur l'icône de la *Corbeille*. Quand vous atteignez la position correcte, cette icône est mise en surbrillance. Vous pouvez aussi éliminer simultanément plusieurs objets : sélectionnez les objets voulus à l'aide du rectangle de sélection ou bien de la touche ⌈Ctrl⌉ ou ⌈◇⌉ puis faites glisser la sélection sur l'icône de la *Corbeille* 🗑.

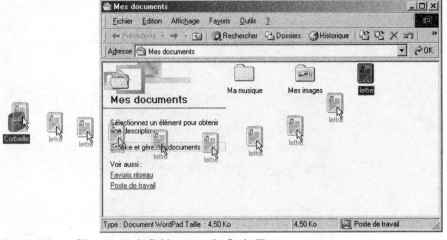

Figure 6.2   Glissement de fichiers vers la *Corbeille*

Si vous n'avez pas modifié les caractéristiques de la *Corbeille*, les objets éliminés sont supprimés du dossier où ils se trouvaient mais restent sur le disque dur.

**Protection contre
l'effacement**

Nous parlons de disque dur ~~...~~ la protection contre l'effacement, représentée par ~~...~~ *Corbeille*, fonctionne seulement pour le disque dur ! Si vous éliminez un objet sur une disquette et que vous confirmez le message de suppression, l'objet sera immédiatement détruit et vous ne pourrez plus le récupérer.

Les fichiers ou les dossiers éliminés du disque dur ne sont pas retirés du support de données. *Windows Me* se limite à les déplacer dans un dossier spécial appelé *Corbeille*. Cette procédure correspond à une exigence effective et non pas au bon plaisir d'un programmateur : la *Corbeille* est une protection contre la perte de données due à une suppression involontaire ou hâtive de fichiers.

Corbeille Corbeille

Figure 6.3   *Corbeille* vide (à gauche) et pleine

Si vous avez éliminé par erreur un fichier ou un dossier, recherchez-le dans la *Corbeille*. En observant l'icône de la Corbeille, vous pouvez déduire si elle contient ou non des objets : si oui, vous verrez une icône pleine de papier (voir la Figure 6.3 à droite).

Suppression sans confirmation   Pour éliminer les objets sans que le système affiche un message de confirmation, sélectionnez-les et faites-les glisser sur l'icône de la *Corbeille* 🗑 en maintenant enfoncée la touche ⌂ .

Bouton *Supprimer*   Une autre possibilité pour envoyer les fichiers à la *Corbeille* est représentée par le bouton *Supprimer* ✕ ou ✕ Supprimer dans la barre d'outils d'une fenêtre de dossiers ou dans l'*Explorateur Windows*. Dans ce cas, l'opération de déplacement requiert la confirmation.

Affichage de la *Corbeille* et liste des objets supprimés

Les fichiers qui se trouvent dans la Corbeille ne sont pas encore définitivement perdus. Vous les avez simplement déplacés de leur dossier d'origine vers un dossier système bien déterminé.

Protection contre les pertes de données

La *Corbeille* empêche la perte de données due à une suppression d'un fichier effectuée par inadvertance.

Si vous avez supprimé un fichier ou un dossier dont vous avez encore besoin, cherchez-le dans la *Corbeille*.

Pour examiner le contenu de la *Corbeille*, double-cliquez sur son icône qui se trouve sur le bureau ou bien sélectionnez-la et appuyez sur ⏎.

Dossier *Corbeille*

Le dossier *Corbeille* est affiché. Selon le type d'affichage sélectionné, tous les objets supprimés sont affichés avec de *Grandes icônes/Petites icônes*, sous une *Liste* ou en *Détails* (voir la Figure 6.4).

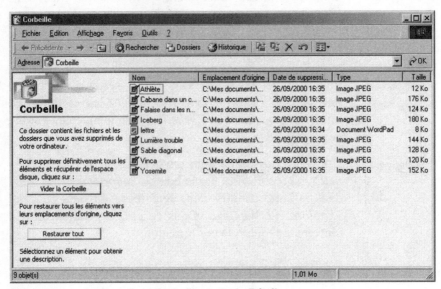

Figure 6.4   Contenu de la *Corbeille* en mode *Détails*

Date de suppression

Sélectionnez *Affichage/Détails* pour visualiser l'*emplacement d'origine* du fichier. Vous verrez aussi la *date de suppression* et d'autres informations.

Suppression du contenu de la *Corbeille*

Windows Me se limite à déplacer les objets supprimés dans la *Corbeille* qui empêche la perte de données due à des suppressions involontaires.

Vous vous demandez sûrement comment faire pour éliminer définitivement les données dont vous n'avez plus besoin. Vous avez différentes possibilités. La méthode la plus sûre est d'examiner le contenu de la *Corbeille*. Rappelez donc ce dossier.

Fichier/Supprimer   Selon le type d'affichage sélectionné, les objets sont affichés avec de *Grandes icônes/Petites icônes*, sous une *Liste* ou en *Détails*. Sélectionnez les fichiers que vous voulez supprimer définitivement, choisissez *Fichier/Supprimer* ou appuyez sur la touche ⌷Suppr⌷ puis répondez *Oui* au message de confirmation.

Figure 6.5   Suppression du contenu de la corbeille et aspect de l'icône au terme de l'opération

Commande *Vider la corbeille*

Si cela vous semble trop compliqué, choisissez la commande *Vider la corbeille* du menu *Fichier* ou du menu contextuel.

Confirmez le message qui s'affiche. Tous les objets qu'elle contient seront supprimés définitivement.

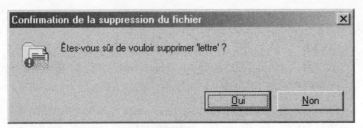

Confirmation de la suppression du fichier	☒
Êtes-vous sûr de vouloir supprimer 'lettre' ?	

Oui   Non

Figure 6.6 Demande de confirmation avant de supprimer des objets

La commande *Vider la corbeille* est également disponible dans le menu contextuel de l'icône *Corbeille* sans ouvrir le dossier. Comme le *glissement* permet de déplacer plus rapidement les objets, faites glisser les éléments à supprimer vers l'icône de la *Corbeille*. Si, lors du glissement, vous appuyez sur la touche ⬧, ils sont immédiatement éliminés sans que le message de confirmation s'affiche.

Restauration depuis la *Corbeille* d'objets supprimés

La *Corbeille* empêche la perte de données due à une suppression d'un fichier effectuée par inadvertance. Si vous avez supprimé par erreur un fichier ou un dossier, double-cliquez sur l'icône de la *Corbeille* pour examiner son contenu. La *Corbeille* est également disponible à partir de l'*Explorateur Windows* où un simple clic entraîne l'affichage de son contenu dans la partie droite de la fenêtre.

Si vous avez choisi de ne pas utiliser la procédure du double-clic pour ouvrir les dossiers dans le *Poste de travail* à travers les commandes *Outils/Options des dossiers*, vous devez cliquer une seule fois pour ouvrir la *Corbeille* et pointer l'objet voulu puis cliquer.

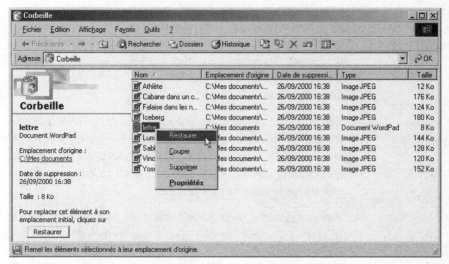

Figure 6.7 Restauration des objets sélectionnés dans la *corbeille*

Affichage/Détails   Dans le menu *Affichage,* sélectionnez la commande *Détails* si le contenu de la *Corbeille* n'est pas déjà visualisé comme dans la figure. Dans la colonne *Emplacement d'origine*, vous pouvez contrôler le dossier depuis lequel le fichier a été éliminé. Vous verrez en outre la *date de suppression*, le *type* de fichier et sa *taille*.

Fichier / Restaurer   A ce stade, sélectionnez les fichiers supprimés par erreur. Pour annuler l'opération de suppression, sélectionnez *Fichier/Restaurer*.

La commande *Restaurer* se trouve également dans le menu contextuel. Les objets sont déplacés de la *Corbeille* et transférés dans leur dossier d'origine.

Modification des propriétés de la *Corbeille*

Davantage d'espace sur le disque

Les fichiers « effacés » contenus dans la *Corbeille* occupent de l'espace sur le disque dur. Si vous voulez utiliser cet espace pour d'autres données ou bien éliminer immédiatement les objets inutiles sans les déplacer dans la *Corbeille,* vous devez modifier les propriétés de cette dernière.

Commande *Propriétés*

Sélectionnez la commande *Propriétés* dans le menu contextuel du dossier ouvert de la *Corbeille* ou de son icône située sur le bureau ; cette commande n'est disponible que dans ce menu. Vous affichez ainsi la boîte de dialogue illustrée dans la Figure 6.8.

Récupération d'espace

Pour augmenter ou réduire la taille de la *Corbeille*, faites glisser le curseur de la règle, à partir de *10%*, vers les valeurs supérieures (plus d'espace) ou inférieures (moins d'espace).

Si votre ordinateur possède plusieurs disques durs, avec l'option *Configurer les lecteurs indépendamment*, vous pouvez effectuer des réglages sur des onglets séparés pour chaque lecteur.

Message de confirmation

Pour ne pas afficher le message de confirmation durant l'opération de suppression, désactivez la case à cocher *Afficher la demande de confirmation de suppression.*

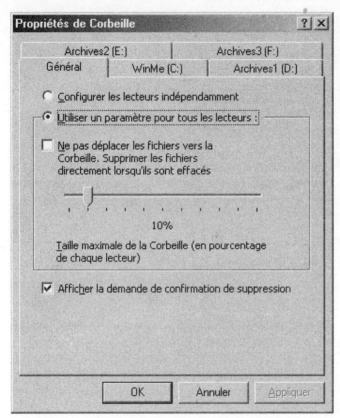

Figure 6.8   Définition des propriétés de la *Corbeille*

Désactivation de la   Pour désactiver la fonction de restauration de la *Cor-*
Corbeille   *beille*, cochez la case *Ne pas déplacer les fichiers vers la*
Corbeille. Supprimer les fichiers directement lorsqu'ils
sont effacés. Confirmez les modifications en cliquant sur
OK.

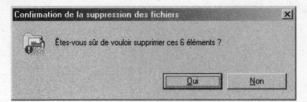

Figure 6.9   Si la corbeille est désactivée, voici le nouveau message de confirmation

 Attention : dès à présent, les objets sont immédiatement supprimés du disque dur et le système affiche un autre message vous permettant de confirmer la suppression.

7. Fonctions de recherche de Windows

Durant le travail quotidien, il peut arriver que vous oubliiez l'emplacement exact d'un fichier. Sur tout le territoire national, les lignes téléphoniques des centres d'assistance informatique sont prises d'assaut. Les questions se ressemblent un peu toutes et sonnent habituellement ainsi: J'ai travaillé récemment avec ce fichier et maintenant je ne le trouve plus... Je n'ai aucune idée de l'emplacement où je l'ai stocké.... Bien évidemment, il est impossible qu'un fichier enregistré disparaisse tout seul.

Recherche des fichiers

Il arrive souvent qu'on ne fasse pas attention au nom du dossier affiché dans la boîte de dialogue *Enregistrer sous* ; en conséquence le document est stocké dans un dossier qui ne correspond pas à l'emplacement voulu. Il faut, dans ce cas, rechercher le fichier perdu.

Recherche de fichiers et de dossiers

Windows Me dispose d'une fonction de recherche efficace permettant de résoudre l'inconvénient décrit ci-dessus. Pour activer cette fonction, ouvrez le menu *Démarrer* et pointez la commande *Rechercher*. Selon la configuration de l'ordinateur, le sous-menu peut contenir les commandes suivantes:

- *Des fichiers ou des dossiers* (recherche de fichiers ou dossiers sur l'ordinateur)

- *Sur Internet* (charge *Internet Explorer* pour effectuer une recherche en ligne)

■ *Personnes* (recherche des adresses dans le *Carnet d'adresses Outlook*)

Recherche par nom de fichiers ou de dossiers

Rechercher *Tous les fichiers*

Pour rechercher des fichiers et des dossiers sur votre ordinateur, vous devez sélectionner la commande *Des fichiers ou des dossiers*. *Windows Me* affiche la boîte de dialogue *Résultats de la recherche*. Dans la partie gauche de la boîte, vous devez entrer les indications nécessaires à la recherche tandis que les résultats s'affichent dans la partie droite.

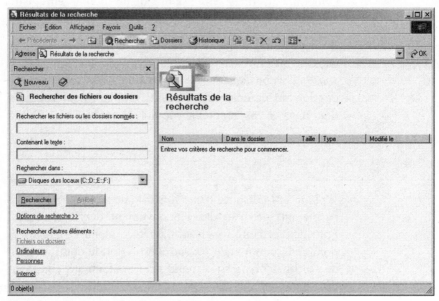

Figure 7.1   Recherche de fichiers et de dossiers

Zone de texte *Rechercher les fichiers ou les dossiers nommés:*

Si vous vous souvenez du nom du fichier, tapez-le dans la première zone de texte (*Rechercher les fichiers ou les dossiers nommés:*). La recherche ne fait pas de distinction entre les majuscules et les minuscules. Si vous voulez qu'une distinction soit faite, cliquez sur *Options de re-*

cherche >> qui se trouve sous le bouton *Rechercher*, cochez la case *Options avancées* puis *Respecter la casse*.

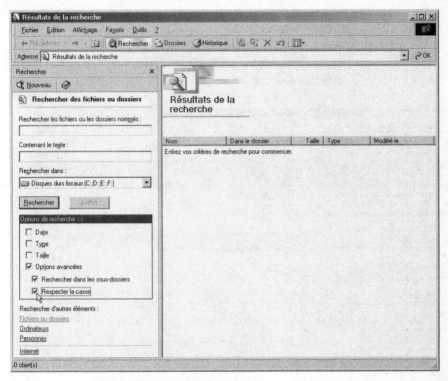

Figure 7.2   Activation du respect de la casse

Au lieu d'indiquer le nom complet du fichier, vous pouvez en taper une partie seulement pour afficher les fichiers ayant un nom semblable.

Rechercher dans   Vérifiez si la case *Rechercher dans les sous-dossiers* est
les sous-dossiers   cochée car sinon la recherche sera effectuée seulement au
niveau principal du lecteur ou du dossier indiqué sous
Rechercher dans:. Cette case à cocher se trouve dans les
Options avancées sous *Options de recherche* <<.

Bouton *Rechercher*   Pour commencer la recherche, cliquez sur le bouton *Re-*

chercher. Windows Me parcourt tous les dossiers et affiche le résultat de la recherche à droite.

Si aucun fichier ou dossier n'est trouvé, la boîte des résultats sera vide (*La recherche est terminée. Il n'y a aucun résultat à afficher.*) – l'information *0 fichier(s) trouvé(s)* s'affichera dans la barre d'état. Répétez la recherche avec un autre nom.

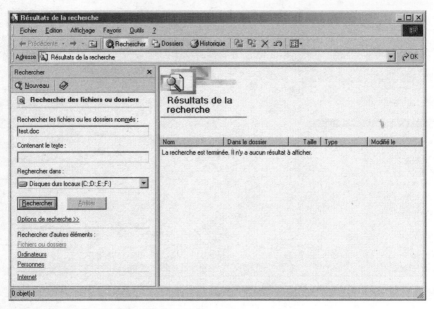

Figure 7.3   Aucun document trouvé

Recherche de fichiers et de dossiers selon l'emplacement

Plusieurs lecteurs   Normalement, la recherche est exécutée sur tout le contenu du lecteur indiqué dans la boîte à liste déroulante *Rechercher dans:*. La configuration par défaut est *Disques durs locaux* qui englobe tous les disques durs installés sur l'ordinateur mais pas les lecteurs de CD-ROM. Si plusieurs lecteurs de CD-ROM sont présents, vous pouvez dérouler la liste, les sélectionner et lancer la recherche. Si vous voulez limiter la recherche à certains lecteurs ou dossiers, cliquez dans cette boîte sur la dernière rubrique, à savoir *Parcourir....*

Boîte de dialogue
Rechercher un
dossier

Dans la boîte de dialogue *Rechercher un dossier*, cliquez sur le signe positif ⊞ précédant les rubriques pour dérouler leur structure et accéder au dossier voulu. Sélectionnez-le à l'aide d'un clic sur son nom puis sur *OK*. Le nouveau chemin de recherche apparaît dans la boîte à liste déroulante *Rechercher dans:*, vous pouvez aussi le modifier par le biais du clavier. Si vous voulez que la recherche englobe également les sous-dossiers, vérifiez si la case *Rechercher dans les sous-dossiers* est cochée, elle fait partie des *Options avancées* sous *Options de recherche <<*.

Figure 7.4   Recherche dans des lecteurs ou dossiers spécifiques

Lancement de la
recherche

Si vous voulez effectuer la recherche uniquement dans le dossier sélectionné, désactivez cette case. Contrôlez le terme figurant dans la première zone de texte et cliquez sur *Rechercher*.

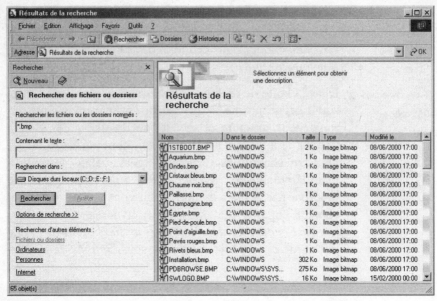

Figure 7.5   Le résultat de la recherche

Résultats de la recherche

Windows Me parcourt le dossier voulu et affiche le résultat de la recherche dans la partie droite de la boîte de dialogue. Si aucun fichier ou dossier n'est trouvé, la boîte des résultats sera vide (*La recherche est terminée. Il n'y a aucun résultat à afficher.*) – l'information *0 fichier(s) trouvé(s)* s'affichera dans la barre d'état. S'il en est ainsi, lancez la recherche dans d'autres dossiers ou lecteurs ou bien recherchez un autre terme.

Bouton *Arrêter*

Quand le fichier recherché apparaît dans la boîte des résultats, vous pouvez interrompre à tout moment la recherche en cliquant sur le bouton *Arrêter*.

Les objets trouvés sont affichés en mode *Détails*. Si tel n'est pas le cas, ouvrez le menu *Affichage* ou le menu contextuel puis choisissez la commande *Affichage* pour sélectionner ce type de représentation.

D'autres informations

Après le nom du fichier (colonne *Dans le dossier*) vous pouvez lire le chemin d'accès puis d'autres informations relatives à la taille, au type de fichier et à la date de la dernière modification. Les documents créés avec des applications enregistrées peuvent être directement rappelés à partir de la boîte de dialogue *Résultats de la recherche*.

Ouverture du fichier trouvé

Pour cela, sélectionnez le fichier puis choisissez la commande *Ouvrir* dans le menu *Fichier* ou le menu contextuel. Vous pouvez également double-cliquer sur l'icône. Le système lancera l'application qui y est associée et ouvrira le document.

Le document ouvert peut alors être enregistré dans un autre dossier ; dans ce cas, la copie « perdue » restera intacte.

Les objets affichés dans la boîte des résultats peuvent être copiés ou coupés à l'aide des commandes du menu *Edition* ou du menu contextuel et insérés dans le dossier de destination, à condition que ce dernier soit sélectionné dans le *Poste de travail* ou l'*Explorateur Windows*.

Vous pouvez aussi faire glisser les objets depuis la boîte de dialogue des résultats vers le dossier de destination.

Recherche de fichiers en fonction du type

Les critères de recherche d'un fichier ne sont pas exclusivement le nom et l'emplacement. On peut également les rechercher en fonction de leur type. Il est bien évident que si vous voulez rechercher une lettre, il ne convient pas de lancer une recherche qui englobe tous les fichiers texte figurant sur le disque dur. Vous pourriez toutefois le faire si vous souhaitez trier vos documents.

Recherche en fonction du type de fichier

En fait, il serait plus logique de rechercher, par exemple, des types de fichiers sur un CD-ROM multimédia ou sur le CD d'installation des kits Office pour *Windows Me*. Ces supports de données contiennent souvent des centaines de documents d'images, de sons et vidéo pouvant être stockés dans un très grand nombre de dossiers et sous-dossiers. Ne serait-ce pas merveilleux de pouvoir afficher simultanément toutes les images pour repérer l'élément que l'on recherche ?

Fichiers perdus

Il arrive souvent qu'on ne fasse pas attention au dossier de destination affiché dans la boîte de dialogue *Enregistrer sous* ; en conséquence, le document est stocké dans un dossier inconnu et il faut rechercher le fichier perdu.

Pour activer la fonction de recherche, sélectionnez *Démarrer/Rechercher/Des fichiers ou des dossiers*. Dans la boîte de dialogue *Résultats de la recherche*, cliquez sur *Options de recherche* << puis cochez la case *Type*.

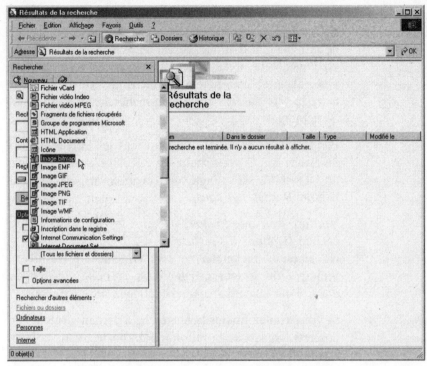

Figure 7.6   Limiter la recherche à un type de fichier déterminé

Boîte à liste
déroulante *Type*

Déroulez la boîte à liste *Type* et affichez à l'aide de la barre de défilement le type de fichier à rechercher. Les descriptions contenues dans la liste correspondent aux informations que vous pouvez lire dans la boîte de dialogue *Options des dossiers* de l'*Explorateur Windows* (onglet *Types de fichiers*). Si vous cliquez sur un type de fichier, il sera affiché dans la boîte à liste *Type*.

Lancement de la recherche

Pour effectuer la recherche, cliquez sur *Rechercher*. *Windows Me* parcourt tous les dossiers et indique le résultat de la recherche à droite. Si aucun fichier appartenant au type recherché n'est trouvé, la boîte des résultats sera vide. Dans ce cas, répétez la recherche au niveau d'un autre lecteur ou dossier ou bien recherchez un autre type de fichiers.

Par défaut, *Windows Me* parcourt tous les lecteurs locaux du disque dur. Si vous souhaitez effectuer la recherche sur un CD-ROM, sélectionnez le lecteur correspondant dans la boîte *Rechercher dans:*.

Vérifiez si la case *Rechercher dans les sous-dossiers* est cochée (*Options de recherche << / Options avancées*) car sinon la recherche ne sera effectuée qu'au niveau principal du lecteur affiché dans la boîte *Rechercher dans:*. Pour lancer la recherche, cliquez sur *Rechercher*.

Limiter la recherche

Si vous voulez limiter la recherche à certains lecteurs ou dossiers, choisissez la rubrique *Parcourir...* dans la boîte à liste *Rechercher dans:* puis passez au dossier d'origine. La recherche peut aussi être limitée au nom du fichier qui apparaît dans la première zone de texte. *Windows Me* applique toujours toutes les options de recherche sélectionnées.

Nouvelle recherche

Quand le fichier recherché apparaît dans la boîte des résultats, vous pouvez interrompre à tout moment la recherche en cliquant sur *Arrêter*. Si vous voulez définir une nouvelle recherche, cliquez sur le bouton *Nouveau* ⟨ Nouveau ⟩ qui se trouve au-dessus des zones de texte.

Les documents créés avec des applications enregistrées peuvent être rappelés directement à partir de la boîte des résultats: pour cela, sélectionnez le fichier puis choisissez la commande *Ouvrir* dans le menu *Fichier* ou le menu contextuel. Une méthode plus rapide consiste à double-cliquer sur l'icône. Le système lancera l'application qui y est associée et ouvrira le document.

Recherche de fichiers et de dossiers par date

Quand vous recherchez un fichier ou un dossier dont vous connaissez le *Nom*, l'*Emplacement* ou le *Type*, vous pouvez lancer la recherche en fonction de ces critères. Toutefois si vous avez oublié le nom d'un document mais que vous vous souvenez plus ou moins de sa date de création, vous pouvez limiter la recherche à une période précise et rechercher par ex. une lettre dont la date figure sur l'impression que vous possédez.

Recherche d'une version spéciale

Cette méthode permet en outre de rechercher une version spéciale d'un fichier, à savoir relative à une date de modification.

Pour activer la fonction de recherche, sélectionnez *Démarrer/Rechercher/Des fichiers ou des dossiers*. Dans la boîte de dialogue *Résultats de la recherche* qui apparaît, cliquez sur *Options de recherche <<* et cochez la case *Date*.

Choisir un intervalle plus court

Pour limiter la recherche à une période déterminée, choisissez tout d'abord la date qu'il faut prendre en considération dans la boîte à liste qui se trouve sous la case à cocher *Date*: celle de la modification, de la création ou du dernier accès.

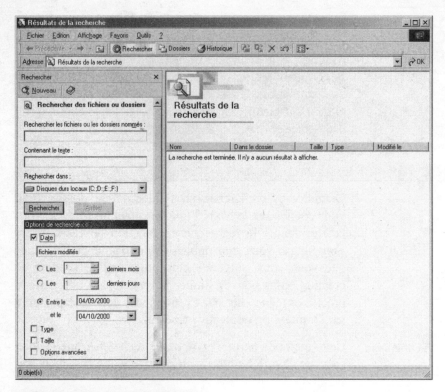

Figure 7.7   Restriction de la recherche à une date spécifique

Si vous connaissez exactement la date (par exemple: la date d'une lettre), sélectionnez l'option *Entre le* et tapez dans la zone de texte la date initiale sous la forme *jj.mm.aa*, ensuite cliquez dans la zone de texte située au-dessous et tapez la date finale sous la forme *jj.mm.aa*.

Calendrier

Vous pouvez également cliquer sur la petite flèche en regard de la zone de texte. Définissez ensuite la date voulue sur le petit calendrier qui s'affiche (voir la Figure 7.7 en bas). Pour définir le jour, cliquez sur le numéro voulu à l'intérieur du calendrier, en revanche, pour choisir le mois et l'année, utilisez les touches fléchées qui se trouvent en haut du calendrier.

Les... derniers mois/jours

Si vous ne connaissez pas la date exacte mais seulement le mois, sélectionnez l'option *les... derniers mois* et tapez le nombre de mois à considérer dans la zone de texte qui se trouve à côté. Si les documents recherchés ont été modifiés ou enregistrés au cours des derniers jours, utilisez la case d'option située au-dessous *les... derniers jours* et tapez le nombre de jours à considérer dans la zone de texte qui se trouve à côté.

Lancement de la recherche

Pour lancer la recherche, cliquez sur le bouton *Rechercher*. *Windows Me* parcourt tous les dossiers et montre le résultat de la recherche à droite. Si aucun fichier ou dossier n'est trouvé dans la période préétablie, la boîte des résultats ne contiendra aucune rubrique. Répétez la recherche avec d'autres dates.

Définissez si possible avec précision la période. La boîte de dialogue *Résultats de la recherche* affichera sûrement un grand nombre de fichiers système et programmes car ces derniers sont modifiés lors de chaque lancement de *Windows* ou de chaque exécution de programme et ils répondent en conséquence au critère de recherche établi.

Recherche sur d'autres lecteurs

Par défaut, *Windows Me* parcourt tous les lecteurs locaux du disque dur. Si vous voulez effectuer la recherche sur un autre lecteur, modifiez le chemin de recherche sous *Rechercher dans:*. Vérifiez également si la case *Rechercher dans les sous-dossiers* est cochée sous les *Options avancées* car sinon la recherche ne sera effectuée qu'au niveau principal du lecteur.

Lancement de la recherche

Pour lancer la recherche, cliquez sur le bouton *Rechercher*. Pour limiter la recherche à certains dossiers, cliquez dans la boîte à liste déroulante *Rechercher dans:* sur la rubrique *Parcourir...* puis passez au dossier d'origine. La recherche peut aussi être limitée au nom du fichier qui apparaît dans la première zone de texte.

Tous les critères de recherche

Windows Me applique tous les paramètres établis pour la recherche. Quand le fichier recherché apparaît dans la boîte des résultats, vous pouvez interrompre la recherche à tout moment en cliquant sur *Arrêter*. Si vous voulez définir une nouvelle recherche, cliquez sur le bouton *Nouveau* que se trouve au-dessus des zones de texte.

Recherche de fichiers et de dossiers en fonction de la taille

Les critères de recherche *Nom*, *Emplacement* ou *Type* ne sont pas les seuls pour effectuer une recherche. Il est parfois nécessaire de rechercher un fichier ayant une certaine taille ou d'ajouter un critère pour trouver plus facilement l'objet voulu.

Au moins et au plus

N'attendez pas de miracles de la fonction de recherche décrite ci-après car il est difficile d'indiquer la taille d'un fichier uniquement avec les critères de comparaison *au moins* et *au plus* en Ko. En effet, le programme ne permet pas de rechercher une taille exacte telle que 2348 Ko. Cette fonction pourrait être utile pour rechercher les fichiers très grands qui occupent beaucoup d'espace sur le disque dur et entraînent une réduction de la mémoire.

Taille du Fichier Pour établir une taille minimale ou maximale à rechercher, il faut bien évidemment connaître la taille du fichier. Pour lancer la fonction de recherche sélectionnez *Démarrer/Rechercher/Fichiers ou dossiers*. Cliquez sur *Options de recherche* << et cochez la case *Taille*.

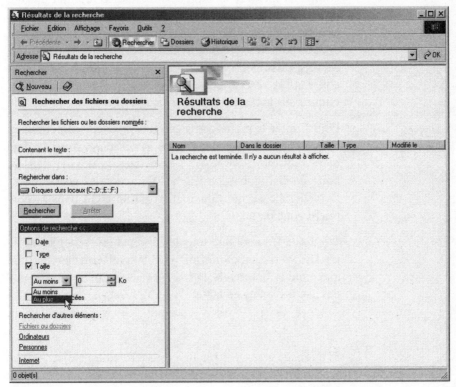

Figure 7.8 Limiter la recherche à une taille de fichier déterminée

Critères de comparaison Choisissez l'un des critères de comparaison: *au moins* ou *au plus* puis cliquez dans la zone de texte en regard et tapez la taille du fichier en Ko. Vous pouvez aussi utiliser les flèches de défilement.

Lancement de la recherche

Pour lancer la recherche, cliquez sur le bouton *Rechercher*, *Windows Me* parcourt tous les dossiers sélectionnés et affiche les résultats à droite. Si aucun fichier ou dossier ayant la taille définie n'est trouvé, la boîte des résultats sera vide. Répétez la recherche avec d'autres valeurs.

Recherche sur d'autres lecteurs

Par défaut, *Windows Me* effectue la recherche sur tous les lecteurs locaux du disque dur. Si vous voulez rechercher l'objet sur un autre lecteur, sélectionnez ce dernier dans la boîte à liste déroulante *Rechercher dans:*. Vérifiez également si la case *Rechercher dans les sous dossiers* est cochée sous les *Options avancées* car sinon la recherche ne sera effectuée qu'au niveau principal du lecteur affiché dans la susdite boîte. Pour commencer la recherche, cliquez sur le bouton *Rechercher*.

Limiter la recherche

Pour limiter la recherche à certains dossiers, sélectionnez dans la boîte à liste déroulante *Rechercher dans:* la dernière rubrique *Parcourir...*, choisissez le dossier dans la boîte de dialogue qui s'affiche. Vous pouvez aussi limiter la recherche au nom du fichier qui apparaît dans la première zone de texte.

Windows Me applique tous les critères de recherche définis. Si vous voulez définir une nouvelle recherche, cliquez sur le bouton *Nouveau* Nouveau qui se trouve au-dessus des zones de texte.

Bouton *Arrêter* Quand le fichier recherché s'affiche dans la boîte des résultats, vous pouvez interrompre à tout moment la recherche en cliquant sur le bouton *Arrêter*.

Les documents créés avec des applications enregistrées peuvent être rappelés directement à partir de la boîte des résultats. Pour cela, sélectionnez le fichier puis choisissez la commande *Ouvrir* dans le menu *Fichier* ou le menu contextuel. Vous pouvez également double-cliquer sur l'icône. Le système lancera l'application qui y est associée et ouvrira le document.

Recherche de fichiers et de dossiers en fonction du texte contenu

Si vous connaissez le *Nom* et l'*Emplacement* ou le *Type* de fichier, vous pouvez commencer la recherche à l'aide de ces critères. Si vous avez oublié le nom d'un document important mais que vous vous souvenez d'un morceau de texte qui y figure, vous pouvez utiliser ce texte comme critère de recherche. Ainsi vous pouvez rechercher une lettre contenant par ex. le mot *stratosphère*.

Contenant le texte Pour activer la fonction de recherche, sélectionnez *Démarrer/Rechercher/Des fichiers ou des dossiers*.

Tapez le terme de recherche dans la zone de texte *Contenant le texte:*. Il est bien évident que cette option ne peut être utilisée qu'avec des fichiers contenant effectivement du texte, vous ne pourrez pas vous en servir pour trouver, par ex. une bitmap contenant un titre inséré avec un outil de texte.

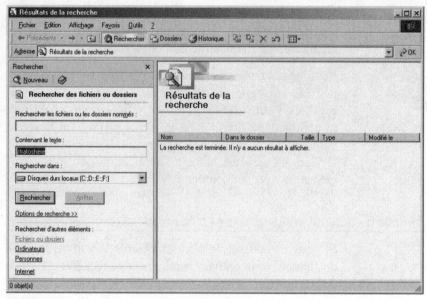

Figure 7.9   Recherche de texte dans les documents

Lancement de la recherche

Pour commencer la recherche, cliquez sur le bouton *Rechercher*. *Windows Me* parcourt tous les dossiers et indique le résultat de la recherche à droite. Si aucun fichier contenant le texte défini n'est trouvé, la boîte de dialogue *Résultats de la recherche* sera vide et vous verrez l'inscription *0 fichier(s) trouvé(s)* dans la barre d'état. S'il en est ainsi, répétez la recherche en tapant d'autres termes dans la zone de texte *Contenant le texte:*.

Il est possible que la boîte des résultats affiche des fichiers système et programme (des fichiers texte) car tous les fichiers de l'ordinateur sont examinés. Le système peut mettre un certain temps pour exécuter ce procédé. Dans ce cas, limiter la recherche à des dossiers précis.

Recherche sur d'autres lecteurs

Si vous voulez effectuer la recherche sur un autre lecteur, sélectionnez ce dernier dans la boîte à liste déroulante *Rechercher dans:* et vérifiez si la case *Rechercher dans les sous-dossiers est cochée* (sous *Options avancées*) car sinon la recherche ne sera effectuée qu'au niveau principal du lecteur affiché dans la susdite boîte. Pour reprendre la recherche, cliquez sur le bouton *Rechercher*.

Windows Me applique tous les critères de recherche définis. Quand le fichier recherché apparaît dans la boîte des résultats, vous pouvez interrompre à tout moment la recherche en cliquant sur *Arrêter*. Si vous voulez définir une nouvelle recherche, cliquez sur le bouton *Nouveau* 🔍 Nouveau qui se trouve au-dessus des zones de texte.

Les documents créés avec des applications enregistrées peuvent être rappelés directement à partir de la boîte des résultats. Pour cela, sélectionnez le fichier puis choisissez la commande *Ouvrir* dans le menu *Fichier* ou le menu contextuel. Vous pouvez également double-cliquer sur l'icône. Le système lancera l'application qui y est associée et ouvrira le document.

Recherche d'ordinateurs appartenant à un réseau

Si votre ordinateur est relié à un réseau, la fonction de recherche permet de rechercher les autres ordinateurs connectés à votre réseau. Pour cela, sélectionnez *Démarrer/Rechercher/Des fichiers ou des dossiers*. Dans la boîte de dialogue *Résultats de la recherche*, cliquez sur le lien *Ordinateur* qui se trouve au bas de la partie gauche.

Dans la zone de texte *Nom de l'ordinateur:*, tapez le nom complet de l'ordinateur à rechercher ou une partie et cliquez sur *Rechercher*.

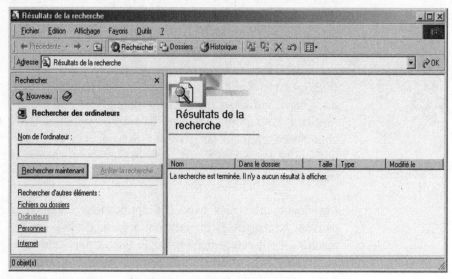

Figure 7.10   Recherche d'ordinateurs reliés en réseau

Windows Me parcourt l'unité réseau et affiche les ordinateurs trouvés à droite. Si aucun ordinateur portant le nom indiqué n'est trouvé, la boîte des résultats sera vide et vous verrez l'inscription *0 objet(s):* dans la barre d'état. Répétez dans ce cas la recherche avec un autre nom d'ordinateur.

Pour enregistrer des numéros de téléphone, des adresses ou des adresses de courrier électronique de contacts avec des particuliers ou des bureaux, *Windows Me* offre le *Carnet d'adresses* qui fait partie du programme e-mail *Outlook Express*. Reportez-vous au chapitre 11, pour savoir comment rechercher des personnes ou des adresses d'e-mail dans ce programme.

8. Le Panneau de configuration

Ce chapitre fournit une description complète du Panneau de configuration de *Windows Me* qui permet à l'utilisateur de personnaliser tous les composants de l'ordinateur selon ses exigences mais aussi d'installer de nouveaux composants ou de nouvelles applications. Le présent chapitre décrit comment configurer la souris, le clavier ou la manette de jeu et comment installer de nouvelles polices ou modifier le mode d'affichage de *Windows*.

Paramètres/ Panneau de configuration

Il explique, en outre, comment installer de nouveaux pilotes de cartes graphiques ou d'impression et comment activer les dispositifs permettant d'économiser l'énergie de l'ordinateur. Toutes les susdites opérations sont effectuées à partir du *Panneau de configuration*. Pour le rappeler, sélectionnez *Démarrer/Paramètres/Panneau de configuration* ou lancez-le à partir du *Poste de travail* 🖥.

Double clic

Double-cliquez sur l'icône voulue dans le dossier *Panneau de configuration*. Si vous avez choisi le simple clic, positionnez le pointeur sur l'option voulue et cliquez une seule fois.

Définition des propriétés de la souris

Sans un pointeur approprié, vous ne pouvez pas travailler comme il convient avec le système d'exploitation à interface graphique *Windows Me*. Toutefois, même la meilleure souris disponible sur le marché doit être personnalisée en fonction des exigences de l'utilisateur.

Boule de commande

Dans cette section et dans les sections relatives à la souris, les procédures décrites se réfèrent toujours à l'utilisation d'une souris classique. Si vous disposez d'un autre pointeur, par ex. une *boule de commande*, les étapes à suivre sont les mêmes.

Double clic

Au début, la plupart des utilisateurs ont du mal à double-cliquer. Le double-clic correspond à deux brèves pressions du bouton gauche de la souris qui permettent par exemple d'ouvrir des dossiers ou de lancer des programmes.

Modification de la vitesse du double-clic

Si vous n'arrivez pas à effectuer le double-clic c'est peut-être parce que vous ne cliquez pas assez rapidement. Le temps qui s'écoule entre deux clics est appelé *vitesse du double-clic*. Vous pouvez définir cette vitesse en fonction de vos besoins.

Propriétés de Souris

Pour cela, sélectionnez la commande *Démarrer/Paramètres/Panneau de configuration*. Dans ce dossier (voir la Figure 8.1) double-cliquez sur l'icône *Souris* ; la boîte de dialogue *Propriétés de Souris* s'affichera.

Figure 8.1   Panneau de configuration

284

Faites glisser le curseur de la règle dans la direction voulue sous *Vitesse du double-clic* en maintenant enfoncé le bouton de la souris (pour les débutants vers la vitesse *Lente*).

Vérification des définitions

Pour vérifier les nouveaux paramètres, double-cliquez à droite dans la zone de test. Si le double clic est exécuté correctement, un clown sortira de la boîte. S'il n'en est pas ainsi, définissez une autre vitesse. Cliquez sur *OK* pour fermer la boîte de dialogue.

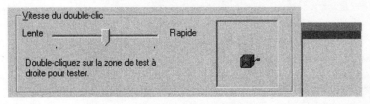

Figure 8.2   Le curseur de la règle permet de modifier la vitesse du double-clic

Si vous voulez modifier d'autres paramètres relatifs à la souris, ne cliquez pas sur *OK* mais sur le bouton *Appliquer*. Ainsi les modifications sont enregistrées et la boîte de dialogue reste ouverte.

Inversion des boutons de la souris

Comme la souris est l'outil principal d'insertion sous *Windows Me*, il faut que vous appreniez à l'utiliser correctement.

Les gauchers

L'utilisation de la souris pose des problèmes aux gauchers car la configuration par défaut sous *Windows Me* s'adresse aux droitiers. Ne vous inquiétez pas car la souris peut être personnalisée pour les gauchers.

Démarrer/
Paramètres

Sélectionnez tout d'abord *Démarrer/Paramètres/Panneau de configuration* et dans ce dossier, double-cliquez sur l'icône *Souris* 🖱.

Onglet *Boutons*

Dans la boîte de dialogue *Propriétés de Souris*, restez sur l'onglet *Boutons*. Pour adapter la souris aux gauchers, cliquez sur l'option *Gaucher* sous *Configuration du bouton* puis sur *OK* pour confirmer et fermer la boîte de dialogue.

Figure 8.3   Inversion des boutons pour les gauchers

Les nouvelles souris à 3 boutons (ou plus) et une boule sont pourvues d'un logiciel approprié pour personnaliser et programmer leurs boutons. Certaines de ces applications installent ces fonctions dans le *Panneau de configuration*.

Pour mieux travailler avec la souris

Sur les portables dotés d'un écran à cristaux liquides passifs (écran LCD, *DualScan* etc.), il est souvent difficile de voir le pointeur de la souris et de suivre ses déplacements.

Moniteur pour
portables

Cela est dû à l'inertie de l'écran LCD passif. *Windows Me* offre, comme pour tout, une solution simple : si vous avez du mal à suivre le pointeur de la souris sur l'écran de votre portable, sélectionnez *Démarrer/ Paramètres/ Pan-*

neau de configuration et dans ce dossier, double-cliquez sur l'icône de la *Souris* 🖱. Dans la boîte de dialogue *Propriétés de Souris*, passez à l'onglet *Options du pointeur*.

Afficher les traînées du pointeur

Cochez la case *Afficher les traînées du pointeur* sous *Visibilité* et déplacez la souris. Vous verrez qu'à présent le pointeur a une queue ressemblant à celle d'une comète qui permet de suivre ses déplacements.

Longueur de la traînée

Si la traînée est trop longue ou trop lente, faites glisser le curseur de la règle dans la direction voulue. Déplacez de nouveau la souris pour vérifier les paramètres ; ensuite cliquez sur *OK* pour fermer la boîte de dialogue.

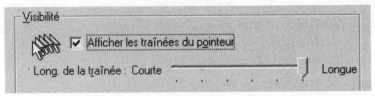

Figure 8.4   Le curseur de la règle permet de modifier la longueur de la traînée

Si vous voulez modifier d'autres paramètres relatifs à la souris, ne cliquez pas sur *OK* mais sur le bouton *Appliquer*. Ainsi les modifications sont enregistrées mais la boîte de dialogue reste ouverte.

Vitesse du pointeur

Sous *Vitesse du pointeur*, vous définissez le rapport entre le déplacement de la souris sur le tapis et celui du pointeur : plus le curseur de la règle s'approche de *Lente*, plus il faudra d'espace pour déplacer la souris ; en revanche s'il est près de *Rapide*, le pointeur suivra rapidement même les plus petits déplacements de la souris.

Figure 8.5   Définition de la vitesse du pointeur

Effet d'alignement   Si vous avez du mal à positionner avec précision le pointeur, l'option appelée *Effet d'alignement* vous aidera à surmonter cette difficulté. Cochez la case *Déplacer automatiquement le pointeur vers le bouton par défaut dans les boîtes de dialogue* qui se trouve dans l'onglet *Options du pointeur* pour que le bouton par défaut (généralement *OK*) soit automatiquement pointé. Ainsi, dès que vous ouvrez une boîte de dialogue, le pointeur se place sur le bouton par défaut et (si ce dernier vous convient) vous devez simplement cliquer.

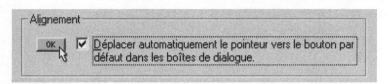

Figure 8.6   Définition du déplacement automatique du pointeur

Masquer le
pointeur

Vous est-il déjà arrivé d'être gêné par le pointeur qui cache le caractère sur lequel il se trouve alors que vous devez entrer des données. Eh bien dans ce cas, vous avez la possibilité de sélectionner l'option *Masquer le pointeur lors de la frappe* ; dorénavant le pointeur apparaît lorsque vous déplacez la souris au terme de la frappe.

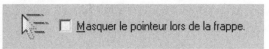

Figure 8.7   Le pointeur disparaît durant les frappes

Retrouvez le
pointeur

Si vous travaillez sur un grand écran et que le contraste est plutôt faible, vous pouvez « perdre » le pointeur qui est assez petit. Dans ce cas, vous disposez d'une fonction vous permettant de le « retrouver » en appuyant simplement sur la touche Ctrl. Pour cela, cochez la case *Afficher le pointeur lorsque vous appuyez sur Ctrl* qui se trouve dans l'onglet *Options du pointeur* et confirmez en cliquant sur *OK*.

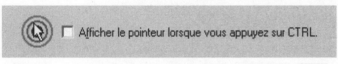
☐ Afficher le pointeur lorsque vous appuyez sur CTRL.

Figure 8.8 Le pointeur réapparaît quand vous enfoncez Ctrl

Assignation d'autres formes au pointeur

Sous *Windows Me*, la forme du pointeur change en fonction de chaque élément pointé. Si vous pointez par exemple le bord d'une fenêtre, le pointeur se transforme en double flèche pointée dans deux directions ↔. Si vous placez le pointeur sur un angle de la fenêtre, une double flèche diagonale s'affiche ↖.

Curseur animé

Il est toutefois possible d'adapter l'aspect du pointeur en fonction de vos exigences. *Windows Me* permet de choisir différentes tailles pour le curseur. Nous conseillons aux débutants qui doivent encore apprendre à utiliser correctement la souris de définir une grande taille. Pour modifier l'aspect du pointeur sélectionnez *Démarrer/Paramètres/Panneau de Configuration* et double-cliquez sur l'icône *Souris*, la boîte de dialogue *Propriétés de Souris* s'affichera.

Onglet *Pointeurs*

Choisissez l'onglet *Pointeurs* et déroulez la boîte à liste *Modèle* en cliquant sur la flèche de déroulement puis sélectionnez une rubrique. La liste située au-dessous énumère toutes les formes de pointeur et leur signification. Utilisez la barre de défilement pour parcourir toute la liste.

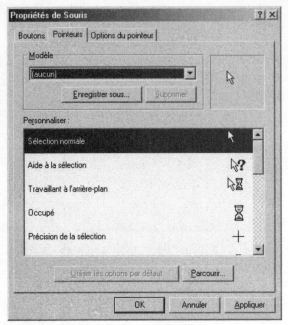

Figure 8.9   Un nouveau modèle modifie la forme sur chaque élément

Modèle de pointeur   Lorsque vous choisissez un nouveau modèle, vous modifiez automatiquement toutes les formes du pointeur sous *Windows Me*. Si cela vous convient, choisissez un modèle puis cliquez sur *OK*. Par contre, si vous souhaitez changer une ou plusieurs formes associées à des éléments précis, définissez le modèle de base dans la boîte à liste déroulante homonyme.

Bouton *Parcourir*   Sélectionnez ensuite dans la liste le pointeur à modifier et cliquez sur le bouton *Parcourir*. La boîte de dialogue *Parcourir* énumère tous les pointeurs disponibles sous *Windows Me*. Sélectionnez la rubrique voulue à l'aide d'un clic.

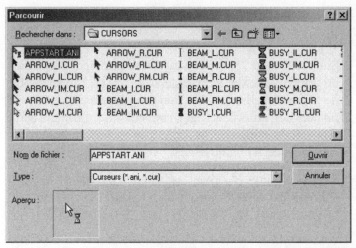

Figure 8.10   Il est possible de modifier n'importe quel type de pointeur

Confirmez avec *Ouvrir*, le pointeur est inséré dans la liste. Répétez les étapes pour toutes les rubriques à modifier. Quand vous avez terminé, cliquez sur *OK* pour fermer la boîte de dialogue.

Les pointeurs statiques de *Windows* possèdent l'extension *CUR* et se trouvent dans le dossier *C :\Windows\Cursors*. Les curseurs animés (suivis de l'extension *ANI*) sont particulièrement intéressants.

Sélectionnez un curseur animé dans la boîte de dialogue *Parcourir* et vous aurez un aperçu de son animation.

Si vous êtes relié à Internet, vous pouvez trouver d'autres combinaisons de formes sur le World Wide Web. Il suffit de parcourir les archives de programmes ou de partagiciels pour rechercher des pointeurs ou des arrières plans pour le bureau.

Définition des propriétés du clavier

Sur l'ordinateur, le clavier est l'outil principal permettant de frapper le texte. Pour cette raison, il est indispensable de le personnaliser en fonction des propres exigences. La plupart des utilisateurs ne s'inquiètent aucunement de ce type de définition et travaillent avec les configurations standards de *Windows Me*.

Icône *clavier*

Pour configurer le clavier, sélectionnez *Démarrer/ Paramètres/Panneau de configuration* puis double-cliquez sur l'icône *Clavier* ⌨.

Définition de la vitesse de répétition du clavier

Onglet *Vitesse*

Dans l'onglet *Vitesse*, personnalisez les paramètres à votre gré.

Faites glisser le curseur de la règle sous *Délai de répétition* pour établir le temps qui s'écoule (*Court* ou *Long*) avant de répéter un caractère dont la touche est maintenue enfoncée.

Augmentation de la fréquence de répétition

Vitesse de répétition

Faites glisser le curseur de la règle sous *Vitesse de répétition* pour régler la fréquence à laquelle (entre *Rapide* et *Lente*) les caractères sont répétés si vous maintenez enfoncée leur touche. Vérifiez les paramètres en cliquant dans la zone de texte située au-dessous et enfoncez une touche. Confirmez vos définitions en cliquant sur *OK*.

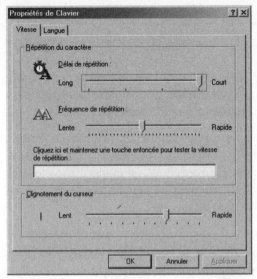

Figure 8.11 Définition du *Délai de répétition* et de la *Fréquence de répétition* du clavier

Définition de la vitesse de clignotement du curseur

Pour configurer la vitesse de clignotement du curseur, sélectionnez *Démarrer/Paramètres/Panneau de configuration* puis double-cliquez sur l'icône *Clavier* ⌨.

Onglet *Vitesse*

Dans l'onglet *Vitesse*, personnalisez les paramètres à votre gré. Faites glisser le curseur de la règle sous *Clignotement du curseur* pour définir le délai de clignotement du curseur. Le curseur affiché à gauche de la règle permet de voir le clignotement défini.

Curseur dans les textes

Modifiez la vitesse afin de mieux repérer le curseur dans les textes. Confirmez les modifications en cliquant sur *OK*.

Langue du clavier

Sur l'ordinateur, le clavier est l'outil principal permettant de frapper le texte. Presque tous les pays ont une disposition de clavier nationalisée qui est liée d'une part à des raisons historiques et d'autre part à des accouplements entre les caractères de la langue spécifique.

Par exemple, sur le clavier américain, il n'y a pas de tréma ; les caractères des langues orientales sont différents de ceux des langues européennes, en conséquence le seul élément qui met en commun un clavier turc et un clavier français est le nombre de touches.

Définition de la langue du clavier

Sous *Windows Me*, la disposition des touches est appelée *Langue*. Pour configurer la langue du clavier, sélectionnez *Démarrer/Paramètres/Panneau de configuration* puis double-cliquez sur l'icône *Clavier* .

Onglet *Langue*

Dans l'onglet *Langue* vous pouvez, si besoin est, ajouter un autre clavier. La langue standard apparaît sous *Langue*.

Pour définir une nouvelle disposition des touches, cliquez sur le bouton *Ajouter...*, sélectionnez la langue voulue et cliquez sur *OK*.

Nouvelle disposition

La nouvelle disposition apparaît dans la liste *Langue*. Sous *Combinaisons pour basculer entre les langues*, choisissez les touches de raccourci permettant de passer d'un type de clavier à l'autre et cochez la case *Activer l'indicateur sur la Barre des tâches* puis confirmez avec *OK*.

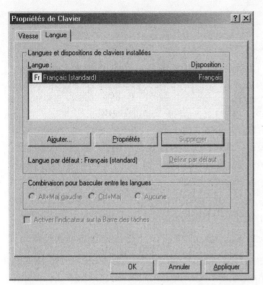

Figure 8.12   Définition de la langue du clavier

Pour passer d'un clavier à l'autre, appuyez sur les touches de raccourci que vous avez choisies ou cliquez sur l'indicateur dans la barre des tâches et sélectionnez dans le menu qui apparaît la langue voulue.

Sachez toutefois que le clavier sur lequel vous tapez et la disposition définie à l'ordinateur devraient se rapporter à la même langue. En effet, si vous définissez une autre langue, vous devez connaître par coeur la disposition des touches de celle-ci car le clavier qui se trouve devant vous ne correspond aucunement à la nouvelle définition.

Gestion des polices système

Windows Me distingue deux types de polices système : les polices *Bitmap* et les polices *Truetype* qui sont beaucoup plus efficaces.

Polices *BitMap* Les polices *BitMap* sont des caractères qui offrent pour chaque taille un fichier contenant les informations relatives à cette dernière. Comme les images à pixels, les polices BitMap sont constituées de points qui ressemblent à des marches s'ils sont imprimés. En conséquence, ils ne sont appropriés qu'à l'affichage sur l'écran.

Polices *Truetype* Les polices *Truetype* sont des caractères vectoriels pouvant être librement redimensionnés. Le fichier de police relatif doit simplement contenir la fonction mathématique décrivant la forme des contours. A l'aide d'un fichier de police, *Windows* est en mesure de créer des caractères ayant n'importe quelle taille.

Principe *WYSIWYG* Le grand avantage d'un caractère *Truetype* est qu'il est représenté sur l'écran tel qu'il sera imprimé (principe *WYSIWYG*). La qualité des polices *Truetype* est meilleure que celle des caractères bitmap quelle que soit la taille de la police.

Affichage des polices *Truetype* installées

Dossier *Fonts* Pour afficher la liste des polices disponibles sur votre ordinateur, double-cliquez dans le *Panneau de configuration* sur l'icône *Polices* ⏍. Dans le dossier *Fonts,* tous les caractères installés sont affichés sous forme d'icônes spéciales. Les polices *Truetype* pouvant être redimensionnées sont représentées par l'icône 🅣 tandis que l'icône 🅐 est associée aux polices *Bitmap*.

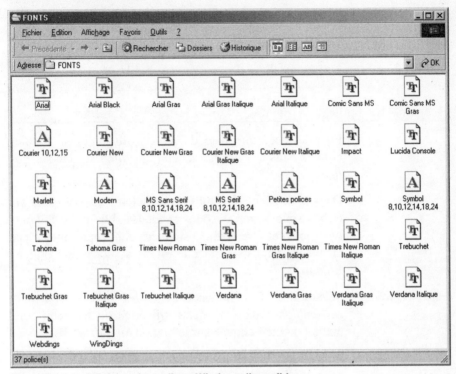

Figure 8.13   Affichage des polices *Windows* disponibles

Pour modifier le mode d'affichage dans le dossier *Fonts*, utilisez le menu *Affichage* et les commandes que vous connaissez déjà. La commande *Affichage* est également disponible dans le menu contextuel.

Modes d'affichage

La Figure 8.13 illustre l'affichage *Grandes icônes*. Avec la rubrique *Détails,* vous verrez le nom du fichier, sa taille et la date de la dernière modification. La rubrique *Lister les polices selon leur ressemblance* sera traitée en détail ci-après ; l'affichage *Liste* est le plus significatif pour de nombreuses polices installées.

Tous les caractères disponibles se trouvent également dans les autres applications Windows. De nombreuses applications (par ex. *Microsoft Office 2000* ou *Corel-Draw*) installent d'autres polices *Truetype*.

Ressemblance entre une police définie et toutes les autres

Pour afficher une liste de polices disponibles, double-cliquez dans le *Panneau de configuration* sur l'icône *Polices*.

Dans le dossier *Fonts* tous les caractères installés sont affichés sous forme d'icônes spéciales. Les polices *Truetype* pouvant être redimensionnées sont représentées par l'icône 🔤 tandis que l'icône Ⓐ est associée aux polices *Bitmap*.

Comparaison entre les polices

Sélectionnez la commande *Lister les polices selon leur ressemblance* dans le menu *Affichage* ou le menu contextuel ou bien cliquez sur le bouton *Similarité* 🔲.

A ce stade, toutes les polices installées sont énumérées dans une liste et confrontées à la police qui apparaît dans la boîte à liste déroulante *Lister les polices selon la ressemblance à*. Pour modifier la police utilisée pour la comparaison, déroulez la boîte à liste *Lister les polices selon leur ressemblance à* et sélectionnez une autre police.

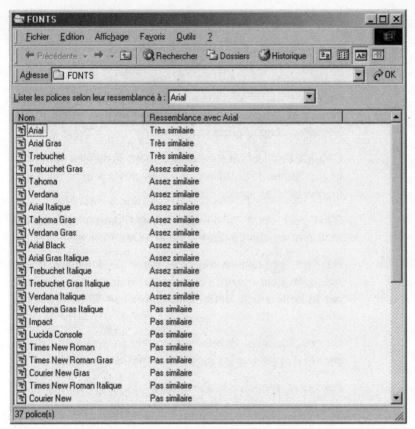

Figure 8.14 **Ressemblance entre une police définie et toutes les autres**

Commentaire

Les commentaires *Très similaire, Assez similaire* et *Pas similaire* sont affichés après le nom de la police. Observez par ex. le commentaire obtenu après la comparaison entre les polices *Arial* et *Times New Roman*, à savoir *Pas similaire*. Cet affichage permet aux utilisateurs novices d'effectuer, du point de vue graphique, une première comparaison qui peut être utile.

Impression d'un modèle de police

De nombreuses applications *Windows* sont déjà installées avec un certain nombre de polices *Truetype*. Par exemple, le kit graphique *CorelDRAW* contient environ 1000 polices *Truetype* et certaines polices *Truetype* qui figurent dans le kit *Microsoft Office* sont automatiquement installées avec cette application.

Des centaines de polices

Comme des centaines de polices sont installées sur l'ordinateur même les utilisateurs chevronnés auront du mal à mémoriser l'aspect de chaque police.

C'est pour cette raison que les applications graphiques montrent un aperçu dans la boîte à liste *Police*.

Pas d'aperçu disponible

Pour les applications intégrées dans *Windows Me*, il faut renoncer à cet aperçu (la seule exception est représentée par la boîte à liste déroulante *Style* dans *Microsoft Word 2000*).

En conséquence, *Windows Me* offre la possibilité d'afficher et d'imprimer les modèles de polices installées.

Icône *Polices*

Pour cela, rappelez le *Panneau de Configuration* à l'aide de *Démarrer/Paramètres* ou à partir du *Poste de travail* puis double-cliquez sur l'icône *Polices* 📁 pour afficher le dossier *Fonts*.

Une liste de toutes les polices installées s'affiche. Vous pouvez éventuellement modifier le mode d'affichage. Pour cela, ouvrez le menu *Affichage* et choisissez par exemple *Grandes icônes*.

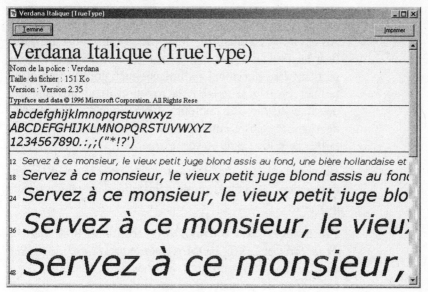

Figure 8.15   Affichage d'un modèle de police

Modèle de police

Pour rappeler rapidement un modèle, double-cliquez sur l'icône ou sur le nom de la police voulue. Vous pouvez également utiliser la commande *Ouvrir...* du menu *Fichier* ou du menu contextuel.

Le modèle de police et la phrase « Servez à ce monsieur, le vieux petit juge blond assis au fond, une bière hollandaise et des kiwis... » sont affichés dans une fenêtre. Agrandissez-la éventuellement et/ou utilisez les barres de défilement.

Impression d'un modèle de police

Si vous cliquez sur le bouton *Terminer*, vous revenez au dossier *Fonts* ; par contre, si vous choisissez le bouton *Imprimer*, vous obtiendrez l'impression du modèle affiché. La commande *Imprimer...* est, en outre, disponible dans le menu *Fichier* du dossier *Fonts* et dans le menu contextuel de chaque police y figurant.

Installation de nouvelles polices *Truetype*

Au début de ce chapitre, nous vous avons conseillé d'utiliser les polices *Truetype*. Il s'agit de caractères vectoriels pouvant être librement redimensionnés dont le fichier de police contient seulement la fonction mathématique qui décrit la forme des contours. Ceci permet d'économiser de l'espace dans la mémoire et de représenter toutes les tailles de police sans pertes de qualité.

Un grand nombre d'applications contiennent actuellement des polices *Truetype* qui sont installées en même temps qu'elles.

Par exemple le kit *CorelDRAW* contient 1000 polices *True Type* et le CD-ROM d'installation *Microsoft Office* en offre un certain nombre. Si vous voulez installer d'autres types de police sur votre ordinateur, vous pouvez théoriquement copier les fichiers de police dans un dossier spécial. Il existe toutefois une méthode précise et officielle.

Installation de nouvelles polices

Pour faire en sorte que de nouvelles polices soient prises en considération par *Windows Me* et les applications relatives, rappelez le *Panneau de configuration* à l'aide de *Démarrer/Paramètres* ou à partir du *Poste de travail* et double-cliquez sur l'icône *Polices* 📁 pour afficher le dossier *Fonts*.

Ajout de polices

Choisissez dans le menu *Fichier* la commande *Installer une nouvelle police....* Dans la boîte de dialogue *Ajout de polices*, utilisez les listes *Lecteurs* et *Dossiers* pour choisir le lecteur puis le dossier contenant les nouvelles polices.

Windows Me lit toutes les polices disponibles dans le dossier ouvert et affiche les fichiers correspondants sous *Liste des polices*.

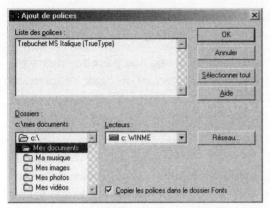

Figure 8.16   Installation de nouvelles polices pour *Windows Me*

Installation

Sélectionnez la/les polices voulues (si vous voulez ef-fectuer des sélections multiples, utilisez les touches ⌂ ou Ctrl). Pour sélectionner tous les fichiers contenus dans la *Liste des polices*, cliquez sur le bouton *Sélection-nez tout*. Pour installer les polices, cliquez sur *OK* puis regardez si les nouvelles polices figurent dans le dossier *Fonts*.

Vérifiez si la case *Copier les polices dans le dossier Fonts* est cochée, afin que les polices soient effective-ment copiées dans le dossier *C :\Windows\Font*.

Suppression de polices *Truetype*

Après un certain temps, il est probable que des centaines de polices seront installées sur votre ordinateur. Chaque fichier de police occupe de l'espace dans la mémoire et doit être lu lors du lancement de *Windows*.

Suppression de polices

Si vous travaillez seulement avec certaines polices, vous pouvez effacer du disque dur les polices inutiles.

Mais attention, la suppression ne doit pas être effectuée à partir de l'*Explorateur Windows* ou du *Poste de travail* et cela pour deux motifs :

Police - nom de fichier

D'une part, vous n'êtes pas en mesure d'établir que le nom de fichier *TT1024M_.TTF* renvoie au type de police *Futura MD BT*, d'autre part il est nécessaire d'éliminer le raccourci qui mène à ce fichier dans le dossier *Fonts*. Pour que *Windows Me* et les applications enregistrées ne prennent plus en considération des polices, rappelez le *Panneau de configuration* à l'aide de *Démarrer/Paramètres*.

Affichage *Liste*

Double-cliquez sur l'icône *Polices* pour afficher le dossier *Fonts*. Si ce dossier contient un grand nombre de polices, nous vous conseillons de passer à l'affichage *Liste*. Sélectionnez la ou les polices à éliminer (si vous voulez effectuer des sélections multiples, utilisez le rectangle de sélection de la souris ou bien la touche ⬥ ou Ctrl).

Suppression de polices

Pour supprimer les polices, enfoncez Suppr ou bien sélectionnez la commande *Supprimer* dans le menu *Fichier* ou le menu contextuel. Si vous cliquez sur *Oui* dans la boîte de message qui apparaît, les polices sélectionnées sont déplacées dans la *Corbeille*.

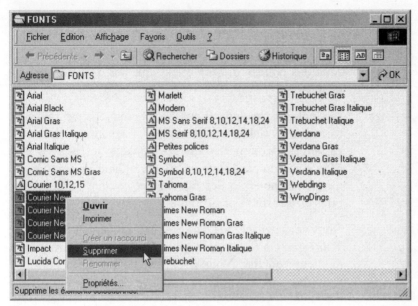

Figure 8.17   Suppression de polices *Truetype* inutiles

 Pour éliminer définitivement les polices enlevées du dossier *Fonts*, videz la *Corbeille*. Pour plus d'informations à ce sujet, reportez-vous au chapitre 6.

Affichage uniquement de polices *Truetype* dans les applications

Librement redimensionnés

Nous avons déjà dit que *Windows Me* utilise deux différents types de polices : les polices *BitMap* et *Truetype* qui sont beaucoup plus efficaces. Les polices *Truetype* sont des caractères vectoriels pouvant être librement redimensionnés dont les fichiers de police contiennent seulement la fonction mathématique décrivant la forme des contours.

Une meilleure qualité

A l'aide d'un fichier de police, *Windows Me* est en mesure de créer des caractères ayant une taille quelconque. Le grand avantage d'une police *Truetype* est que le carac-

305

tère est représenté sur l'écran tel qu'il sera imprimé (principe *WYSIWYG : What You See Is What You Get*). La qualité des polices *Truetype* est nettement meilleure que celle des polices *BitMap* quelle que soit la taille des caractères.

Images à pixels

Les polices *BitMap* A possèdent pour chaque taille de caractère un fichier contenant les informations relatives à ce dernier. Comme les images à pixels, les polices Bit-Map sont composées de points qui, quand ils sont imprimés, ressemblent à des marches et ne sont donc appropriés qu'à l'affichage sur l'écran.

Utiliser seulement les polices *Truetype*

Nous vous conseillons d'utiliser exclusivement les polices *TrueType* car elles sont plus flexibles et offrent une meilleure qualité. Vous avez d'ailleurs la possibilité de n'afficher que les polices *Truetype* dans la boîte à liste déroulante *Police* des applications *Windows*. Il faut pour cela ouvrir le *Panneau de configuration*.

Onglet *Truetype*

Sélectionnez *Démarrer/Paramètres/Panneau de configuration* et double-cliquez sur l'icône *Polices*. Toutes les polices installées sont affichées dans le dossier *Fonts*. Sélectionnez la commande *Options des dossiers* dans le menu *Options* et passez à l'onglet *Truetype*.

Que les polices *Truetype*

Cochez la case *N'afficher que les polices TrueType dans les programmes* et confirmez avec *OK*. Dorénavant, *Windows Me* ne montrera les polices BitMap dans aucune application *Windows* et seules les polices *Truetype* installées apparaissent dans les boîtes à liste énumérant les types de police.

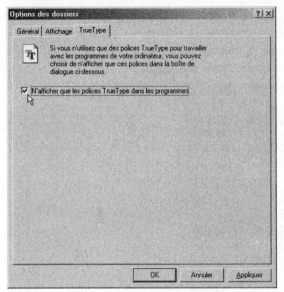

Figure 8.18 Affichage uniquement de polices *Truetype* dans les applications

Les modifications n'entrent en vigueur qu'au démarrage suivant du système. Dans la boîte de message qui apparaît, cliquez sur *Oui* pour redémarrer l'ordinateur.

Configuration du bureau Windows

Vous avez peut-être déjà remarqué que les couleurs de la fenêtre de *Windows* changent d'un ordinateur à l'autre. La personnalisation des couleurs d'affichage du bureau est l'une des fonctions les plus flexibles du système.

Modifications des couleurs de la fenêtre de *Windows*

Modèles

Pour modifier l'aspect de la fenêtre, rappelez le *Panneau de configuration* en sélectionnant *Démarrer/Paramètres* ou à partir du *Poste de travail* puis double-cliquez sur l'icône *Affichage* 🖳 et passez à l'onglet *Apparence*. La façon la plus simple est de changer en même temps toutes les couleurs : pour cela, déroulez la boîte à liste *Modèle* et sélectionnez l'une des rubriques proposées.

Figure 8.19   Modification de l'apparence de *Windows Me*

Boîte à liste

déroulante *Elément*   Un aperçu des modifications est visualisé dans la partie supérieure de la boîte de dialogue. Si les paramètres vous conviennent, cliquez sur le bouton *Appliquer*. Presque tous les éléments de l'écran peuvent être modifiés manuellement. Sélectionnez tout d'abord un modèle dans la boîte à liste *Modèle* puis cliquez sur l'élément à modifier dans la partie supérieure de la boîte de dialogue. Le nom de cet élément apparaîtra dans la boîte à liste déroulante *Elément*. Vous pouvez aussi le sélectionner directement dans cette boîte à liste mais pour cela, il faut avoir une certaine connaissance de base permettant de savoir à quel élément se réfère chaque rubrique.

**Définitions
possibles**

Selon l'élément sélectionné, le système vous permet d'effectuer certaines modifications à l'aide des boîtes à liste déroulante qu'il active :

- la *Taille* d'un élément en points

- La *Couleur* et la *Couleur 2* d'un élément que vous pouvez sélectionner dans une palette de couleurs ou en cliquant sur *Autre...*

- La *Police*, la *Taille* et la *Couleur* du caractère ainsi que l'attribut *Gras* ou *Italique* pour le texte des menus, des boîtes de dialogue et des barres de titre etc.

**Enregistrement
d'un modèle**

Modifiez tous les éléments voulus et cliquez sur le bouton *Appliquer*. Avec *Enregistrer sous*, vous sauvegardez vos définitions pour qu'elles figurent dans la boîte à liste déroulante *Modèle*. Assignez un nom à votre modèle et confirmez à l'aide de *OK*. Cliquez ensuite sur *OK* pour fermer la boîte de dialogue des Propriétés et quittez le *Panneau de configuration*.

A l'aide des options d'affichage, vous pouvez modifier indirectement le menu *Démarrer*. Par exemple, vous pouvez agrandir ou réduire les rubriques figurant dans ce menu en sélectionnant l'élément *Menu* puis en modifiant la *Police, la Taille et la Couleur*. Sachez que ces modifications sont appliquées à tous les menus de *Windows*.

Modification de l'arrière-plan du bureau

L'arrière-plan du bureau correspond à la surface de l'écran de *Windows* qui, par défaut, est gris. Il se peut que vous ayez déjà vu des ordinateurs dont l'arrière-plan n'était pas de cette couleur.

Onglet *Arrière-plan* Pour modifier l'arrière-plan, rappelez le *Panneau de configuration* à l'aide de *Démarrer/Paramètres* puis double-cliquez sur l'icône *Affichage* 🖥️ et passez à l'onglet *Arrière-plan*.

Un moniteur en miniature affiche un aperçu des modifications éventuelles, l'écran est à présent vide.

Papier peint Si vous voulez définir un arrière-plan, faites défiler la liste qui vous est proposée à l'aide de la barre de défilement et sélectionnez l'une des rubriques.

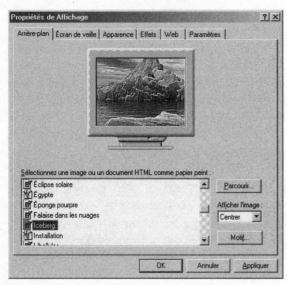

Figure 8.20   Sélection de l'arrière-plan du bureau

L'image correspondante apparaît dans le petit moniteur. Si vous ne voyez qu'un petit objet au centre du moniteur, déroulez la boîte à liste *Afficher l'image :* et sélectionnez l'option *Mosaïque*.

Images à pixels *Windows Me* crée des copies des bitmaps qu'il place les unes à côté des autres et les unes au-dessous des autres. Les images à pixels prennent ainsi une structure homogène. Pour les grandes bitmaps (par ex. *Installation*) vous pouvez sélectionner la rubrique *Centrer*, ainsi le papier peint sera entouré d'un cadre ayant une couleur différente.

Arrière-plans personnalisés

Pour sélectionner des arrières-plans personnalisés au format *Bitmap* (*BMP*), *GIF HTML* ou *JPG*, cliquez sur le bouton *Parcourir....*

Figure 8.21   Sélection d'un fichier image pour l'arrière-plan

Les arrières-plans grands occupent beaucoup d'espace sur le disque dur. Pour cette raison, *Windows* offre l'option d'affichage *Etirer* dans la boîte à liste déroulante *Afficher l'image* de l'onglet *Arrière-plan*.

Etirer

Cette rubrique permet d'étirer les images plus petites que l'arrière-plan afin qu'elles recouvrent complètement ce dernier même à hautes résolutions. Cette option peut toutefois compromettre la qualité de l'image si celle-ci est vraiment petite. Cliquez sur *OK* pour appliquer les modifications et quittez le *Panneau de configuration*.

Définition de la taille des polices

Le type et la taille des polices utilisées pour les textes affichés dans les barres de titre, les menus, les boîtes de dialogue ou de message dépendent d'un côté des paramètres définis sous *Panneau de configuration/Affichage/Apparence* et de l'autre des polices système utilisées par la carte graphique pour afficher les caractères. Vous avez une autre possibilité pour définir la taille des polices à travers le *Panneau de configuration*, l'icône *Affichage* et un autre onglet.

Boîte à liste *Taille de la police*

Pour cela, double-cliquez sur l'icône *Affichage* dans le *Panneau de configuration* et passez à l'onglet *Paramètres*. Cliquez sur le bouton *Avancé...* et choisissez l'onglet *Général*. Dans la boîte à liste *Taille de la police*, vous pouvez définir la taille du caractère que vous voulez utiliser. Les paramètres définis à l'aide de *Autre...* peuvent provoquer des erreurs dans certaines applications.

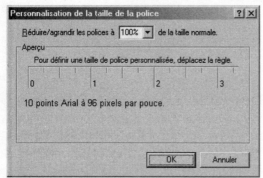

Figure 8.22   Définition de la taille de la police

Grandes/Petites polices

Normalement dans la boîte à liste déroulante *Taille de la police*, vous pouvez choisir entre *Grandes polices* et *Petites polices*. Cliquez sur la rubrique *Autre...* pour définir une taille de police personnalisée.

Aperçu

Pour modifier la taille de la police (voir la Figure 8.22) placez le pointeur sur le curseur de la règle et faites-le glisser à droite ou à gauche en maintenant enfoncé le bouton de la souris. Les indications effectives exprimées en pourcentage sont affichées dans la zone de texte située au-dessus de la règle. Un aperçu de l'agrandissement (valeurs supérieures à 100 %) ou de la réduction (valeurs inférieures à 100 %) est directement affiché par la règle qui simule les nouvelles définitions. Confirmez votre sélection en cliquant sur *OK*.

Figure 8.23   Modification de la taille et compatibilité

Redémarrage de
Windows

Sous *Compatibilité*, vous décidez s'il faut redémarrer *Windows Me*. Choisissez le paramètre *Redémarrer l'ordinateur avant d'appliquer les nouveaux paramètres de couleurs* uniquement si votre ordinateur possède une vieille carte graphique. S'il n'en est pas ainsi, sélectionnez l'option *Appliquer les nouveaux paramètres de couleurs sans redémarrer*. Dans ce cas, pour appliquer les modifications, il suffit de confirmer la boîte de dialogue en cliquant sur *OK* et éventuellement sur *Oui* dans une autre boîte.

Réglage de la distance séparant les icônes dans les fenêtres de dossier

Si vous voulez que votre bureau ou une fenêtre de dossier quelconque soit bien rangé, sélectionnez les commandes *Réorganiser les icônes/Réorganisation automatique* dans le menu *Affichage* ou dans le menu contextuel.

Réseau invisible

Windows Me aligne les icônes de l'affichage *Grandes icônes* sur un réseau invisible et utilise différentes distances horizontales et verticales entre les icônes.

Personnalisation
des distances

Si les distances standards ou l'affichage incomplet des rubriques suivies de trois points de suspension ne vous conviennent pas, vous pouvez modifier ces paramètres. La distance entre les icônes est gérée par une fonction qui est bien cachée.

Rappelez le *Panneau de configuration* en choisissant *Démarrer/Paramètres* ou à partir du *Poste de travail* puis double-cliquez sur l'icône *Affichage* 📺 et passez à l'onglet *Apparence*. Les éléments principaux de la fenêtre sont représentés dans la partie supérieure de la boîte de dialogue.

Figure 8.24   Modification de la distance entre les icônes

Modification de la distance entre les icônes

Pour modifier la distance entre les icônes, déroulez la boîte à liste *Elément* et affichez à l'aide de la barre de défilement la rubrique *Espacement des icônes (horizontal/vertical)*. La distance entre les icônes doit être définie deux fois : dans le sens horizontal puis vertical.

Horizontal/Vertical

Sélectionnez les rubriques à l'aide d'un clic et définissez le nouvel espacement en pixels dans la zone de texte *Taille*. Cliquez sur *Appliquer*, vérifiez vos définitions et si elles vous conviennent confirmez-les avec *OK* puis quittez le *Panneau de configuration*.

Configuration de la carte graphique et de l'écran

La résolution de l'écran est indiquée en points dans le sens horizontal et vertical. Par exemple, avec une résolution de 640 x 480 pixels, l'écran du bureau *Windows* aura 640 points en largeur et 480 points en hauteur. Cette proportion résulte du rapport hauteur/largeur du moniteur. Par contre, si vous utilisez la résolution de l'écran de 1024 x 768 points, l'affichage d'informations sur l'écran sera plus que redoublé.

Résolutions élevées
Avec des résolutions élevées, vous pouvez visualiser plusieurs fenêtres placées côte à côte ou les unes sous les autres sur le bureau tandis que dans des applications, une portion plus grande du document sera affichée.

Figure 8.25   Plus la résolution est élevée plus le nombre d'informations affichées à l'écran est grand

Définition de la résolution de l'écran

Valeurs prescrites
Le réglage de la résolution de l'écran doit être effectué en fonction de la taille du moniteur. Sur un moniteur de 15 pouces, il est difficile de lire les inscriptions qui apparaissent à l'intérieur des fenêtres ou des menus car ces moniteurs disposent d'une diagonale de 38 centimètres. Un moniteur de 17 pouces utilise des diagonales allant jusqu'à 43 centimètres. Pour définir la résolution, conformez-vous aux valeurs prescrites suivantes :

- Moniteur de 14 pouces (34 cm)   640 x 480 pixels
- Moniteur de 15 pouces (38 cm)   800 x 600 pixels
- Moniteur de 17 pouces (43 cm)   1024 x 768 pixels
- Moniteur de 19 pouces (48 cm)   1280 x 1024 pixels

Modification de la résolution de l'écran

Pour modifier la résolution de l'écran, rappelez le *Panneau de Configuration,* double-cliquez sur l'icône *Affichage* 🖥 puis passez à l'onglet *Paramètres*.

Figure 8.26   Définition de la résolution de l'écran

Résolution

Faites glisser à gauche ou à droite le curseur de la règle sous *Zone d'écran* jusqu'à ce que la résolution voulue soit affichée en pixels (par exemple : *1024 x 768 pixels*), ensuite cliquez sur le bouton *OK*. Si vous ne modifiez pas la luminosité, le système affichera le message illustré dans la Figure 8.27 (en haut) vous demandant de confirmer la modification ; cliquez sur *OK*.

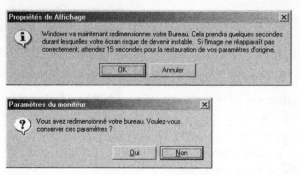

Figure 8.27   Messages que le système affiche avant de modifier la résolution

Si *Windows Me* n'est pas en mesure de définir la nouvelle résolution avant 10 ou 15 secondes, les valeurs d'origine sont rétablies. Confirmez le message qui s'affiche à l'aide de *OK* et essayez avec une autre résolution.

Message   Si la nouvelle résolution est acceptée, la luminosité est automatiquement modifiée dans certaines conditions. Le système affiche le message illustré dans la Figure 8.27 (en bas). Confirmez avant 15 secondes à l'aide de *Oui* pour garder les nouveaux paramètres.

Si vous modifiez la résolution, il est probable que l'intensité des couleurs (boîte à liste *Couleurs*) sera automatiquement modifiée. Les résolutions disponibles dépendent de la puce de la carte graphique et du moniteur, par contre la luminosité est liée à la résolution et à la mémoire disponible sur la carte graphique. Attention : une définition erronée peut endommager irréparablement le moniteur ! Il faut donc vérifier que les pilotes de la carte graphique et du moniteur sont corrects et récents.

Définition de la luminosité de l'écran

Le terme *Luminosité* se réfère au nombre de couleurs pouvant être visualisées simultanément sur le moniteur en fonction de la définition de l'écran et de la carte graphique. La luminosité est liée à l'efficacité de la carte graphique et à ses accessoires ainsi qu'à la résolution définie pour l'écran.

Luminosité *True Color*

Avec une résolution VGA et 1 Mo de mémoire pris à la carte graphique, on peut définir une luminosité *TrueColor* avec 16,8 millions de couleurs affichables simultanément. Avec une résolution de 1024 x 768 pixels et 1 Mo de mémoire, on peut définir uniquement 256 couleurs. Pour la luminosité *True Color* avec une résolution de 1024 x 768 pixels, il faut utiliser 4 Mo de mémoire. Cependant, comme les cartes graphiques actuelles disposent d'une mémoire comprise entre 16 et 32 Mo, il n'y a aucun problème pour les susdits exemples.

Modification de la luminosité

Pour modifier la luminosité, rappelez le *Panneau de Configuration* et double-cliquez sur l'icône *Affichage*. Dans la boîte de dialogue des Propriétés, choisissez l'onglet *Paramètres*. Déroulez la boîte à liste *Couleurs* et sélectionnez la rubrique voulue à l'aide d'un clic. Voici les paramètres disponibles : *16 couleurs*, *256 couleurs*, *High Color (16 Bits)* = 65536 couleurs, *True Color (24 Bits)* = 16,8 millions de couleurs et éventuellement *True Color (32 Bits)* = 4 milliards de couleurs. Les valeurs disponibles dépendent de la carte graphique tandis que les valeurs pouvant être définies dépendent de la résolution.

Palette de couleurs

Si la carte graphique n'est pas en mesure d'afficher la *palette de couleurs* dans la résolution courante, *Windows* réduit automatiquement la valeur de la résolution sous *Zone d'écran*. Confirmez avec *OK*, selon la définition établie sous *Avancé/Général/Compatibilité* ; un message vous demandera s'il faut redémarrer l'ordinateur. La nouvelle luminosité aura effet après le réamorçage. S'il n'en est pas ainsi, cliquez sur *OK* dans la boîte de message qui apparaît.

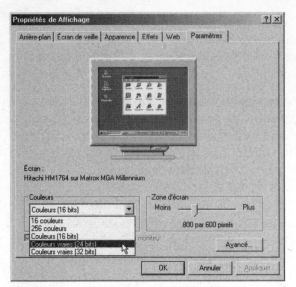

Figure 8.28   Modification de la luminosité

Pour représenter exactement les couleurs, il faut disposer de la luminosité *True Color* à 24 bits pouvant afficher simultanément jusqu'à 16,8 millions de couleurs. Si vous utilisez des définitions plus faibles, il est impossible d'obtenir une résolution professionnelle lors du traitement des images dans des applications multimédia. Si besoin est, vous pouvez aussi travailler avec le paramètre *High Color (16 bits)* mais ne choisissez jamais le paramètre *256 couleurs*.

Définition d'un nouveau pilote de carte graphique

Les cartes graphiques (mais aussi les processeurs) sont les composants les moins durables d'un ordinateur surtout si l'on veut atteindre la vitesse maximum d'affichage. Chaque carte graphique a besoin d'un pilote qui la commande. Quand on remplace la carte graphique, il faut aussi remplacer le pilote.

Pilote non appropié

Il y a cependant d'autres motifs pour changer le pilote de carte graphique, par exemple si celui-ci engendre des erreurs dans des applications déterminées ou si l'affichage de l'écran n'est pas optimal. Parfois un nouveau pilote peut améliorer l'efficacité de la carte graphique.

Les pilotes qui sont livrés sur disquettes ou CD-ROM sont toujours présents dans l'emballage de la carte graphique (ou de l'ordinateur complet). Si vous souhaitez rechercher des versions de pilotes plus récentes, nous vous conseillons de visiter le site de son constructeur sur Internet. Dans les sections de téléchargement préparées, recherchez le type de carte graphique voulu et téléchargez la version plus récente du pilote.

Icône *Affichage*

Pour changer le pilote de carte graphique, rappelez le *Panneau de configuration* (à l'aide de *Démarrer/Paramètres* ou à partir du *Poste de travail*) et double-cliquez sur l'icône *Affichage* 🖥.

Modification de la configuration

Passez à l'onglet *Paramètres* et cliquez sur *Avancé*.... Dans la boîte de dialogue suivante passez à l'onglet *Carte*. Vous verrez des informations concernant le constructeur, le type de processeur et la version du logiciel.

Figure 8.29   Paramètres courants de la carte graphique

Sélection du
modèle

Cliquez sur le bouton *Modifier...* pour lancer l'*Assistant mise à jour de pilote de périphérique*. Cliquez sur *Suivant* et établissez si le pilote doit être recherché par l'Assistant ou par vous-même. Pour effectuer une recherche manuelle, sélectionnez l'option *Afficher une liste de tous les pilotes situés dans un emplacement précis...* et cliquez sur *Suivant*. Dans la boîte de dialogue suivante, vous devez indiquer l'emplacement où Windows doit rechercher les pilotes, par ex. sur un CD-ROM ou dans un répertoire de téléchargement. Si vous souhaitez que la recherche soit automatique, sélectionnez l'option *Rechercher un meilleur pilote que l'actuel (Recommandé)*. *Windows Me* charge une base de données contenant des informations sur le pilote. La boîte de dialogue d'après affiche tous les pilotes compatibles déjà installés sur le système.

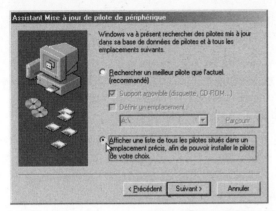

Figure 8.30 Sélection du pilote de carte graphique dans une liste

Pour changer le pilote, sélectionnez une rubrique et cliquez sur *Suivant*. Pour visualiser la liste des pilotes, cliquez sur l'option *Afficher tous les matériels*.

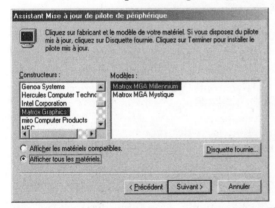

Figure 8.31 Recherche du constructeur et du modèle de carte graphique

Nouvelle carte graphique

Sélectionnez maintenant le *constructeur* et le *modèle* dans ces deux listes. Si la version mise à jour du pilote se trouve sur la disquette du constructeur ou sur le CD-ROM, cliquez sur le bouton *Disquette fournie...*. Indiquez dans la boîte à liste déroulante *Copier les fichiers constructeur à partir de :* le lecteur et le dossier où se trouve le fichier contenant les informations relatives au pilote disponible et confirmez avec *OK*.

Parcourir

Pour cela, utilisez le bouton *Parcourir...*, sélectionnez le fichier *INF* et confirmez avec *OK*. Dans la boîte de dialogue suivante, sélectionnez le type de votre carte graphique et confirmez en cliquant sur *OK*.

Nouveau pilote de carte graphique

Le nouveau pilote de carte graphique et les informations disponibles sont affichés dans le groupe d'options *Carte*. Pour valider les modifications, confirmez toutes les boîtes de dialogue ouvertes.

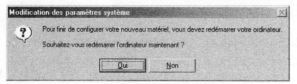

Figure 8.32   Les modifications ont effet après le redémarrage

Redémarrage

A ce stade, un message vous demande s'il faut redémarrer l'ordinateur. Cliquez sur *Oui*. Si des fichiers n'ont pas encore été enregistrés, les demandes d'enregistrement respectives s'afficheront. Vérifiez l'apparence de *Windows Me* après le redémarrage.

Si le nouveau pilote pose des problèmes, le système affichera un message contenant des instructions relatives. Après votre confirmation, le système ouvre automatiquement la boîte de dialogue des Propriétés et son onglet *Paramètres*.

Répétez les étapes énumérées ci-dessus pour sélectionner un autre pilote.

L'*Assistant* établit automatiquement si la version du nouveau pilote à installer est effectivement plus récente que celle qui est installée. Cliquez éventuellement sur *Annuler*.

Définition d'un autre type d'écran

Moniteur correct

Avec les moniteurs modernes *Plug & Play, Windows* reconnaît automatiquement le constructeur et le modèle et enregistre les données du dispositif dans le *Panneau de configuration.* Comment faut-il procéder si l'on ne possède pas un moniteur *Plug & Play* ou si *Windows Me* est déjà installé sur l'ordinateur ?

Paramètres erronés

Cette section explique pourquoi il faut définir un moniteur correct sous *Windows Me* et comment sélectionner un autre type de moniteur. Même s'il vous semble que votre moniteur ne pose pas de problèmes, nous vous conseillons de lire attentivement cette section. Une mauvaise définition du moniteur peut avoir deux conséquences : la première est que le moniteur peut être gravement endommagé par des paramètres erronés.

Fréquence de répétition des images

La deuxième est que la fréquence de répétition des images dans *Windows Me* est orientée vers le modèle de moniteur défini. Si un dispositif moins efficace a été défini, nous vous conseillons de travailler, si possible, avec une fréquence de répétition non ergonomique.

Vérification du moniteur

Pour vérifier le modèle de moniteur, rappelez le *Panneau de configuration* avec *Démarrer/Paramètres* et double-cliquez sur l'icône *Affichage* 🖥. Passez à l'onglet *Paramètres* et cliquez sur le bouton *Avancé.* Dans la boîte de dialogue suivante passez à l'onglet *Moniteur.* Cet onglet affiche le nom du moniteur installé et propose des options. Si vous y lisez la marque et le type de votre moniteur, tout est en ordre. Cliquez sur *Annuler* puis sur *OK* et quittez le *Panneau de configuration.*

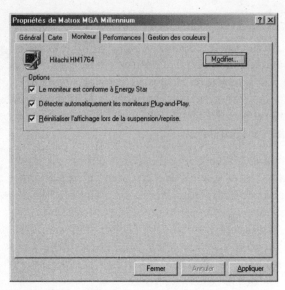

Figure 8.33   Affichage de la configuration courante

Modifier...   Si la rubrique ne correspond pas à votre moniteur, cliquez sur le bouton *Modifier...* pour lancer l'*Assistant mise à jour de pilote de périphérique.*

Recherche   Pour effectuer une recherche manuelle, choisissez l'op-
manuelle   tion *Spécifier l'emplacement du pilote (avancé)* puis cli-
                        quez sur *Suivant*. Choisissez dans la boîte de dialogue qui apparaît, l'option *Rechercher un meilleur pilote que l'actuel (Recommandé)*. La boîte de dialogue d'après affiche tous les pilotes compatibles déjà installés sur le système.

Constructeurs et   Cliquez sur la case d'option *Afficher tous les matériels.*
Modèles   Sélectionnez la marque de votre moniteur dans la boîte à liste déroulante *Constructeurs* et sélectionnez le type dans la boîte à liste déroulante *Modèles*. Si vous trouvez le constructeur mais pas le modèle, sélectionnez la rubri-que de moniteur qui s'approche le plus du type. Par con-tre, si le constructeur ne figure pas dans la liste de gau-

che, choisissez la première rubrique relative à un *Moniteur standard*.

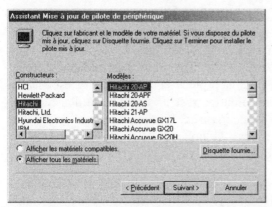

Figure 8.34   Sélection du constructeur et du modèle

Résolution maximum

Dans la boîte à liste déroulante *Modèles*, définissez la résolution maximum indiquée dans le manuel qui accompagne le moniteur, par ex. *Super - VGA 1280 x 1024*. Confirmez avec *OK* et les paramètres seront appliqués sur le moniteur. Si vous ne voyez pas clairement ce qui s'affiche à l'écran, répétez la procédure avec le modèle de *Moniteurs standard* suivant.

Bouton *Disquette fournie*

Si vous disposez d'un moniteur *Plug & Play*, choisissez la rubrique homonyme. Pour lire les informations à partir d'une disquette ou d'un CD, cliquez sur *Disquette fournie...*. Confirmez l'*Assistant mise à jour de pilote de périphérique* en cliquant sur *Terminer* et quittez le *Panneau de configuration*.

Activation et réglage de l'écran de veille

Souvent dans les entreprises et les bureaux, les ordinateurs restent allumés nuit et jour et ne sont utilisés que pendant une petite tranche d'heures. Si les mêmes images restent affichées pendant longtemps, les différents éléments lumineux peuvent endommager la couche de luminosité du moniteur.

Ecran de veille

Les écrans de veille qui ont été créés pour cette raison désactivent le moniteur après une certaine période d'inactivité. Ainsi les images statiques de l'écran ne sont pas abîmées. *Windows Me* offre un certain nombre d'écrans de veille bien que la protection du tube image est désactivée par défaut. Pour activer un écran de veille, rappelez le *Panneau de configuration*, double-cliquez sur l'icône *Affichage* et dans la boîte de dialogue des Propriétés choisissez l'onglet *Ecran de veille*.

Aperçu

Déroulez la boîte à liste *Ecran de veille* et sélectionnez l'une des rubriques. Le moniteur situé dans la partie supérieure de la boîte de dialogue offre un aperçu de l'écran de veille sélectionné.

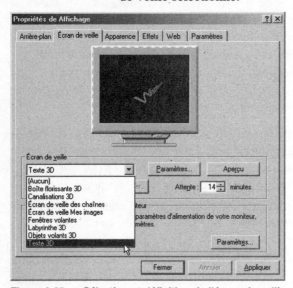

Figure 8.35 Sélection et définition de l'écran de veille

Essai

Pour voir l'écran de veille en plein écran, cliquez sur le bouton *Aperçu*. Dès que vous déplacez la souris, vous revenez à la boîte de dialogue des *Propriétés*.

Attente

Dans la zone de texte *Attente,* vous pouvez définir le temps qui doit s'écouler avant l'activation de l'écran de veille quand l'ordinateur est inutilisé.

Paramètres

Dans le groupe d'options *Ecran de veille* à l'aide du bouton *Paramètres...*, vous pouvez personnaliser l'écran de veille. Après avoir défini tous les paramètres, cliquez sur *OK* pour fermer la boîte de dialogue et quittez le *Panneau de configuration*.

Figure 8.36   Configuration de l'écran de veille

L'installation standard de Windows prévoit l'activation de la fonction d'économie d'énergie. Celle-ci désactive l'écran au terme d'un délai durant lequel l'ordinateur n'est pas utilisé. Cette fonction se trouve dans le *Panneau de configuration/Options d'alimentation* sous l'onglet *Modes de gestion de l'alimentation*.

Installation et configuration de l'imprimante

Si vous souhaitez que *Windows Me* soit en mesure d'effectuer de bonnes impressions à partir de toutes les applications, il doit disposer d'un pilote d'impression. Les pilotes correspondant à la plupart des imprimantes connues sont déjà installés sous *Windows Me* ; par ailleurs, vous trouverez dans l'emballage de votre imprimante ou sur le site Web du constructeur les pilotes d'impression appropriés.

Installation d'une imprimante

Ajout d'imprimante   Il est possible d'installer de nouvelles imprimantes à tout moment. Lors de l'installation de ce périphérique, *Windows Me* copie le pilote nécessaire qui traduit et vérifie les données de l'imprimante. Choisissez avant tout *Démarrer/Paramètres/Imprimantes* ou double-cliquez sur l'icône *Imprimantes* dans le *Panneau de configuration*. Double-cliquez sur l'icône *Ajout d'imprimante* dans le dossier *Imprimantes* pour lancer l'*Assistant Ajout d'imprimante*. Confirmez la première boîte de dialogue de l'Assistant en cliquant sur *Suivant*.

Dans la boîte de dialogue d'après, l'assistant vous demande si l'imprimante dont vous disposez est reliée directement à l'ordinateur. Pour un ordinateur autonome, choisissez l'option *Imprimante locale* et confirmez de nouveau à l'aide de *Suivant*.

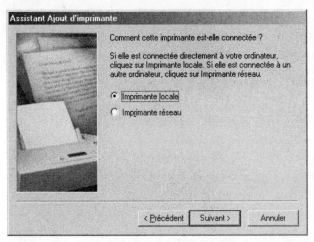

Figure 8.37 Les imprimantes reliées directement à l'ordinateur sont des *Imprimantes locales*

Sélection du
constructeur

Une boîte de dialogue permettant de sélectionner le *constructeur* et le modèle d'imprimante apparaît.

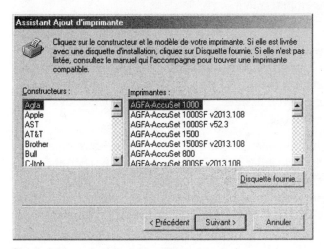

Figure 8.38 *Assistant Ajout d'imprimante*

Sélection du modèle

Sélectionnez la rubrique voulue dans la liste *Constructeurs*. Pour parcourir toute la liste, utilisez la barre de défilement ou bien tapez la première lettre du nom du constructeur. La liste *Imprimantes* énumère tous les pilotes d'impression disponibles relatifs au constructeur sélectionné. Choisissez le modèle d'imprimante voulu et confirmez avec *Suivant*.

Si vous ne trouvez pas le constructeur et le modèle dans les listes, cliquez sur le bouton *Disquette fournie...* et introduisez la disquette ou le CD-ROM du constructeur dans le lecteur approprié.

La plupart des constructeurs mettent à votre disposition les pilotes d'impression sur Internet d'où vous pouvez les télécharger. Au terme du téléchargement, cliquez sur le bouton *Disquette fournie...* pour indiquer à l'*Assistant Ajout d'imprimante* qu'il doit rechercher le pilote dans un autre emplacement

Détermination du port d'imprimante

Dans la boîte de dialogue suivante, sélectionnez l'option *LPT1 : Port imprimante* sous *Ports disponibles* puis cliquez sur *Suivant*. A ce stade sous *Nom de l'imprimante*, vous pouvez assigner un nom quelconque ou garder le nom proposé.

Imprimante par défaut

Si l'imprimante que vous installez est la votre ou si vous voulez travailler principalement avec ce périphérique, sélectionnez *Oui* au bas de la boîte de dialogue pour qu'elle soit considérée comme *imprimante par défaut* sous *Windows Me*. Cliquez de nouveau sur *Suivant*.

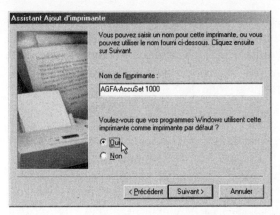

Figure 8.39   Définition de l'imprimante comme imprimante par défaut

A ce niveau, vous avez la possibilité, d'imprimer une page de test. Si vous le voulez, cliquez sur la case d'option *Oui (recommandé)*, attendez que l'impression soit terminée puis répondez au message vous demandant si la page de test a été imprimée correctement.

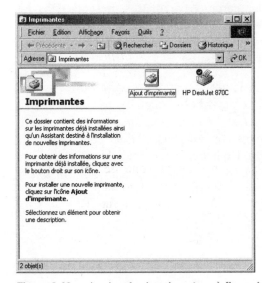

Figure 8.40   Le dossier *Imprimantes* où figure la nouvelle imprimante installée

Copie du pilote

Par contre si vous ne voulez pas lancer le test d'impression, sélectionnez *Non* puis cliquez sur *Terminer*. *Windows Me* copie le pilote parmi ses fichiers internes. Au terme de ces opérations, la nouvelle imprimante sera affichée sous forme d'icône dans le dossier *Imprimantes*.

Définition des propriétés de l'imprimante

Après avoir installé une imprimante, *Windows Me* se sert des configurations standards du pilote d'impression. Pour faire en sorte que l'imprimante fonctionne correctement, il faut ajuster les propriétés du pilote d'impression aux propres exigences. Ces paramètres peuvent être vérifiés ou modifiés dans le dossier *Imprimantes*.

Propriétés

Pour cela, sélectionnez Démarrer/Paramètres/ Imprimantes ou double-cliquez sur l'icône Imprimantes 🖨 dans le Panneau de configuration. Sélectionnez ensuite une icône d'imprimante et cliquez dans le menu Fichier sur la commande Propriétés. Selon le type d'imprimante, vous pourrez modifier certains paramètres présents dans les différents onglets de la boîte de dialogue Propriétés de [Nom de l'imprimante]. Cliquez sur les différents onglets pour voir toutes les options.

Imprimer une page de test

Pour vérifier si l'imprimante fonctionne correctement, passez à l'onglet *Général* et cliquez sur le bouton *Imprimer une page de test*. Le port d'imprimante peut être vérifié et modifié dans l'onglet *Détails*. Pour cela, utilisez la boîte à liste déroulante *Imprimer vers*. Le pilote courant est affiché dans la boîte à liste *Imprimer en utilisant le pilote suivant*.

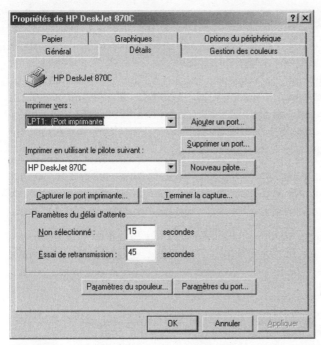

Figure 8.41   Vérification des paramètres de connexion de l'imprimante

Pour obtenir des informations sur un élément quelconque figurant dans les onglets, cliquez dans la barre de titre sur le bouton *Aide* **?** puis sur l'élément voulu.

La modification des propriétés d'impression s'applique à tous les documents imprimés avec ce périphérique. Pour modifier ces paramètres dans un seul document, choisissez dans le menu *Fichier* du programme associé à ce dernier la commande *Mise en page...* ou *Imprimer...* puis effectuez les modifications dans les boîtes de dialogue relatives.

Définition d'un nouveau pilote d'impression

La qualité d'impression est liée à l'efficacité du pilote installé sur votre ordinateur. Si lors de l'installation de l'imprimante, vous trouvez aussi bien le constructeur que le modèle voulus, aucun problème ne devrait surgir. Il n'en est pas ainsi si vous avez installé un modèle semblable ou si le constructeur propose des pilotes mis à jour sur disquettes ou à travers des services en ligne.

Remplacement du pilote d'impression

Pour remplacer le pilote d'impression, ouvrez le dossier *Imprimantes*. Pour cela, choisissez *Démarrer/Paramètres /Imprimantes* et sélectionnez l'icône d'imprimante voulue.

Cliquez dans le menu *Fichier* sur la commande *Propriétés*. passez à l'onglet *Détails* et cliquez sur le bouton *Nouveau pilote*. Confirmez le message qui apparaît par *Oui*.

Liste *Constructeurs*

Sélectionnez la rubrique voulue dans la liste *Constructeurs*. Utilisez la barre de défilement pour parcourir toute la liste ou bien tapez la première lettre du nom du constructeur. La liste *Modèles* énumère tous les pilotes d'impression disponibles pour le constructeur sélectionné. Choisissez le modèle d'imprimante voulu et confirmez avec *OK*.

Si vous ne trouvez pas le constructeur et le modèle dans les listes, cliquez sur le bouton *Disquette fournie...* et introduisez dans le lecteur approprié la disquette ou le CD-ROM fourni par le constructeur.

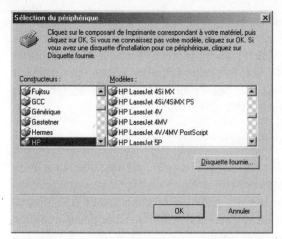

Figure 8.42   Recherche d'un nouveau pilote d'impression

Internet

Cliquez également sur le bouton *Disquette fournie...*, si vous avez téléchargé à partir d'un service en ligne ou d'Internet un pilote mis à jour que vous avez placé dans l'un des dossiers de votre disque dur. Tapez l'emplacement dans la zone de texte *Copier les fichiers constructeur à partir de :* ou cliquez sur *Parcourir*.

Lecteur et dossier d'origine

Sélectionnez le lecteur et le dossier d'origine dans les listes correspondantes et confirmez avec *OK*. Confirmez deux fois avec *OK* et sélectionnez le modèle d'imprimante. Si vous confirmez de nouveau, les fichiers seront copiés.

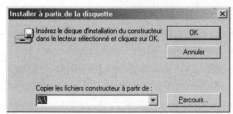

Figure 8.43   Installation d'un nouveau pilote à partir d'une disquette

Imprimer une page de test

Le nouveau pilote apparaîtra dans la boîte à liste déroulante *Imprimer en utilisant le pilote suivant :* de l'onglet *Détails*. Passez à l'onglet *Général* et cliquez sur *Imprimer une page de test*. Si l'impression est bonne, confirmez la boîte de dialogue des Propriétés avec *OK* et fermez le dossier *Imprimantes*.

Définition du format du papier pour l'imprimante

Les propriétés de chaque imprimante installée sous *Windows Me* peuvent être définies de façon à ce que leur validité soit générale, c'est-à-dire dans toutes les applications *Windows*. Cette section indique comment assigner, pour chaque imprimante, la taille, le format du papier et le bac d'alimentation. Il faut pour cela ouvrir le dossier *Imprimantes* :

- à l'aide du menu *Démarrer* et de *Paramètres/Imprimantes*

- à travers le *Panneau de configuration* et l'icône *Imprimantes*

Onglet *Papier*

Dans le dossier *Imprimantes*, sélectionnez l'icône de l'imprimante à configurer et choisissez la commande *Propriétés* dans le menu *Fichier* ou le menu contextuel. Passez à l'onglet *Papier*, le nombre d'options disponibles dépend des propriétés du modèle d'imprimante.

Format du papier

Cliquez dans la liste *Format du papier* sur la rubrique correspondant au format que vous voulez utiliser. Sous *Orientation,* sélectionnez l'une des cases d'option *Portrait* ou *Paysage*. Sous *Alimentation papier,* sélectionnez le mode d'alimentation de l'imprimante. Confirmez avec *OK*.

Bouton *A propos de...* Le bouton *A propos de...* fournit des informations relatives à la version du pilote d'impression utilisé. Le bouton *Zone non imprimable* fournit des informations sur les marges (la présence de ce bouton dépend du type de pilote).

Figure 8.44 L'onglet *Papier* dans la boîte de dialogue des Propriétés de l'imprimante

Si une application *Windows* dispose de propres commandes ou de boîtes de dialogue permettant de modifier le format et l'orientation du papier, le système ne prendra pas en considération les définitions effectuées dans la boîte de dialogue des *Propriétés* de l'imprimante. Sachez toutefois que les définitions effectuées dans le programme à partir duquel vous lancez l'impression seront valables uniquement pour le document courant.

Définition des propriétés graphiques

Les propriétés de chaque imprimante installée sous *Windows Me* peuvent être définies de façon à avoir une validité générale, à savoir même pour toutes les applications *Windows*. Pour modifier les propriétés graphiques, vous devez ouvrir le dossier *Imprimantes* :

- à l'aide du menu *Démarrer* et de *Paramètres/Imprimantes*

- à travers le *Panneau de configuration* et l'icône *Imprimantes*

Onglet *Graphiques*

Dans le dossier *Imprimantes*, sélectionnez l'icône de l'imprimante à configurer et choisissez la commande *Propriétés* du menu *Fichier* ou du menu contextuel puis affichez l'onglet *Graphiques*.

Tramage et Intensité

Le nombre d'options disponibles dépend des propriétés du modèle d'imprimante. Le groupe d'options *Tramage* et le curseur de la règle *Intensité* sont présents pour les pilotes d'impression *Windows*.

Diffusion d'erreur

Pour la plupart des pilotes d'impression de *Windows Me*, vous pouvez sélectionner dans le groupe d'options *Tramage* l'une des cases *Aucun*, *Gros grain*, *Fin*, *Présentation en lignes* et *Diffusion d'erreur*. L'option *Diffusion d'erreur* donne des résultats d'impression très différents même avec des imprimantes laser monochromes. Il ne vous reste qu'à essayer les possibilités offertes par cette vaste gamme de paramètres.

Figure 8.45 Modification des propriétés graphiques de l'imprimante

Intensité

La règle *Intensité* permet de définir la luminosité de l'impression. Cliquez sur *OK* pour confirmer les modifications puis pour lancer l'impression. Dans ce cas également, il ne vous reste qu'à faire des essais et confronter les résultats

Si aucun pilote d'impression *Windows Me* n'est installé, l'onglet peut être configuré de façon tout à fait différente ou même ne pas être affiché. En ce qui concerne la configuration de l'imprimante, conformez-vous aux indications du constructeur.

Définition de la résolution de l'imprimante

Les propriétés de chaque imprimante installée sous *Windows Me* peuvent être définies de façon à avoir une validité générale, à savoir même pour toutes les applications *Windows*. Cette section explique comment définir la résolution de chaque imprimante.

Résolution de l'imprimante

La réduction de la résolution de l'imprimante peut être utile par ex. si vous voulez imprimer un brouillon. Pour modifier le nombre de *dpi* (*dots per inch*, points par pouces), il faut ouvrir le dossier *Imprimantes* par exemple en sélectionnant *Démarrer/Paramètres/Imprimantes*.

Dans le dossier *Imprimantes,* sélectionnez l'icône de l'imprimante à configurer et choisissez la commande *Propriétés* du menu *Fichier* ou du menu contextuel puis affichez l'onglet *Graphiques*.

Boîte à liste déroulante *Résolution*

Le nombre d'options de cet onglet dépend des possibilités offertes par le modèle d'imprimante. La boîte à liste déroulante *Résolution* est disponible pour tous les types d'imprimante.

Points par pouce

Choisissez dans cette boîte l'une des rubriques disponibles exprimées en *points par pouce*. Plus la valeur en *points par pouce* est basse, plus l'impression sera exécutée rapidement. Confirmez en cliquant sur *OK*.

Figure 8.46   Modification de la résolution de l'imprimante

Si une application *Windows* dispose de propres commandes ou de boîtes de dialogue pour modifier la résolution d'impression, le système ne prendra pas en considération les définitions effectuées dans la boîte de dialogue des *Propriétés* de l'imprimante. Les définitions prises en charge sont celles qui sont effectuées dans le programme à partir duquel vous lancez l'impression.

Impression en arrière-plan

Windows Me permet de travailler simultanément sur différentes applications ouvertes. Cela facilite et accélère l'échange de données entre différentes applications. Ainsi, vous pouvez par ex. analyser des données dans un programme de feuilles de calcul pendant que *Windows Me* s'occupe de l'impression d'un document mis en forme à l'aide d'un programme de traitement de textes. Ceci est possible grâce à la commande *Imprimer en arrière-plan* qui est intégrée dans le système d'exploitation.

Procédure automatique

Généralement cette fonction ne requiert pas l'intervention de l'utilisateur car toute la procédure est exécutée automatiquement. Il est cependant possible d'examiner et modifier les paramètres par défaut relatifs à l'impression en arrière-plan.

Définition séparée

Ouvrez pour cela le dossier *Imprimantes* à l'aide de *Démarrer/Paramètres/Imprimantes*. La définition des paramètres relatifs à l'impression en arrière-plan doit être effectuée séparément pour chaque imprimante.

Paramètres du spouleur

Pour cela, sélectionnez l'imprimante voulue et choisissez la commande *Propriétés* dans le menu *Fichier* ou dans le menu contextuel puis affichez l'onglet *Détails* et cliquez sur le bouton *Paramètres du spouleur*.

Mise en attente

Avec la configuration par défaut *Mise en attente des travaux d'impression (impression rapide)* les opérations d'impression sont mémorisées sur le disque dur et l'utilisateur peut continuer à travailler avec un programme quelconque.

Commencer l'impression une fois la dernière page spoulée

Avec l'option *Commencer l'impression une fois la dernière page spoulée*, le système attend que le programme enregistre toutes les informations d'impression sur le disque dur avant de commencer l'impression. Cette option requiert beaucoup d'espace dans la mémoire.

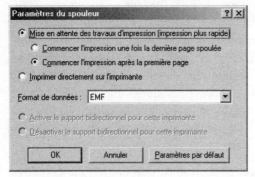

Figure 8.47 Modifications des paramètres d'impression en arrière-plan

Commencer l'impression après la première page

Avec l'option *Commencer l'impression après la première page*, le système envoie les informations d'impression à l'imprimante après avoir mémorisé la première page. Ainsi, moins d'espace est requis mais le programme risque de mettre plus de temps à imprimer le document.

Support bidirectionnel

Les options *Activer / Désactiver le support bidirectionnel pour cette imprimante* permettent d'échanger des données entre un ordinateur et une imprimante. Toutefois des problèmes de transmission peuvent se produire.

Définition du délai de retransmission

Les opérations d'impression particulièrement complexes lancées à partir d'applications telles que *Microsoft PowerPoint* ou *Excel* peuvent soumettre le processeur et l'imprimante à de gros efforts.

Il faut patienter

Il faut donc souvent attendre quelques minutes pour que les données soient chargées (l'attente est un peu plus longue pour les imprimantes laser) et que la page soit complètement mémorisée ou préparée par l'imprimante. En revanche, une imprimante à jet d'encre imprime ligne par ligne.

Problèmes

Cela peut entraîner des problèmes si les opérations d'impression sont particulièrement compliquées. Parfois des messages d'erreur s'affichent puis disparaissent automatiquement ou bien l'impression est interrompue. Voici quelques astuces pour résoudre la plupart des problèmes d'impression.

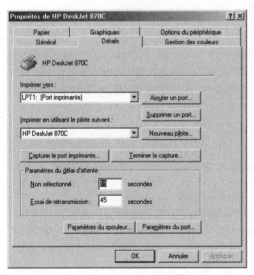

Figure 8.48   Augmentation du délai d'attente de l'imprimante

Sélectionnez avant tout *Démarrer/ Paramètres/ Impri-mantes* puis double-cliquez sur l'imprimante qui pose des problèmes. Choisissez la rubrique *Propriétés* dans le menu *Fichier* ou dans le menu contextuel et passez à l'onglet *Détails*.

Essai de retransmission

Dans le groupe d'options *Paramètres du délai d'attente*, portez la valeur figurant dans la zone de texte *Essai de retransmission* de 60 à 120 secondes. Cette valeur indique le délai accordé à *Windows* pour préparer l'impression et au terme duquel un message d'erreur s'affichera. Confirmez la modification en cliquant sur *OK*, fermez le dossier *Imprimantes* et lancez de nouveau l'impression.

Affichage de la *file* d'attente

Multitâche

Sous *Windows Me* vous pouvez travailler simultanément sur plusieurs programmes. La fonction *multitâche* offre des avantages considérables : elle permet par ex. de lancer une impression requérant un certain temps et de continuer à travailler. Cela est possible car l'*Impression en arrière-plan* fait partie des fonctions multitâche.

Affichage de l'état d'impression

En général, l'impression en arrière-plan ne requiert pas l'intervention de l'utilisateur qui se limite à extraire les pages imprimées et peut afficher la file d'attente des documents à imprimer.

Pointez l'icône de l'imprimante située près de l'horloge dans la barre des tâches : vous verrez une *info-bulle* contenant l'inscription *N documents* ou bien *Enregistrer en arrière-plan*.

Icône dans la barre des tâches

Pour afficher des informations supplémentaires sur les documents imprimés, double-cliquez sur cette icône. Une fois le document imprimé, l'icône de l'imprimante n'est plus affichée dans la barre des tâches.

File d'attente

La boîte de la file d'attente énumère toutes les commandes d'impression et indique l'état de l'opération, le propriétaire, la progression des pages imprimées par ex. « page 4 sur 8 » ainsi que l'indication de la date et l'heure à laquelle l'impression a démarré.

Nom du document	État	Propriétaire	Progression	Démarré à
SCRIPT.DOC	Impression en cours	Jaques Dup...	Page 0 sur 8	15:40:58 05/10/2000
Installation.bmp		Jaques Dup...	1 page(s)	15:41:06 05/10/2000

HP DeskJet 870C
Imprimante Document Affichage ?
2 travaux dans la file d'attente

Figure 8.49   Affichage de la file d'attente

Si vous voulez interrompre ou arrêter l'impression des documents envoyés à l'imprimante, cliquez sur le nom du document dans la boîte de la file d'attente et choisissez la commande *Purger les documents d'impression* dans le menu *Imprimante*. Si l'imprimante pose des problèmes (un bourrage de papier), ouvrez le menu *Document* et cochez la rubrique *Suspendre l'impression*. Une fois le problème éliminé, cliquez sur cette dernière pour enlever la coche et donc la désactiver.

Pour fermer la boîte de la file d'attente, choisissez *Fichier/Fermer* ou cliquez sur le bouton *Fermer* dans la barre de titre.

Définition des fonctions d'économie d'énergie

Souvent dans les entreprises et les bureaux, les ordinateurs restent allumés vingt-quatre heures sur vingt-quatre. Cependant, d'après les statistiques, leur utilisation effective correspond à 5 - 10 % du temps où ils restent allu-

347

més. Le pourcentage restant constitue un gaspillage d'énergie égale à 250 watts pour chaque ordinateur auxquels il faut ajouter le courant consommé par le moniteur et les périphériques connectés (imprimante, scanner, etc.).

Mode d'économie d'énergie

Tous les ordinateurs modernes peuvent être commutés à l'aide d'une commande logicielle sur un mode d'économie où seule une petite partie de l'énergie requise est consommée. Pour obtenir ce résultat, il faut ralentir le processeur et arrêter le disque dur. Cette section illustre la fonction d'économie d'énergie de *Windows Me*.

Méthodes d'économie d'énergie

Les méthodes d'économie d'énergie sont également précieuses pour les portables car elles permettent d'allonger la vie des accumulateurs et d'augmenter en conséquence l'autonomie.

Icône *Options d'alimentation*

Les dispositifs d'économie d'énergie peuvent être activés et configurés uniquement sur des ordinateurs équipés d'une façon appropriée. Il faut, en outre, activer le dispositif d'économie d'énergie dans le *BIOS* de l'ordinateur. Par ailleurs, *Windows Me* installe l'application *Options d'alimentation* dans le *Panneau de configuration*. Double-cliquez sur l'icône relative pour définir les paramètres de gestion de l'alimentation sous *Windows*.

Options d'alimentation

Dans la boîte de dialogue *Propriétés de Options d'alimentation*, dans la boîte à liste déroulante *Modes de gestion de l'alimentation,* sélectionnez tout d'abord la rubrique correspondant à votre type d'ordinateur (à savoir *Ordinateur de bureau* pour des dispositifs de bureau et *Ordinateur portable* pour les notebooks) afin d'utiliser les mécanismes d'économie de courant disponibles sur votre ordinateur. La rubrique *Toujours allumé* désactive le dispositif d'économie d'énergie. Les autres options disponibles sont liées au type d'ordinateur. Les boîtes à liste situées au-dessous permettent de personnaliser le mode de gestion que vous venez de sélectionner : la rubrique *Jamais* désactive le dispositif d'économie d'énergie tandis que les autres rubriques proposent des valeurs exprimées en minutes au terme desquelles le système par ex. met en veille le moniteur ou arrête le disque dur.

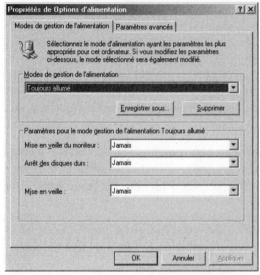

Figure 8.50   Mode d'économie d'énergie

Choisissez les valeurs voulues relatives à la mise en veille du moniteur et à l'arrêt du disque dur puis confirmez en cliquant sur *OK*.

Portable

Si vous utilisez un portable, cochez la case *Toujours afficher une icône dans la barre des tâches* qui se trouve dans l'onglet *Paramètres avancés* pour afficher l'état de la batterie.

Mise en veille de l'ordinateur

Tous les ordinateurs modernes peuvent être commutés automatiquement en état de veille qui limite la consommation à un pourcentage minimum. Cette procédure peut être exécutée manuellement, si la commande *Mettre en veille* figure dans la boîte de dialogue *Arrêt de Windows*. Il en sera ainsi si la rubrique *Prise en charge de la gestion d'énergie avancée* est présente dans le groupe *Périphériques systèmes* qui se trouve dans l'onglet *Gestionnaire de périphériques* (sous *Panneau de configuration/Système*).

Mettre en veille

Pour commuter votre ordinateur en mode d'économie d'énergie, sélectionnez les commandes *Démarrer/Arrêter* qui affichent la boîte de dialogue *Arrêt de Windows*. Choisissez la rubrique *Mettre en veille* et ne touchez plus la souris.

Ralentissement du processeur

A ce stade, selon la configuration de l'économie d'énergie, le processeur est progressivement ralenti et le disque dur est arrêté. Cela permet d'économiser jusqu'à 95 % de courant.

Vie de l'accumulateur

Les méthodes d'économie d'énergie allongent considérablement la vie de l'accumulateur et augmentent en conséquence l'autonomie de votre portable.

Quand vous reprenez le travail, si vous déplacez la souris ou que vous appuyez sur une touche quelconque, le mode de fonctionnement normal de l'ordinateur est rétabli.

Figure 8.51   Mise en veille de l'ordinateur

Les mécanismes d'économie d'énergie du moniteur sont décrits dans la section ci-dessous. Le dispositif d'économie d'énergie du PC doit être sélectionné dans le *BIOS* de l'ordinateur.

Fonction d'économie d'énergie pour le moniteur

Sous *Windows Me*, nous avons vu comment activer un écran de veille pour éviter que la couche des phosphores s'abîme. Il est en outre possible de commuter après un certain temps l'écran en mode veille puis de le désactiver ; cela permet de protéger le moniteur mais aussi de faire une économie d'énergie.

Réglementations
Energy Star

Pour activer la fonction d'économie d'énergie, le moniteur doit répondre aux réglementations *Energy Star*. Cela signifie que vous pouvez commuter en mode veille le moniteur à l'aide d'un support logiciel puis le désactiver. Il faut également que la carte graphique soit en mesure de supporter ces fonctions. Dans les nouveaux modèles, il en est toujours ainsi.

Onglet *Ecran de veille*

Rappelez le *Panneau de configuration* à l'aide de *Démarrer/Paramètres* et double-cliquez sur l'icône *Affichage* ![icône]
. Dans la boîte de dialogue des Propriétés, choisissez l'onglet *Ecran de veille*.

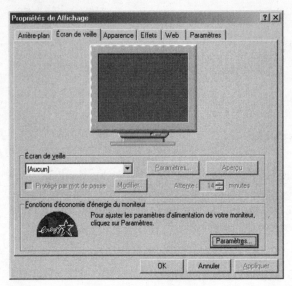

Figure 8.52   Activation du dispositif d'économie d'énergie

Une méthode plus rapide pour accéder à la boîte de dialogue *Propriétés de Affichage* consiste à cliquer à l'aide du bouton droit sur le bureau sans sélectionner aucun objet et à choisir dans le menu contextuel la rubrique *Propriétés*.

Gestion de l'alimentation

Cliquez sur le bouton *Paramètres...* Dans la boîte de dialogue *Propriétés de Options d'alimentation,* sous *Paramètres pour le mode gestion de l'alimentation,* vous pouvez sélectionner et configurer les fonctions d'économie d'énergie décrites plus en détail ci-après.

Onglet *Moniteur*

Ces fonctions sont structurées selon les options définies dans la boîte de dialogue *Propriétés de Affichage/* onglet *Paramètres /* bouton *Avancé /* onglet *Moniteur* où vous pouvez vérifier les fonctions prises en charge par votre moniteur.

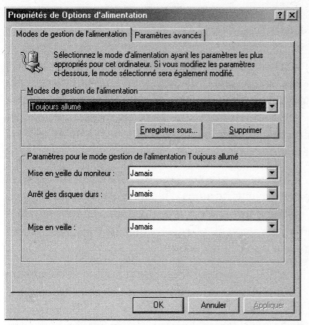

Figure 8.53   Activation du dispositif d'économie d'énergie

Mise en veille après « n » min

Pour définir les mécanismes d'économie d'énergie, utilisez l'onglet *Ecran de veille* de la boîte de dialogue *Propriétés de Affichage*. Sous *Fonctions d'économie d'énergie du moniteur*, cliquez sur le bouton *Paramètres...* Dans la boîte à liste *Mise en veille du moniteur*, cliquez sur la flèche de déroulement pour sélectionner l'une des valeurs exprimées par *Après n min*. Confirmez en cliquant sur *OK*, fermez la boîte de dialogue *Propriétés de Affichage* à l'aide de *OK* et quittez le *Panneau de configuration*.

Installation et définition des composants matériels

La plupart des utilisateurs installent périodiquement de nouveaux composants matériels sur leur ordinateur, par exemple un modem interne ou une carte audio, vidéo, *ISDN*. Pour utiliser ces nouveaux composants, il est nécessaire de communiquer à *Windows Me* qu'ils ont été ajoutés.

Matériel *Plug & Play*

Sous *Windows Me* vous pouvez effectuer l'intégration aussi bien avant qu'après l'installation du matériel. Si vous installez un matériel *Plug & Play*, la configuration est automatiquement effectuée quand vous redémarrez l'ordinateur après l'installation.

Prise USB

La prise USB (Universal Serial Bus) facilite la connexion entre l'ordinateur et ses périphériques. Tous les ordinateurs modernes sont équipés d'une prise USB permettant le branchement/débranchement des périphériques sans avoir à éteindre la machine (par ex. une boîte ISDN ou même un moniteur). Dès que *Windows Me* reconnaît le dispositif, il active le pilote correspondant.

Installation de composants matériels

Pour configurer un composant qui n'est pas *Plug & Play,* vous devez faire appel à l'Assistant : pour cela, rappelez le Panneau de configuration à partir de *Démarrer/Paramètres* et double-cliquez sur l'icône *Ajout de nouveau matériel* 🖳. A ce stade, l'*Assistant Ajout de nouveau matériel* est lancé.

Pour installer un scanner ou un appareil photo, *Windows Me* propose une fenêtre de dossier à part. Quand vous double-cliquez sur l'icône *Scanners et appareils photo*, vous ouvrez une fenêtre semblable à celle permettant de sélectionner les imprimantes installées. Un double-clic sur l'icône *Ajout de périphérique* lance l'*Assistant d'installation de scanner et d'appareil-photo* ; les étapes d'installation correspondent presque complètement à celles de l'installation d'une imprimante ou d'un matériel.

Assistant Ajout de nouveau matériel

Dans la première boîte de dialogue de l'*Assistant Ajout de nouveau matériel*, cliquez sur le bouton *Suivant*. Faites la même chose dans la boîte de dialogue d'après pour lancer la recherche des nouveaux périphériques Plug & Play. Pour afficher les dispositifs reconnus, cliquez sur *Oui (recommandé)* puis sur *Suivant*. Cette procédure peut prendre quelques minutes mais elle est conseillée si le nouveau matériel a déjà été installé sur l'ordinateur. Sélectionnez ensuite le dispositif à installer et cliquez sur *Suivant*.

Arrêt du système

Si l'ordinateur « se bloque » ou « s'arrête » au cours de la reconnaissance automatique du matériel, réamorcez le système et essayez de nouveau en choisissant cette fois-ci la sélection manuelle.

Détection

Si les dispositifs ne sont pas reconnus automatiquement, vous devez intervenir. Voici donc comment sélectionner manuellement le pilote.

Sélection manuelle

Avec l'option *Non. Je veux choisir le matériel à partir d'une liste*, vous pouvez sélectionner manuellement le type de matériel du composant à installer, cliquez ensuite sur *Suivant*. Sélectionnez la rubrique correspondante et cliquez de nouveau sur *Suivant*. *Windows* crée tout d'abord une liste contenant des informations sur le pilote. Dans la boîte de dialogue suivante, sélectionnez dans les listes *Constructeurs* et *Modèles* le nouveau composant matériel.

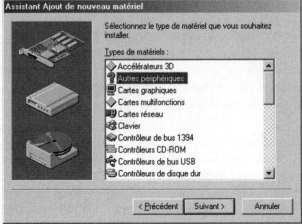

Figure 8.54   Sélection manuelle d'un nouveau type de matériel dans la liste

Détection automatique

Cette étape est affichée si *Windows Me* ne reconnaît pas un composant lors de la détection automatique du matériel.

Disquette fournie

Si le nouveau matériel ne figure pas dans la liste, vous devez utiliser la disquette du pilote fournie par le constructeur. Pour lire les informations contenues sur ce support, cliquez sur le bouton *Disquette fournie....* puis sur *Suivant*. En fonction des composants à installer, le système affiche d'autres étapes permettant de configurer le nouveau matériel. Suivez les instructions qui s'affichent à l'écran.

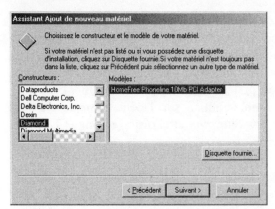

Figure 8.55 Sélection du constructeur et du modèle de matériel

Paramètres par défaut

Au début, acceptez les paramètres par défaut relatifs au composant. Cliquez sur le bouton *Suivant*. A ce stade, le système vous demande où se trouvent les pilotes nécessaires et les copie depuis le CD-ROM d'installation de *Windows Me* ou les disquettes fournies. Si vous êtes relié à Internet, nous vous conseillons de visiter le site Web du constructeur du composant matériel pour y rechercher un pilote plus récent. Vérifiez si les pilotes sont compatibles avec *Windows Me* (les pilotes de *Windows 98* fonctionnent souvent).

Si un conflit se produit avec le matériel déjà installé, un message d'erreur s'affichera. Cliquez sur *Suivant*, le logiciel compatible avec le matériel est installé mais le dispositif est désactivé jusqu'à ce que le conflit soit éliminé. Si vous cliquez sur *Annuler*, vous fermez l'*Assistant Ajout de nouveau matériel*.

Conflit matériel

Si après avoir installé un composant, le conflit matériel persiste, un message d'erreur s'affichera. Il donne souvent des conseils sur la procédure à suivre pour éliminer le conflit.

Lorsque la configuration d'un nouveau composant matériel est menée à bien, cliquez sur *Terminer*. A ce stade, un message vous demandera de redémarrer votre ordinateur, cliquez sur *Oui*. Après le redémarrage, le nouveau composant est prêt à l'utilisation. Pour modifier cette configuration, double-cliquez sur l'icône *Système* dans le *Panneau de configuration* et choisissez l'onglet *Gestionnaire de périphériques*.

Si le matériel configuré n'est pas encore installé sur l'ordinateur, arrêtez *Windows*, mettez votre ordinateur hors tension, installez le matériel puis rallumez votre ordinateur. Lisez à présent la section suivante qui décrit comment vérifier les ressources utilisées par le nouveau matériel.

Vérification des composants matériels à l'aide du *Gestionnaire de périphériques*

L'ordinateur est constitué de divers composants matériels. Les composants de base tels que la carte mère, le processeur, la mémoire de travail, la mémoire cache et la carte contrôleur sont complétés par une mémoire externe, à savoir le disque dur et le lecteur de disquettes.

Selon le type d'outillage d'autres composants peuvent être ajoutés tels qu'un lecteur de CD-ROM, un scanner, une carte graphique, audio, vidéo ou *SCSI*.

Installation correcte

Tous ces dispositifs ajoutent de nouvelles fonctions au système. Pour pouvoir les utiliser, il est nécessaire d'installer correctement les composants matériels mais aussi d'installer et charger tous les pilotes requis par le système. Généralement *Windows Me* exécute automatiquement ces opérations lors de la première installation ou de la mise à jour des composants et du logiciel relatif.

Défauts de la technologie Plug & Play

Au niveau pratique la technologie *Plug & Play* ne fonctionne pas toujours de façon satisfaisante, à savoir selon les prévisions des constructeurs. Dans le *Panneau de configuration*, vous pouvez examiner tous les composants matériels installés et, si nécessaire, modifier les propriétés de chaque composant.

Figure 8.56 Affichage des composants matériels installés dans le *Gestionnaire de périphériques*

Gestionnaire de périphériques

Rappelez le *Panneau de configuration* à l'aide de *Démarrer/Paramètres* et double-cliquez sur l'icône *Système* puis passez à l'onglet *Gestionnaire de périphériques*. Cliquez sur la case d'option *Afficher les modèles par type*. La liste énumère tous les composants principaux reconnus.

Cliquez sur le signe positif ⊞ précédant un groupe de dispositifs pour voir tous les composants qu'il contient. Un clic sur le signe négatif ⊟ enroule la structure.

Propriétés

Pour afficher des détails, sélectionnez un composant et cliquez sur *Propriétés*. Dans l'onglet *Général* de la boîte de dialogue qui s'affiche, vous pouvez lire l'état du dispositif par ex. *Ce périphérique fonctionne correctement*.

Suppression des conflits matériels à l'aide du *Gestionnaire de périphériques*

Comme un grand nombre de composants matériels est installé sur l'ordinateur, on ne peut pas affirmer qu'il n'y aura jamais de dysfonctionnements car même la technologie *Plug & Play* n'est pas en mesure d'éviter tous les types de conflits.

Les conflits système entraînent des dysfonctionnements des dispositifs intéressés ou la désactivation de composants déterminés. Le *Gestionnaire de périphériques* disponible sous *Windows Me* offre une méthode fiable pour identifier et éliminer les conflits entre les dispositifs.

Afficher les modèles par type

Pour cela, rappelez le *Panneau de configuration* à l'aide de *Démarrer/Paramètres* et double-cliquez sur l'icône *Système* puis passez à l'onglet *Gestionnaire de périphériques*. Cliquez sur la case d'option *Afficher les modèles par type*. La liste énumère tous les composants principaux reconnus.

Liste des composants

Cliquez sur le signe positif ⊞ précédant un groupe de dispositifs pour voir tous les composants qu'il contient. Un clic sur le signe négatif ⊟ enroule la structure.

Point d'exclamation

Si un point d'exclamation précède l'un des dispositifs énumérés (voir la Figure 8.57), cela signifie qu'un composant pose des problèmes ou qu'un conflit s'est vérifié avec un autre dispositif.

En revanche, si un « X » est affiché, cela signifie que le matériel a été désactivé à cause d'un conflit.

Figure 8.57   Suppression des conflits matériels dans le *Gestionnaire de périphérique*

Suppression des conflits

Pour éliminer le conflit, sélectionnez le composant accompagné d'un point d'exclamation ou d'un « X » rouge et cliquez sur *Propriétés*. L'état du dispositif est affiché dans l'onglet *Général* de la boîte de dialogue qui s'affiche. En cas de problèmes, le système affiche dans le groupe d'options *Etat du périphérique* (voir la Figure 8.58) un message d'erreur indiquant d'où vient le dysfonctionnement.

D'autres onglets

Il faut alors rechercher la cause du problème. Selon le composant matériel d'autres onglets sont affichés dans la boîte de dialogue des Propriétés. Dans l'onglet *Pilote* vous pouvez voir la liste des pilotes ; à l'aide de *Détails des fichiers du pilote* vous affichez des informations supplémentaires et le bouton *Mettre le pilote à jour* sert à copier depuis une disquette fournie par le constructeur.

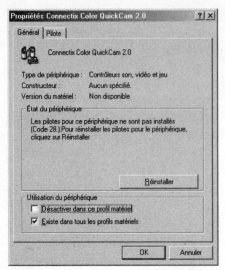

Figure 8.58 Identification et élimination du problème

Onglet *Ressources* Dans l'onglet *Ressources* vous pouvez configurer manuellement les ressources système en cliquant sur le bouton *Modifier les paramètres*. Selon le type de matériel, le système affichera les cartes *DMA* et la *Requête d'interruption*. Si vous ne voulez appliquer aucun de ces concepts, n'effectuez pas de modifications.

Utiliser les paramètres automatiques Si oui, désactivez la case à cocher *Utiliser les paramètres automatiques* puis sélectionnez la ressource à modifier et cliquez sur *Modifier les paramètres*.

Si le paramètre de ressource sélectionné ne peut pas être modifié, le message relatif s'affichera. Définissez alors une autre ressource dans la boîte de dialogue suivante sous *Valeur*.

Le champ *Liste de périphériques en conflit* affiche d'autres informations. Confirmez les modifications, redémarrez éventuellement l'ordinateur et vérifiez dans le *Ges-*

tionnaire de périphériques la fonction du composant modifié.

Avertissement : si vous désactivez la case à cocher *Utiliser les paramètres automatiques*, il est probable que *Windows Me* ne sera plus en mesure de configurer d'une façon autonome le matériel *Plug & Play*.

Installation logicielle et composants Windows

Windows Me constitue le système d'exploitation et l'interface graphique pour une infinité d'applications. Chaque programme a été créé pour exécuter des fonctions déterminées, ainsi par exemple, un programme de traitement de textes tel que *Microsoft Word* gère les documents créés, un programme de calcul de tableaux tel que *Microsoft Excel* analyse les nombres et crée des diagrammes et un programme tel que *Microsoft PowerPoint* sert à créer des présentations.

Copie de fichiers sur le disque dur

Cette énumération peut continuer à l'infini. Toutes les applications qui doivent tourner sous *Windows Me* sont soumises à la même règle : il est nécessaire de copier leurs fichiers programmes sur le disque dur. Cette opération est exécutée à l'aide de programmes de configuration ou d'installation. Rappeler le programme d'installation sous *Windows Me* est un jeu d'enfants.

Installation du logiciel

Programme d'installation

Pour charger des programmes *Windows Me* sur votre ordinateur, sélectionnez *Démarrer/Paramètres/Panneau de configuration* et double-cliquez sur l'icône *Ajout/Suppression de programmes* 🖳 puis restez sur l'onglet *Installation/Désinstallation*. Cliquez sur le bou-

ton *Installer*.... Introduisez la première disquette programme ou le CD-ROM d'installation dans le lecteur correspondant et confirmez avec *Suivant*. *Windows Me* recherche le programme d'installation et indique le fichier
SETUP ou *INSTALL* dans la ligne de commande. Si vous
cliquez sur *Terminer*, vous lancez le programme d'installation de l'application. Suivez les instructions qui s'affichent. Au terme de l'installation, la rubrique du nouveau
programme apparaît dans l'onglet *Installa-
tion/Désinstallation*.

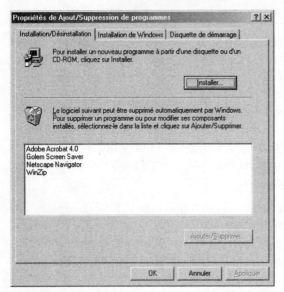

Figure 8.59   Installation d'applications additionnelles pour *Windows Me*

**Suppression de
programme**

Si vous souhaitez supprimer un programme ou ajouter
des composants, sélectionnez la rubrique correspondante
dans la liste des programmes installés et cliquez sur
Ajouter/Supprimer....

Installation des composants *Windows Me*

Le nombre de composants Windows installés dépend du type d'installation : selon le type d'installation choisie, à savoir *Générale* ou *Minimum*, certains composants seront chargés ou pas.

Installation de Windows

Si l'un des composants décrits dans ce manuel (par exemple un accessoire de Windows) n'est pas disponible sur votre ordinateur, vous pouvez l'ajouter à l'aide du programme d'installation Windows.

Icône Ajout/Suppression de programmes

Choisissez, pour cela, *Démarrer/Paramètres/Panneau de configuration* et double-cliquez sur l'icône *Ajout/Suppression de programmes* 🖳. Dans la boîte de dialogue *Propriétés de Ajout/Suppression de programmes*, choisissez l'onglet *Installation de Windows*. Attendez que la recherche automatique des composants soit terminée.

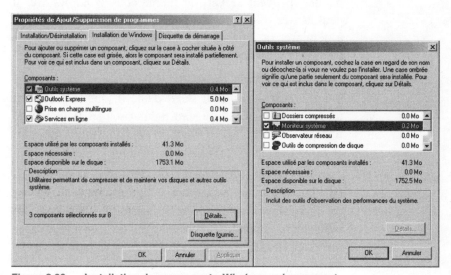

Figure 8.60   Installation de composants *Windows* qui manquent

Liste *Composants* Faites défiler la liste *Composants* à l'aide de la barre de défilement. Si vous trouvez le composant, sélectionnez-le et cliquez sur le bouton *Détails*. Une liste de tous les programmes s'affiche. Servez-vous de la barre de défilement pour parcourir cette autre liste de *composants*.

Sélection des cases Cochez la case relative aux applications dont vous avez besoin et confirmez avec *OK*. Répétez éventuellement les étapes pour d'autres rubriques. Une case cochée et grise indique que ses composants ne sont pas tous installés. Confirmez les modifications en cliquant sur *OK*. Au terme de la copie indiquée dans une boîte de message, quittez le *Panneau de configuration*.

Création d'une disquette de démarrage

Des événements inattendus, dus à des causes les plus disparates, peuvent se vérifier même sous *Windows Me*. Il peut arriver (bien que très peu) que *Windows* n'arrive pas à démarrer ou (mais très rarement) qu'il soit impossible d'amorcer l'ordinateur.

Interprète de la ligne de commande Dans ce cas, il est nécessaire d'avoir recours à une *disquette de démarrage*. Il s'agit d'une disquette possédant un formatage spécial où sont mémorisés les fichiers système et l'*interprète de la ligne de commande* qui sous *Windows Me* correspond aux *Commandes MS-DOS*.

Démarrage de l'ordinateur à partir d'une disquette Grâce à ces fichiers, vous pouvez démarrer votre ordinateur à partir de cette disquette. A l'aide des programmes de diagnostic stockés sur la disquette de démarrage, les utilisateurs experts peuvent essayer de trouver la cause qui empêche le lancement de *Windows* depuis le disque dur.

Réparation de l'ordinateur

Si vous n'êtes pas en mesure d'analyser le problème, la disquette de démarrage vous permet toutefois d'accéder au disque dur pour copier éventuellement des documents importants sur d'autres disquettes avant de faire appel au technicien qui s'occupera de votre ordinateur. Pour travailler en toute sécurité, il faut toujours avoir une disquette de démarrage à portée de main. Pour bien faire, il faudrait créer cette disquette durant l'installation de *Windows Me*.

Panneau de configuration

Rappelez le *Panneau de configuration* à l'aide de *Démarrer/Paramètres*, double-cliquez sur l'icône *Ajout/Suppression de programmes* puis affichez l'onglet *Disquette de démarrage* et cliquez sur le bouton *Créer une disquette....*

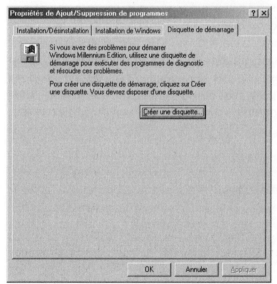

Figure 8.61 Création d'une disquette de démarrage pour les situations d'urgence

Introduisez une disquette vierge dans le lecteur, *Windows Me* copie toutes les données nécessaires et affiche l'état d'avancement de l'opération.

Fermez la boîte de dialogue *Propriétés de Ajout/Suppression de programmes* en cliquant sur *OK* et quittez le *Panneau de configuration*.

Assignez un nom de volume approprié la disquette de démarrage et rangez-la dans un lieu sûr. En cas de problèmes, vous pouvez avoir recours à cette disquette pour démarrer votre ordinateur.

Vérification et définition de la date et de l'heure

Programmation de la puce

Un grand nombre de fonctions de programmes requièrent que la date et l'heure définies sur le système soient correctes. En conséquence, un coup d'oeil sur l'écran et vous saurez l'heure. L'élément qui s'occupe de ces données est un composant minuscule de la carte mère dont les informations sont lues par le système d'exploitation *Windows Me*. Cette puce peut être programmée sous *Windows Me* et cela se produit chaque fois que vous modifiez la date ou l'heure.

Définition Date/Heure

Pour modifier l'heure système, rappelez le *Panneau de configuration* à l'aide de *Démarrer/Paramètres* et double-cliquez sur l'icône *Date et heure* qui affiche la boîte de dialogue des Propriétés. Dans l'onglet *Date et heure*, vous pouvez définir la date à l'aide du calendrier et modifier l'heure dans la zone de texte située sous l'horloge.

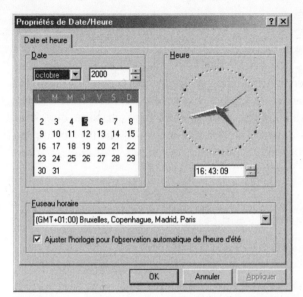

Figure 8.62   Vérification et modification de la date/heure

Définition de la date

Pour définir le mois, ouvrez la boîte à liste déroulante correspondante et cliquez sur le nom du mois courant. Pour définir l'année, ouvrez la boîte à liste située à côté et cliquez sur la rubrique de l'année courante. Pour définir la date, cliquez sur le jour correspondant dans le calendrier. Au terme de ces modifications, cliquez sur *Appliquer*.

Réglage de l'heure

Pour régler l'heure, cliquez dans la zone de texte située sous l'horloge. Vous pouvez utiliser les petites flèches pour augmenter ou réduire les valeurs ou bien taper directement l'heure dans la zone de texte. Confirmez en cliquant sur *OK* et quittez le *Panneau de configuration*.

Pour rappeler rapidement la boîte de dialogue *Propriétés de Date/Heure*, double-cliquez sur l'heure dans la barre des tâches. Si vous pointez simplement l'heure, vous verrez la date courante dans une *info-bulle*.

Observation automatique de l'heure d'été/solaire

Observation automatique

Le passage de l'heure solaire à celle d'été et inversement a toujours lieu à deux heures du matin. Le lendemain vous devez en conséquence avancer ou reculer les horloges chez vous et au bureau. Cela n'est pas nécessaire sur votre ordinateur car vous pouvez faire en sorte que *Windows Me* passe automatiquement à l'heure solaire ou d'été. Pour cela, choisissez *Démarrer/ Paramètres/ Panneau de configuration*.

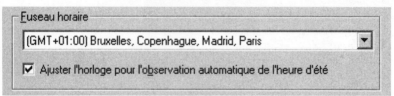

Figure 8.63   Sélection de l'observation automatique de l'heure

Dans ce dossier, double-cliquez sur l'icône *Date et heure*. Ici, cochez la case *Ajuster l'horloge pour l'observation automatique de l'heure d'été* et confirmez avec *OK*.

La modification a effet après le redémarrage de l'ordinateur. Appuyez sur la touche ⏎ pour confirmer le message, *Windows Me* affiche la boîte de dialogue *Propriétés de Date/Heure*. Vérifiez l'heure système et cliquez sur *OK* pour fermer la boîte de dialogue.

Configuration des paramètres régionaux

Formats nombres/monnaie

Dans chaque pays, la date et l'heure sont indiquées de différentes façons. Pour définir l'heure 13:52 qui apparaît dans la barre des tâches, certains pays se servent du modèle basé sur les 12 heures, d'autres de celui basé sur les 24 heures. Il en est de même pour la date : les Américains écrivent tout d'abord le mois puis le jour et enfin l'année ; tandis que nous, nous écrivons le jour, le mois puis l'année. Il y a également des différences avec les formats de nombres et de monnaies. Vous pouvez imaginer le travail inhumain qu'il faudrait faire pour définir ou modifier manuellement ces formats pour chaque pays. La commande *Paramètres régionaux* de *Windows Me* épargne cette peine.

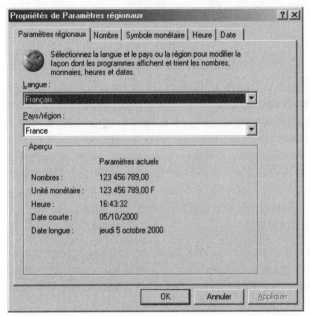

Figure 8.64   Vérification ou modification des Paramètres régionaux

Onglet *Paramètres régionaux*   Cette fonction peut être rappelée à partir du *Panneau de configuration* (*Démarrer/Paramètres*). Dans ce dossier, double-cliquez sur l'icône *Paramètres régionaux* 🌐, la boîte de dialogue des Propriétés qui apparaît contient cinq onglets. Sélectionnez dans les boîtes à liste déroulante de l'onglet *Paramètres régionaux*, la langue et le pays dont vous voulez utiliser les formats de nombre, de monnaie, d'heure et de date. Pour la France, choisissez bien évidemment les rubriques *Français* et *France*. Si vous confirmez avec *OK*, les définitions sont appliquées à un niveau global.

L'onglet *Paramètres régionaux* est très utile si vous voyagez avec votre notebook et que vous voulez créer des documents portant l'heure, les nombres, la date, etc. du pays où vous vous trouvez. Un simple clic permet d'appliquer toutes les modifications pour le pays défini.

Modification des formats numériques sous *Windows Me*

La plupart des pays indiquent les nombres de différentes façons. Nous ne nous référons pas à la différence entre les chiffres arabes et chinois mais à de plus petites différences, par exemple tous les pays n'utilisent pas le même symbole décimal : certains utilisent un point, d'autres la virgule et d'autres encore un espace. Même à l'intérieur d'un pays il y a des différences, les personnes préposées à la comptabilité et les autres personnes n'utilisent pas les mêmes formats.

Formats numériques spéciaux

Parfois, il faut définir des formats numériques spéciaux, par ex. pour entretenir des rapports commerciaux avec l'étranger. La flexibilité de *Windows Me* permet d'ajuster le format numérique aux propres exigences.

Onglet *Nombre*

Pour cela, rappelez le *Panneau de configuration* à l'aide de *Démarrer/Paramètres*. Dans ce dossier, double-cliquez sur l'icône *Paramètres régionaux* 🌐 et passez à l'onglet *Nombre*.

Dans les boîtes à liste déroulante, vous pouvez personnaliser le *Symbole décimal*, le *Nombre de décimales*, le *Symbole de groupement des chiffres* (séparateur des milliers) etc.

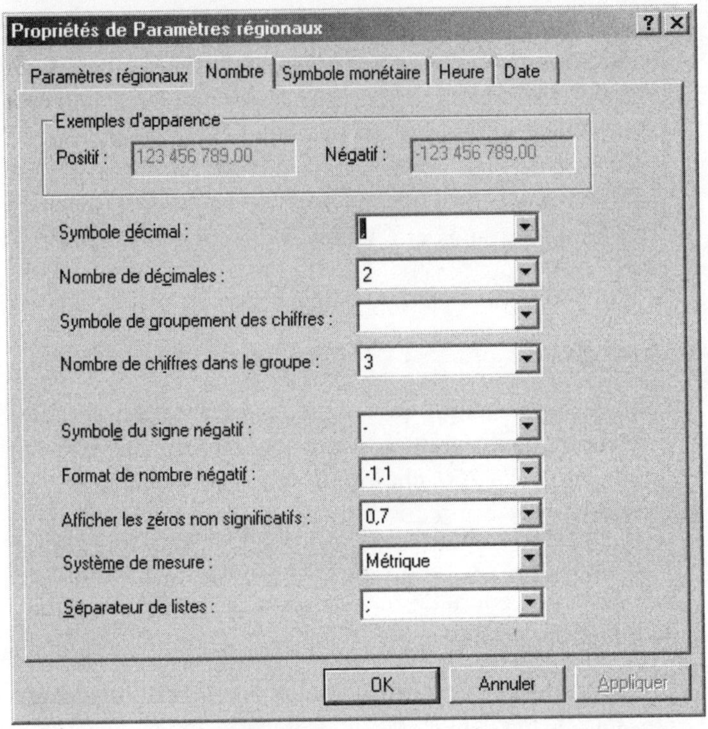

Figure 8.65   L'onglet *Nombre*

Boîte à liste
déroulante
Système de mesure

Pour cela, déroulez la liste correspondant au format à modifier et sélectionnez une rubrique disponible. Les paramètres affichés dépendent du pays sélectionné dans l'onglet *Paramètres régionaux*. Dans la boîte à liste déroulante *Système de mesure* vous pouvez adapter notre système de mesure aux paramètres USA (pouces au lieu des centimètres etc.).

Format de nombre
négatif

Les paramètres concernant la comptabilité sont ceux figurant dans les champs de la boîte à liste *Signe négatif* et *Format de nombre négatif*. Si vous confirmez les modifications à l'aide de *OK*, les paramètres sont appliqués globalement sous *Windows Me*.

Si une application Windows installée par la suite dispose d'options spécifiques, de commandes ou de boîtes de dialogue permettant de modifier le format numérique, les paramètres que vous y définirez ne seront valables qu'à l'intérieur de cette application. Sachez, en outre que les paramètres définis dans l'onglet *Nombre* sont appliqués à tous les composants et à toutes les applications *Windows Me*.

Modification du format monétaire sous *Windows Me*

Chaque pays indique les monnaies et d'autres symboles monétaires de différentes façons : les Américains écrivent par exemple *U$ 250*, chez nous nous écrivons *250 F*.

Modification globale

Si vous voulez modifier globalement tous les paramètres régionaux, par ex. pour convertir vos factures en dollars, suivez la procédure de modification du format monétaire indiquée ci-dessous.

Format monétaire spécial

Il est parfois nécessaire d'utiliser un format monétaire spécial : les échanges de devises entre les banques doivent être effectués en euros tandis que les autres calculs bancaires sont encore exécutés en francs. L'extrême flexibilité de *Windows Me* permet d'adapter aux propres exigences le symbole monétaire standard.

Symbole décimal

Pour cela, rappelez le *Panneau de configuration* à l'aide de *Démarrer/Paramètres*. Dans ce dossier, double-cliquez sur l'icône *Paramètres régionaux* 🌐 et passez à l'onglet *Symbole monétaire*. Dans les boîtes à liste déroulante, vous pouvez personnaliser le *Symbole décimal*, le *Nombre de décimales*, le *Symbole de groupement des chiffres* (séparateur de milliers), le *Nombre de chiffres dans un groupe* etc.

Boîte à liste déroulante
Symbole monétaire

Pour cela, déroulez ces listes et sélectionnez l'une des rubriques disponibles. Les définitions pouvant être effectuées dépendent du pays sélectionné sous *Paramètres régionaux*. Dans la boîte à liste déroulante *Symbole monétaire*, choisissez l'une des rubriques proposées : euros, dollars ou francs. Vous pouvez également personnaliser le symbole, par ex. *Fr* en le tapant simplement dans la zone de texte.

Format de nombre négatif

Les paramètres importants pour la comptabilité figurent dans les boîtes à liste *Position du symbole monétaire* et *Format de nombre négatif*. Si vous confirmez les modifications à l'aide de *OK*, les paramètres sont appliqués à un niveau global sous *Windows Me*.

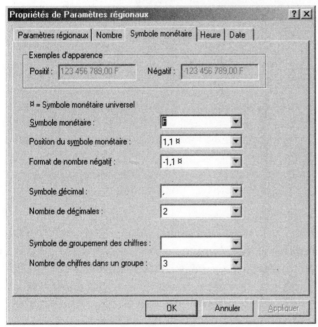

Figure 8.66   Modification du format monétaire sous *Windows Me*

Si une application *Windows* installée par la suite dispose d'options spécifiques, de commandes ou de boîtes de dialogue permettant de modifier le format monétaire, les paramètres que vous définirez ne seront valables qu'à l'intérieur de cette application. Les paramètres définis dans l'onglet *Symbole monétaire* sont appliqués à tous les composants et à toutes les applications de *Windows Me*.

Modification du format de l'heure sous *Windows Me*

Dans chaque pays, la date et l'heure sont indiquées de différentes façons. Les Américains par exemple se servent du modèle basé sur 12 heures tandis que l'Europe centrale se sert du modèle basé sur 24 heures.

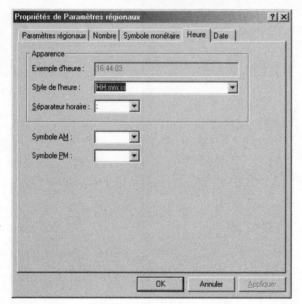

Figure 8.67   Modification de l'affichage de l'heure sous *Windows Me*

Modification globale

Pour modifier globalement le format de l'heure sous *Windows Me*, suivez la procédure suivante.

Formats spéciaux de l'heure

Il est parfois nécessaire de définir des formats d'heure spéciaux, par ex., pour le courrier adressé à l'étranger ou des prescriptions spécifiques d'une entreprise. Cela n'est pas un problème puisque vous pouvez adapter le format de l'heure en fonction de vos exigences.

Onglet *Heure*

Pour cela, rappelez le *Panneau de configuration* à l'aide de *Démarrer/Paramètres*. Dans ce dossier, double-cliquez sur l'icône *Paramètres régionaux* 🌐 et passez à l'onglet *Heure*. Dans la boîte à liste déroulante *Style de l'heure* vous pouvez modifier l'affichage de l'heure, des minutes et des secondes.

Prêtez attention aux caractères suivants et aux majuscules/minuscules :

- *format de 24 heures :* H ou HH (suivi de zéros)

- *format de 12 heures :* H ou HH (suivi de zéros)

- *minutes :* M ou MM (suivi de zéros)

- *secondes :* s ou ss (suivi de zéros)

- *A/P ou AM/PM :* x ou xx (deux lettres de l'alphabet)

- *texte précédant/suivant l'heure :* 'entre guillemets anglais simples'

Si une application *Windows* installée par la suite dispose d'options spécifiques, de commandes ou de boîtes de dialogue permettant de modifier le format de l'heure, les paramètres que vous y définirez ne seront valables qu'à l'intérieur de cette application.

Les paramètres définis dans l'onglet *Heure* sont appliqués à tous les composants de *Windows Me*.

Séparateur horaire Sous *Séparateur horaire*, vous pouvez sélectionner d'autres séparateurs pour les heures, les minutes et les secondes ainsi que des symboles pour le matin et l'après-midi dans les boîtes à liste situées au-dessous (format 12 heures). Si vous confirmez les modifications à l'aide de *OK*, les paramètres sont appliqués à un niveau global sous *Windows Me*.

Modification du format de la date sous *Windows Me*

Dans chaque pays, la date et l'heure sont indiquées de différentes façons. Les Américains, par ex., écrivent le mois avant le jour et l'année tandis que la tranche de l'Europe centrale place le jour avant le mois. En France même, on peut écrire la date de différentes façons, par exemple *vendredi 21 avril* ou *21-04-00*.

Onglet *Date* Etant donné l'extrême flexibilité de *Windows Me*, vous pouvez ajuster le format de date à vos exigences : pour cela, rappelez le *Panneau de configuration* à l'aide de *Démarrer/Paramètres* et double-cliquez sur l'icône *Paramètres régionaux* ● puis passez à l'onglet *Date*. Dans les groupes d'options *Date courte* et *Date longue*, vous pouvez définir deux formats de date indépendants. Prêtez attention aux caractères suivants et aux majuscules/minuscules :

■ *années :*A ou AA (suivi de zéros)

■ *jours :*J ou JJ (suivi de zéros)

■ *mois :*M ou MM (suivi de zéros)

■ *abréviation de 3 caractères :*JJJ et MMM

■ *Texte :*'entre guillemets anglais simples'

Séparateur de date   Sélectionnez sous *Séparateur de date* d'autres séparateurs pour les jours, les mois et l'heure. Si vous confirmez les modifications à l'aide de *OK*, les définitions sont appliquées à un niveau global sous *Windows Me*.

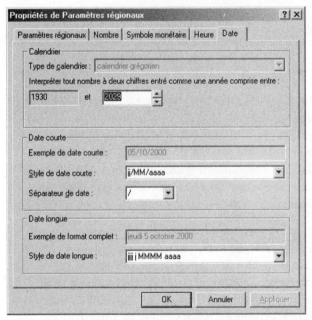

Figure 8.68   **Configuration du format de la date sous *Windows Me***

Si une application *Windows* installée par la suite dispose d'options spécifiques, de commandes ou de boîtes de dialogue permettant de modifier le format de date, les paramètres que vous y définirez ne seront valables qu'à l'intérieur de cette application. Les paramètres définis dans l'onglet *Date* sont appliqués à tous les composants et à toutes les applications de *Windows Me*. Définissez les paramètres du groupe d'options *Calendrier* pour indiquer à *Windows Me* comment il doit se comporter avec les dates à deux chiffres. *Windows Me* ne peut utiliser qu'un intervalle maximum de 99 ans pour deux siècles.

Définition d'un mot de passe *Windows*

Pour empêcher les personnes non autorisées d'accéder à votre ordinateur, vous pouvez le protéger à l'aide d'un mot de passe. Si vous assignez un mot de passe, *Windows* demandera d'entrer le *Nom de l'utilisateur* et le *Mot de passe* après le démarrage du système. La procédure à suivre pour assigner un mot de passe est très simple, en revanche la configuration d'une protection professionnelle contre l'accès dans un réseau doit être exécutée par l'administrateur système.

Environnement de travail personnel

Cette section décrit comment protéger votre environnement de travail, à savoir les icônes du bureau et leur disposition ou bien une configuration éventuelle personnalisée du menu *Démarrer* et des groupes de programmes. Chaque utilisateur qui accède au même ordinateur peut protéger son propre environnement de travail.

Icône *Mots de passe*

Pour définir un mot de passe, rappelez le *Panneau de configuration* à l'aide de *Démarrer/Paramètres* et double-cliquez sur l'icône *Mots de passe* 🔑 puis passez à l'onglet *Profils utilisateur*.

Sélectionnez l'option *Les utilisateurs peuvent personnaliser leurs préférences et paramètres de bureau...* puis cochez la case voulue sous *Utiliser les paramètres de profil.*

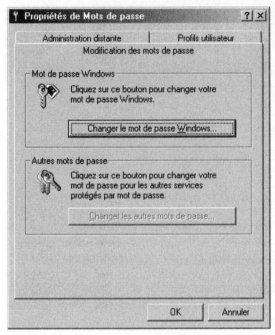

Figure 8.69 L'onglet *Mots de passe*

Menu *Démarrer* personnalisé

Avec *Inclure les icônes du bureau...* les icônes définies sur le bureau sont enregistrées en fonction de l'utilisateur, avec *Inclure le menu Démarrer et les programmes...* le menu Démarrer et des groupes de programme sont considérés comme des rubriques personnalisées.

Effectuez votre choix et passez à l'onglet *Mots de passe.* Cliquez sur le bouton *Changer le mot de passe Windows....*

Astérisque

Tapez le mot de passe dans la zone de texte *Nouveau mot de passe*. Votre entrée est symbolisée par des astérisques et vous devez la répéter dans le champ *Confirmer le nouveau mot de passe*. Cliquez ensuite sur *OK*. Si les frappes du mot de passe ne correspondent pas, un message d'erreur s'affiche. Répétez dans ce cas, l'insertion.

Changer le mot de passe de Windows	? X
Ancien mot de passe :	[_____] OK
Nouveau mot de passe :	[_____] Annuler
Confirmer le nouveau mot de passe :	[_____]

Figure 8.70   Définition d'un nouveau mot de passe *Windows*

Redémarrage de
Windows Me

Confirmez le message final à l'aide de *OK* et fermez la boîte de dialogue *Propriétés de Mots de passe*. A ce stade, vous verrez un message vous demandant de redémarrer l'ordinateur, cliquez sur *Oui*.

Demande du mot
de passe

Après le démarrage du système, celui-ci vous demande de taper le nom de l'utilisateur et le mot de passe. Insérez les informations et confirmez avec *OK*.

Dorénavant, si l'une des cases *Inclure...* est sélectionnée, les modifications effectuées dans le menu *Démarrer* seront sauvegardées dans les sous-dossiers du dossier *C:\Windows\Profiles*. Les sous-dossiers contiennent toute la structure personnalisée des groupes de programmes du menu *Démarrer*.

Un mot de passe de ce type n'empêche pas l'accès au bureau : en effet, si vous fermez la boîte de dialogue demandant les données de l'utilisateur, vous accédez directement au bureau de *Windows Me*. Il est en outre possible d'effacer le nom de l'utilisateur proposé et d'en taper un autre pour entrer dans le système sans mot de passe.

Ajout et configuration du contrôleur de jeu

Les personnes qui veulent s'amuser avec des jeux vidéo doivent utiliser la *manette de jeu*. Cet outil permet de bien guider des simulateurs de vol, des voitures de course ou des bateaux. Si vous avez essayé de jouer avec la souris ou le clavier, vous comprenez pourquoi la manette de jeu est plus appropriée.

Comme tout dispositif relié à l'ordinateur, une *manette de jeu* peut être configurée et même calibrée sous *Windows Me* qui offre la possibilité d'exécuter la plupart des jeux *MS - DOS* directement dans *Windows*.

Icône *Contrôleur de jeu* — Si votre ordinateur est relié à une manette de jeux ou s'il dispose d'une connexion pour manette (par exemple sur la carte audio), *Windows Me* affiche l'icône de la manette appelée *Contrôleur de jeu* dans le *Panneau de configuration*.

Sélectionnez *Démarrer/Paramètres* et cliquez sur la commande *Panneau de configuration*. Dans ce dossier, double-cliquez sur l'icône *Contrôleur de jeu* . La boîte de dialogue des Propriétés de la manette de jeu s'affiche. *Windows Me* permet d'utiliser jusqu'à 16 contrôleurs pouvant être configurés individuellement.

Sélectionnez la rubrique voulue dans la liste *Contrôleur de jeu* et cliquez sur *Propriétés* pour configurer le modèle utilisé.

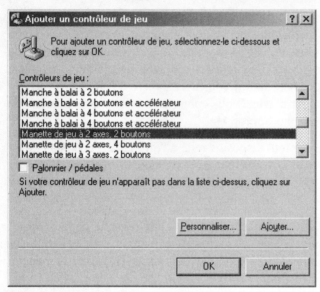

Figure 8.71   Ajout de manettes de jeu

Pour installer un nouveau contrôleur de jeu, cliquez sur le bouton *Ajouter...* puis sélectionnez le constructeur et le modèle.

Si le constructeur ne figure pas dans la liste, sélectionnez l'une des rubriques standards, telles que *Manette de jeu à 2 axes, à 2 boutons* ou bien *Manche à balai à 2 boutons* etc.

Cliquez sur *Ajouter...*, l'*Assistant Ajout de nouveau maté-riel* est lancé (nous avons déjà parlé de cette procédure dans ce chapitre). Après avoir copié les fichiers et redé-marré le système, le nouveau contrôleur de jeu est prêt à l'utilisation.

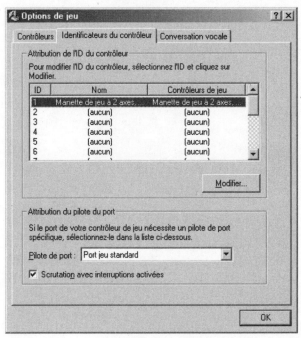

Figure 8.72   Configuration du contrôleur de jeu

Dans l'onglet *Identification du contrôleur*, vous pouvez configurer les contrôleurs de jeu et afficher les interrup-tions en cochant la case *Scrutation avec interruptions ac-tivées*. Confirmez vos modifications en cliquant sur *OK*.

9. Les Outils système

Ce chapitre décrit comment utiliser les supports de mémorisation des données. Nous verrons, tout d'abord, comment contrôler l'espace libre des disques durs et modifier le nom de volume de ces supports ; ensuite, nous parlerons du *Moniteur système*, une application permettant d'analyser en détail les éléments chargés par le système.

ScanDisk et Défragmenteur de disque

Nous vous expliquerons également comment examiner le disque dur à l'aide de *ScanDisk* pour relever des erreurs éventuelles et comment optimiser l'allocation des données sur le disque en utilisant le *Défragmenteur de disque*.

Sécurité et compression des données

Nous parlerons également de la fonction *Dossiers compressés* permettant de comprimer des fichiers figurant sur le disque dur afin de les expédier à travers Internet. Nous vous expliquerons comment accéder au programme de protection des données *Microsoft Backup* et comment l'utiliser. Nous verrons les différents types de protection, comment confronter, récupérer les données et adapter le programme à vos propres exigences.

Espace libre et nom de volume du disque dur

Les applications *Windows Me* modernes occupent beaucoup d'espace sur le disque. Le kit *Microsoft Office* requiert jusqu'à 350 Mo pour l'installation complète. Le système d'exploitation *Windows Me*, avec tous ses composants et ses accessoires, occupe plus de 300 Mo. Ainsi les capacités standards des disques durs modernes, qui peuvent sembler énormes, s'avèrent bien vite presque insuffisantes.

Les 15 Go initiaux d'un nouveau disque dur se réduisent considérablement après l'installation de plusieurs programmes.

Contrôle de l'espace libre

Pour cette raison, il est indispensable de disposer sous *Windows Me* d'un outil permettant de vérifier régulièrement l'espace libre sur le disque dur.

Contrôle de l'espace libre sur le disque dur

Pour contrôler l'espace libre ou utilisé d'un support de données, sélectionnez l'icône du lecteur correspondant. Cette opération peut être effectuée dans le *Poste de travail* ou l'*Explorateur Windows*, ensuite dans le menu *Fichier* choisissez la commande *Propriétés*. Vous pouvez également rappeler cette commande dans le menu contextuel de l'icône du lecteur.

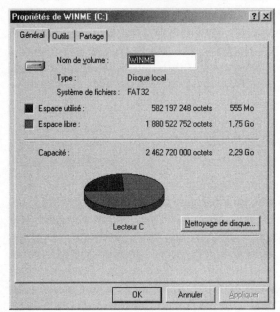

Figure 9.1   Affichage de l'espace disponible sur le disque sous forme de camembert

Espace utilisé/libre   La boîte de dialogue des Propriétés offre toutes les informations voulues : dans la partie supérieure en regard de *Espace utilisé* et *Espace libre,* vous pouvez lire la capacité exprimée en *octets* et mégaoctets (*Mo*) ou gigaoctets (Go). Au-dessous, vous avez la capacité totale du disque. Le rapport entre l'espace occupé et l'espace libre est représenté à l'aide d'un « camembert ».

Ne vous étonnez pas si la capacité indiquée dans la boîte de dialogue des *Propriétés* est inférieure à celle déclarée sur la fiche technique qui accompagne l'ordinateur. En effet, les revendeurs indiquent souvent la capacité non formatée du disque en « octets ».

Pour obtenir des informations relatives à l'espace libre d'un support de données, il n'est pas nécessaire d'ouvrir la boîte de dialogue des *Propriétés*. L'*Explorateur Windows* et le *Poste de travail* indiquent ces valeurs dans la barre d'état qui se trouve au bas de leur fenêtre.

Poste de travail   Quand vous sélectionnez l'icône d'un lecteur dans le *Poste de travail*, la capacité relative et l'espace disponible s'affichent à gauche (ce dernier apparaît également dans la barre d'état). En revanche, dans l'*Explorateur Windows* l'espace disponible est indiqué (entre parenthèses) uniquement dans la barre d'état. Pour afficher cette dernière, ouvrez le menu *Affichage* et cliquez sur la commande *Barre d'état*.

14 objet(s) (Espace disque disponible : 1,75 Go)

Espace libre : 1,75 Go, Capacité : 2,29 Go

Figure 9.2   La barre d'état et les informations qu'elle contient : *Explorateur Windows* (en haut) et *Poste de travail*

Explorateur *Windows*	Dans l'*Explorateur Windows*, quand vous sélectionnez un dossier dans la partie gauche de la fenêtre, la barre d'état vous indique la taille du dossier puis, entre parenthèses, l'espace disponible sur le disque dur. Cela est particulièrement utile pour les opérations sur les disquettes car vous savez toujours de combien d'espace vous disposez encore.
Unités de mesure	L'unité de mesure utilisée dans la barre d'état (*octets*, *Mo*, *Go*) dépend du type de lecteur sélectionné.

Modification du nom de volume du disque dur

Au premier abord, les noms des icônes de lecteur peuvent vous sembler étranges. Souvent vous voyez des inscriptions telles que « ms_dos6 » ou bien « 1353_436cky » mais aussi des noms se référant au revendeur ou au constructeur. Eh bien, sachez que ce nom peut être modifié.

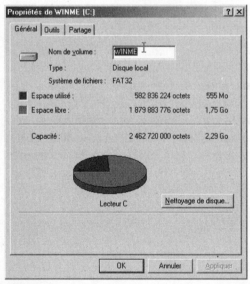

Figure 9.3   Le nom de volume d'un lecteur peut contenir 11 caractères au maximum

Commande
Propriétés

Pour renommer un disque dur ou une disquette, sélectionnez tout d'abord l'icône du lecteur correspondant. Cette opération peut être effectuée dans le *Poste de travail* ou l'*Explorateur Windows*. Ensuite dans le menu *Fichier* choisissez la commande *Propriétés*.

Zone de texte *Nom de volume*

Vous pouvez également rappeler la commande *Propriétés* dans le menu contextuel de l'icône du lecteur. La boîte de dialogue des Propriétés offre la zone de texte *Nom de volume*.

11 caractères

Tapez dans cette zone le nom que vous souhaitez assigner au lecteur. Pour cela, vous disposez de 11 caractères au maximum qui ne doivent comprendre ni des espaces ni les symboles suivants : * ? % et / : \ /.). En outre, aucune distinction ne sera faite ente les majuscules et les minuscules. Confirmez avec *OK* pour que *Windows* remplace le nom de volume.

Le lecteur peut être nommé simplement *Disque*. Si plusieurs disques durs sont installés sur votre ordinateur, dans le *Poste de travail* ils seront visualisés comme *Disque (C:)*, *Disque (D:)*, etc. Si le disque dur est partagé en partitions le système propose un nom descriptif, par ex. Windows Me (C:), Programmes (D:), Données (E:).

Vérification des ressources système à l'aide du *Moniteur système*

Analyse de l'utilisation des ressources

Il arrive quelques fois, surtout à la fin d'une journée de travail, que l'ordinateur opère plus lentement que d'habitude mais parfois la diminution de performance se vérifie d'un coup. *Windows Me* est doté d'un outil système efficace permettant de visualiser graphiquement l'utilisation des ressources système. Il est ainsi possible de contrôler l'utilisation de ces ressources de la part de programmes qui fonctionnent mal (ou qui requièrent des ressources excessives) et d'adopter des contre-mesures appropriées.

Moniteur système

Le programme en question qui s'appelle *Moniteur système* était destiné, à l'origine, à l'analyse de réseaux et de systèmes serveur ; cependant il peut être utilisé sur un ordinateur autonome.

Le *Moniteur système* n'est pas copié sur le disque dur au cours de l'installation standard de *Windows Me*. Il faut donc l'installer par la suite ; pour cela, ouvrez le Panneau de configuration, double cliquez sur l'icône *Ajout/Suppression de programmes* et passez à l'onglet *Installation de Windows*. Sélectionnez la rubrique *Outils système*, cliquez sur le bouton *Détails...* puis cochez la case relative au *Moniteur système*. Un clic sur *OK* entraîne l'installation de ce programme qui peut être rappelé en sélectionnant *Démarrer/Programmes/ Accessoires/Outils système/Moniteur système*.

Pour que le *Moniteur système* affiche graphiquement l'utilisation des ressources, il faut spécifier au programme les ressources à analyser.

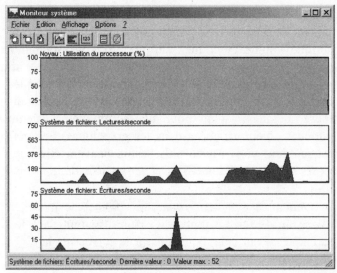

Figure 9.4   Vérification des ressources système à l'aide du *Moniteur système*

Ajouter un élément   Pour ce faire, ouvrez le menu *Edition* et choisissez la commande *Ajouter un élément...*. Dans la boîte de dialogue *Ajout d'un élément*, sélectionnez tout d'abord la *Catégorie* voulue. Les catégories *Système de fichiers*, *Noyau* et *Gestionnaire de mémoire* sont les plus intéressantes et les plus riches en informations.

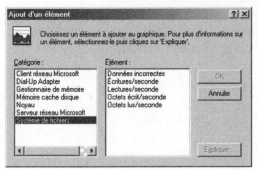

Figure 9.5   Sélection d'un élément pour l'analyse

Affichage des graphiques

La liste *Elément* énumère tous les processus disponibles pouvant être visualisés graphiquement. Sélectionnez la rubrique voulue et cliquez sur *OK*. Si vous souhaitez vérifier d'autres processus, vous devez les sélectionner un par un à l'aide de *Edition/Ajouter un élément...* et cliquer chaque fois sur *OK* pour confirmer. A ce stade, il faut attendre quelques instants pour que les premières valeurs courantes soient affichées dans les graphiques. Les graphiques dont vous n'avez plus besoin peuvent être supprimés à l'aide de *Edition/Supprimer un élément....*

La commande *Options/Graphique..* permet de modifier l'intervalle de mise à jour des valeurs figurant dans les graphiques. Pour cela, faites glisser le curseur de la règle sur la position voulue correspondant à une valeur exprimée en secondes, minutes ou heures et confirmez avec *OK*. Mais attention, ce programme utilise lui aussi une partie des ressources système.

Contrôle d'un processus

Pour contrôler un processus spécifique ou une application, lancez et travaillez sur cette dernière en laissant le *Moniteur système* affiché.

Intervalle de mise à jour

Il est ainsi possible, en fonction de l'intervalle de mise à jour défini, d'analyser l'utilisation des ressources systèmes visualisée par le *Moniteur système*.

Analyse des lecteurs et correction des erreurs

Quand vous travaillez avec des données enregistrées sur des supports magnétiques, tels que des disques durs, il se peut que des problèmes se produisent. Ces derniers sont généralement dus à des détériorations de la surface magnétique ou simplement à un enregistrement non approprié de fichiers ou de fragments de fichiers. D'autres problèmes peuvent survenir, par ex., si vous éteignez votre ordinateur sans quitter correctement *Windows Me* ou s'il se bloque.

Vérification de la présence d'erreurs sur le disque dur à l'aide de *ScanDisk*

Les fragments de fichiers perdus, les fichiers avec des liaisons croisées, la date et l'heure non valides et d'autres erreurs au niveau des supports de données représentent une entrave pour le travail quotidien.

ScanDisk

Windows Me dispose d'un outil système en mesure de relever et d'éliminer automatiquement les erreurs les plus fréquentes dans les supports de données. Si vous voulez analyser votre disque dur, sélectionnez *Démarrer/Programmes/Accessoires/Outils système* et cliquez sur la commande *ScanDisk* dans le sous-menu. Ce programme fait partie de l'*Assistant maintenance de Windows* qui lance en outre la *défragmentation* et libère de l'espace dans la mémoire.

Lecteur à analyser   Effectuez votre choix sous *Sélectionner le ou les lecteurs que vous voulez analyser*. Pour des sélections multiples, appuyez sur la touche `Ctrl` et cliquez sur les lecteurs voulus l'un après l'autre.

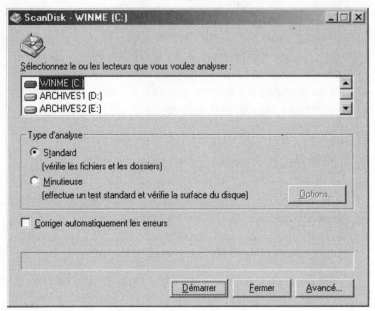

Figure 9.6   Vérification des erreurs sur le disque dur

Type d'analyse   Sous *Type d'analyse*, sélectionnez l'option *Standard* pour
Standard   vérifier uniquement les fichiers et les dossiers. Cochez la case *Corriger automatiquement les erreurs* afin que *ScanDisk* élimine automatiquement les erreurs éventuelles dans le support de données.

Lancement de   Cliquez sur le bouton *Démarrer* pour lancer l'analyse. La
l'analyse   progression de l'opération est visualisée dans l'indicateur qui s'affiche. Une fois l'analyse terminée, le système visualise un rapport contenant les informations relatives aux erreurs éventuelles relevées et corrigées.

Résultats de
ScanDisk

La boîte de dialogue *Résultats de ScanDisk* contient toutes les indications relatives aux octets disponibles sur le support de données contrôlé, le nombre de dossiers, le nombre de fichiers cachés, l'espace total occupé sur le disque, le nombre d'unités d'allocation, etc.

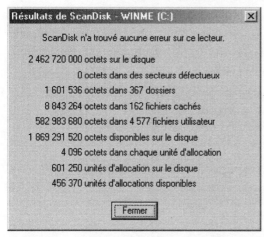

Résultats de ScanDisk - WINME (C:)

ScanDisk n'a trouvé aucune erreur sur ce lecteur.

2 462 720 000 octets sur le disque

0 octets dans des secteurs défectueux

1 601 536 octets dans 367 dossiers

8 843 264 octets dans 162 fichiers cachés

582 983 680 octets dans 4 577 fichiers utilisateur

1 869 291 520 octets disponibles sur le disque

4 096 octets dans chaque unité d'allocation

601 250 unités d'allocation sur le disque

456 370 unités d'allocations disponibles

Fermer

Figure 9.7   Résultat de l'analyse

Lancer *Scandisk*
régulièrement

Cliquez sur *Fermer* dans la boîte des résultats puis dans la boîte de dialogue de *ScanDisk* pour les fermer. Lancez *ScanDisk* une fois par mois (au moins).

A travers l'*Assistant maintenance de Windows* ou les *Tâches planifiées* (pour planifier les activités), il est possible de lancer *ScanDisk* en même temps que d'autres outils système.

Configuration de l'outil système *ScanDisk*

L'outil système *ScanDisk* relève par défaut les erreurs les plus fréquentes sur le support de données et les corrige automatiquement.

Définition de la méthode de travail

Il est également possible de modifier la méthode de travail de *ScanDisk*. Pour cela, ouvrez tout d'abord cet outil système en sélectionnant *Démarrer/ Programmes/ Accessoires/Outils système* et cliquez sur la commande *Scan-Disk* dans le sous-menu.

Sélection du lecteur

Effectuez votre choix sous *Sélectionner le ou les lecteurs que vous voulez analyser*. Pour des sélections multiples, appuyez sur la touche [Ctrl] et cliquez sur les lecteurs voulus l'un après l'autre.

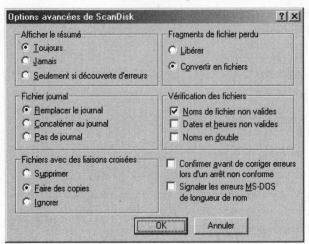

Figure 9.8   Configuration de *ScanDisk*

Bouton *Avancé...*

Pour configurer *ScanDisk* cliquez sur le bouton *Avancé...*.

Sous *Afficher le résumé*, vous devez établir si durant l'analyse la boîte de dialogue *Résultats de Scandisk* doit être affichée *Jamais* ou *Seulement si découverte d'erreurs* (option conseillée).

Définition du fichier journal

Dans le groupe d'options *Fichier journal*, déterminez si *ScanDisk* doit renoncer au journal ou si les résultats doivent être enregistrés dans le fichier *SCANDISK.LOG* sur le niveau principal du lecteur *(C:)*. Avec *Concaténer au journal* les informations sont ajoutées à la fin du fichier.

Fichiers avec des liaisons croisées

Passons à présent aux procédures importantes de configuration : sous *Fichiers avec des liaisons croisées*, définissez comment *ScanDisk* doit gérer les fichiers qui utilisent simultanément la même unité d'allocation sur le support de données. Comme il est impossible de récupérer ce type de fichier, nous vous conseillons de sélectionner l'option *Supprimer*.

Fragments de fichiers perdus

Sous *Fragments de fichiers perdus*, déterminez comment *ScanDisk* doit gérer ces fragments. Il s'agit de restes de fichiers qui contiennent parfois des données utilisables mais qui occupent inutilement de l'espace. Si vous sélectionnez l'option *Libérer*, ils seront éliminés ; sélectionnez *Convertir en fichiers* pour créer dans le répertoire racine un fichier ayant l'extension *CHK* que vous pourrez visualiser avec les éditeurs appropriés.

Vérification des fichiers

Dans le dernier groupe d'options *Vérification des fichiers*, vous pouvez demander à *ScanDisk* de vérifier les fichiers ne pouvant plus être ouverts car ils ont des *Noms de fichier non valides* ou des *Dates et heures non valides*. L'option *Noms en double* peut entraîner un rangement non approprié des fichiers non valides et des erreurs dans les programmes de stockage tels que *Microsoft Backup*. Activez toutes les cases d'option et les cases à cocher voulues puis confirmez avec *OK*.

Messages d'erreur

Si vous cochez la case *Confirmer avant de corriger erreurs lors d'un arrêt non conforme*, *Scandisk* affiche des messages d'erreur avant de corriger une erreur provoquée par un arrêt incorrect du système (par ex. un débranchement de la prise secteur). Si cette case à cocher est désactivée, *Scandisk* corrige automatiquement ces erreurs.

Dossier ayant un chemin trop long

La case à cocher *Signaler les erreurs MS-DOS de longueur de nom* entraîne le déplacement, dans le répertoire principal, des dossiers dont le chemin d'accès est constitué de plus de 66 caractères. Nous vous conseillons de ne pas activer cette option car elle n'est pas importante sous *Windows Me*.

Définition de la méthode d'analyse

Pour configurer la méthode d'analyse, il faut revenir à la première boîte de dialogue de *ScanDisk* et au groupe d'options *Type d'analyse*. L'option *Standard* vérifie les erreurs uniquement dans les fichiers et les dossiers ; l'option *Minutieuse* effectue une vérification standard et contrôle la surface du support de données. Ce procédé peut requérir un certain temps.

Ne pas corriger les erreurs

Si vous voulez que *ScanDisk* affiche un message demandant comment procéder quand il relève des erreurs sur le lecteur, désactivez la case à cocher *Corriger automatiquement les erreurs*.

Lancement de l'analyse

Cliquez sur le bouton *Démarrer* pour lancer l'analyse. La progression de l'opération est visualisée dans l'indicateur qui s'affiche. Le programme visualise ensuite le rapport *Résultats de ScanDisk* qui contient les informations relatives aux erreurs éventuellement relevées et éliminées si possible.

Optimiser l'allocation de l'espace sur le disque dur

Tant qu'il s'agit d'installer sur l'ordinateur tous les programmes nécessaires l'un après l'autre et d'enregistrer les documents créés avec les applications, toutes les données sont disposées sur le disque dur parfaitement en file.

Durant le travail quotidien, il arrive parfois de supprimer des documents qui ne sont plus nécessaires ou de désinstaller des programmes inutiles.

Espaces vides dans l'allocation des données

De cette manière, il se forme des « trous » dans l'allocation des données. Quand vous enregistrez de nouvelles données ou que vous installez de nouveaux programmes, il se peut qu'une partie des données soit enregistrée dans l'un de ces « trous » et le reste ailleurs.

Fichiers fragmentés

Tout cela pourrait vous sembler sans intérêts mais sachez que la sauvegarde de données fragmentées ralentit la lecture du disque dur car la tête de lecture doit se déplacer plusieurs fois pour lire les informations d'un document ou d'un fichier programme enregistrées à différents endroits.

Rassembler les données fragmentées à l'aide du *Défragmenteur de disque*

Windows Me dispose d'un outil système qui permet de « boucher les trous ». L'application *Défragmenteur de disque* analyse le disque dur et réécrit toutes les données enregistrées. Au terme de cette opération, toutes les données sont défragmentées et le disque dur travaille plus rapidement. Ce programme fait également partie de l'*Assistant maintenance de Windows* qui lance en outre l'application *ScanDisk* et élimine les fichiers inutiles.

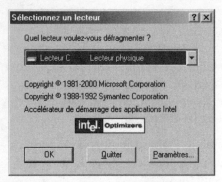

Figure 9.9   Sélection du lecteur

Commande
Défragmenteur de
disque

Pour lancer ce programme, sélectionnez *Démarrer/Programmes/Accessoires/Outils système* et cliquez sur la commande *Défragmenteur de disque* dans le sous-menu. Dans la boîte de dialogue qui apparaît, sélectionnez le lecteur à défragmenter. Si vous sélectionnez la rubrique *Lecteur physique*, tous les disques durs disponibles sont contrôlés l'un après l'autre. Cliquez sur *OK* pour lancer la défragmentation du lecteur choisi. Une boîte illustrant la progression de l'opération s'affiche :

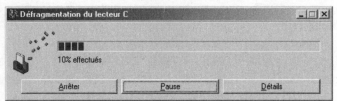

Figure 9.10   Progression de la défragmentation

Bouton Détails

Le bouton *Détails* affiche une fenêtre qui illustre graphiquement les procédés d'écriture et de lecture de chaque unité d'allocation.

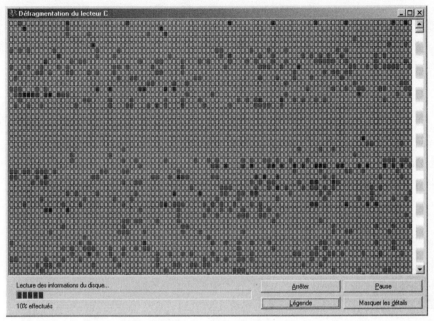

Figure 9.11   Affichage des détails de la défragmentation

Si vous cliquez sur *Légende*, le programme affiche la légende des différents symboles et couleurs utilisés. Au terme de la défragmentation, cliquez sur *Oui* dans la boîte de message pour quitter le programme.

Durant la défragmentation, il convient de ne pas travailler avec l'ordinateur bien que cela soit théoriquement possible. La défragmentation de disques durs ayant de grandes dimensions ou de lecteurs compressés peut demander plusieurs heures. Pour accélérer la défragmentation, il convient de désactiver les détails.

Configuration de l'outil système *Défragmenteur de disque*

L'application *Défragmenteur de disque* analyse le disque dur et réécrit toutes les données enregistrées. A la fin, toutes les données sont défragmentées et le disque dur travaille plus rapidement. Vous pouvez modifier la méthode de travail du *Défragmenteur de disque* en fonction de vos exigences.

Sélection du lecteur

Sélectionnez *Démarrer/Programmes/Accessoires/Outils système* et choisissez dans le sous-menu la commande *Défragmenteur de disque*. Dans la boîte de dialogue qui apparaît, sélectionnez le lecteur à défragmenter.

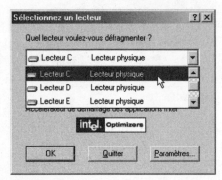

Figure 9.12   Sélection du lecteur et bouton *Paramètres...*

Configuration de la défragmentation

Le bouton *Paramètres...* permet de modifier la méthode de travail du *Défragmenteur de disque* en fonction de vos propres exigences.

Définition de la méthode de défragmentation

Dans le groupe d'options *Lors de la défragmentation du disque dur*, définissez le type de défragmentation. Pour une défragmentation plus rapide, désactivez les deux cases à cocher. Vous renoncez ainsi à la réorganisation des fichiers programmes et au contrôle des erreurs avec *ScanDisk*.

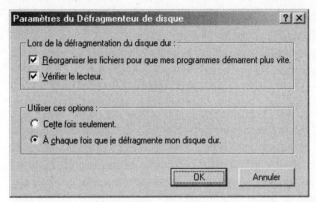

Figure 9.13   Configuration de l'outil système *Défragmenteur de disque*

Réorganiser les programmes

Avec l'option *Réorganiser les fichiers pour que mes programmes démarrent plus vite*, les fichiers programmes sont placés au début du support de données puis les autres fichiers sont organisés en blocs adjacents. Cela accélère considérablement le démarrage des applications.

Recherche d'erreurs sur le lecteur

Si vous cochez la case *Vérifier le lecteur*, l'outil système *ScanDisk* est automatiquement lancé avant le *Défragmenteur de disque*. Si des erreurs sont relevées, la défragmentation sera interrompue. Si tel est le cas, cliquez sur *Aide* et suivez les instructions.

Définition des paramètres standards

Les cases d'option situées au-dessous permettent d'indiquer si les modifications effectuées valent seulement pour la procédure de défragmentation courante (*Cette fois seulement*) ou si vous voulez que ces paramètres deviennent standards (*A chaque fois que je défragmente mon disque dur*). Sélectionnez l'option voulue et confirmez avec *OK*.

Lancement de la défragmentation

Cliquez sur *OK* pour lancer la défragmentation. Un indicateur affiche la progression de l'opération. Dans la boîte de message qui apparaît, cliquez sur *Oui* pour fermer le programme.

Durant la défragmentation, il convient de ne pas travailler avec l'ordinateur bien que cela soit théoriquement possible. La défragmentation de disques durs ayant de grandes dimensions peut demander plusieurs heures. Nous vous conseillons en conséquence de programmer la défragmentation automatique en dehors des horaires de travail, par exemple un jour de fête ou la nuit. Pour automatiser cette opération, utilisez l'*Assistant maintenance de Windows* ou les *Tâches planifiées*. Les deux applications se trouvent dans le groupe de programmes *Outils système*. Etablissez un « calendrier » qui lance automatiquement *ScanDisk* et le *Défragmenteur de disque* à des intervalles prédéterminés. Il est nécessaire que l'ordinateur soit allumé lorsque ces opérations seront automatiquement exécutées.

Compression de dossiers

Il y a de nos jours différentes possibilités pour transférer d'un ordinateur à l'autre des installations de programme ou des structures de données complexes. Il n'est plus nécessaire de sélectionner individuellement de nombreux fichiers et de les envoyer par E-mail car certains programmes permettent de regrouper plusieurs fichiers dans un seul kit et utilisent des algorithmes de compression complexes pour réduire considérablement la taille des données.

Dossiers compressés

Il existe de nombreux programmes de compression/décompression des données dont la plupart utilisent le format *ZIP* (mot anglais signifiant « fermeture éclair »).

Supposons par ex. que vous souhaitez envoyer à vos parents les photos de vos vacances scannérisées et stockées dans le dossier *Mes Documents/Mes images*. Pour cela, au lieu de compresser chaque fichier pour l'envoyer par E-mail, vous pouvez regrouper tous les fichiers dans un seul ZIP et réduire ainsi le temps de transmission. Le destinataire qui reçoit puis décompresse le ZIP charge les photos sur son ordinateur dans le même ordre que celui de la compression.

WinZip

WinZip est le programme le plus connu parmi les applications ZIP et il peut être téléchargé gratuitement à partir d'Internet. Cela n'est toutefois plus nécessaire car Microsoft l'a intégré dans *Windows Me*. Ainsi, la compression/décompression sont disponibles dans l'*Explorateur Windows* et les fenêtres de dossier.

Dossiers compressés

Les fonctions de compression/décompression de fichiers et de dossiers seront traitées respectivement dans les sections *Création de Dossiers compressés* et *Extraction de dossiers compressés*

La fonction *Dossiers compressés* n'est pas disponible au terme de l'installation standard. En conséquence, ouvrez le Panneau de configuration, double cliquez sur l'icône *Ajout/Suppression de programmes* et passez à l'onglet *Installation de Windows*. Sélectionnez la rubrique *Outils système*, cliquez sur *Détails....* puis cochez la case *Dossiers compressés*. Cliquez sur *OK* dans les deux boîtes de dialogue et cette fonction sera disponible sur votre ordinateur.

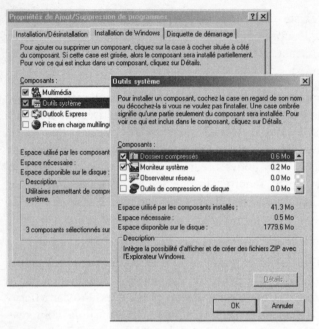

Figure 9.14   Sélection de la fonction *Dossiers compressés* à travers l'*Installation de Windows*

Si vous installez l'option *Dossiers compressés*, vous disposerez de nouvelles fonctions (compression/compression) dans l'*Explorateur Windows* et les fenêtres de dossier.

Extraction de *dossiers compressés*

Double clic sur les fichiers compressés

Les fichiers compressés (extension .ZIP) sont accompagnés d'une icône spéciale. Lorsque vous double-cliquez sur cette icône, le système ouvre une fenêtre de l'Explorateur Windows affichant le contenu du fichier ZIP que vous pouvez faire glisser vers une autre fenêtre. Cette procédure s'appelle « décompression ; ainsi, le ou les fichiers d'origine sont copiés sur le disque dur.

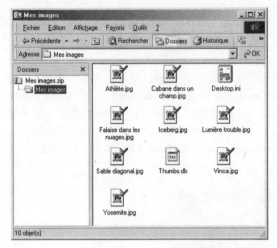

Figure 9.15   Contenu d'un fichier ZIP après le double-clic sur son icône

Extraire tout... sur la boîte de dialogue   Dans le menu contextuel des fichiers compressés (nommés Dossier compressé), vous verrez la rubrique *Extraire tout...*. La boîte de dialogue de l'*Assistant Extraction* apparaît, vous devez y indiquer l'emplacement voulu pour ces fichiers. Si un mot de passe a été défini pour les dossiers compressés, cliquez sur *Mot de passe...* (voir ci-dessous) et tapez le mot dans la zone de texte relative. Cliquez sur *Suivant* pour lancer la décompression.

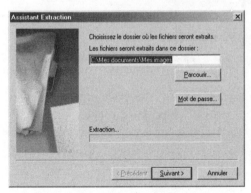

Figure 9.16   L'assistant rappelé à partir du menu contextuel du fichier ZIP

Création de *dossiers compressés*

*Envoyer
vers/Dossier
compressé*

La rubrique *Envoyer vers* figurant dans le menu contextuel des fichiers et des dossiers possède une nouvelle option, à savoir *Dossier compressé*. Si vous choisissez cette option, tous les objets sélectionnés (fichiers et/ou dossiers) sont compressés dans un fichier ZIP qui est stocké dans le dossier courant. Le nom de ce fichier est assigné automatiquement en fonction du nom des objets sélectionnés.

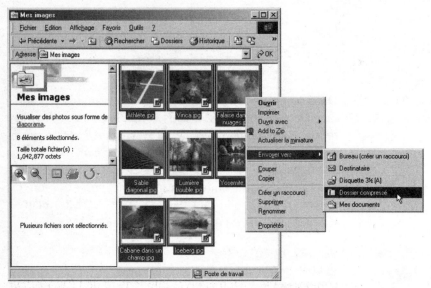

Figure 9.17   Création d'un dossier compressé à l'aide du menu contextuel

Les dossiers compressés sont traités comme un fichier quelconque. Vous pouvez donc les envoyer par E-mail, les rappeler et/ou les supprimer à travers leur menu contextuel.

Il est possible d'assigner un mot de passe aux dossiers compressés afin que personne ne puisse voir les fichiers qu'ils contiennent. Pour ce faire, ouvrez le menu contextuel d'un *dossier compressé* et sélectionnez l'option *Crypter...*. Dans la boîte de dialogue *Cryptage*, tapez deux fois le mot de passe et cliquez sur *OK*.

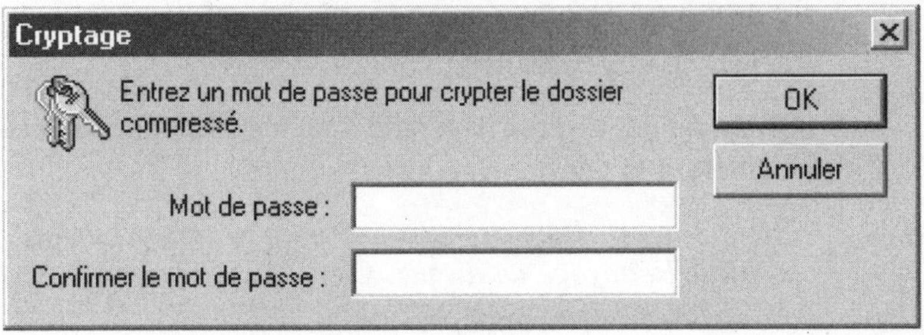

Cryptage

Entrez un mot de passe pour crypter le dossier compressé.

Mot de passe :

Confirmer le mot de passe :

OK

Annuler

Figure 9.18   Définition d'un mot de passe

Si vous avez déjà travaillé avec *WinZip*, ce type de gestion des fichiers compressés pourra ne pas vous sembler pratique mais ce n'est qu'une question d'habitude.

Si vous rencontrez des fichiers compressés lorsque vous téléchargez des programmes depuis Internet, sachez que les partagiciels et les pilotes sont rangés correctement dans ces fichiers et que la compression réduit le temps de transmission. Quand vous double-cliquez sur un dossier compressé, le système ouvre une fenêtre de l'*Explorateur Windows* à partir de laquelle les fichiers sont décompressés et peuvent être immédiatement utilisés. Sachez également qu'il existe des fichiers compressés à extraction automatique (ils possèdent l'extension .EXE) qui se produit en double-cliquant sur leur icône. Dans la boîte de dialogue qui apparaîtra, indiquez le répertoire au niveau duquel vous voulez décomprimer le contenu des archives.

Libérer de l'espace sur le disque à l'aide du *Nettoyage de disque*

Au cours du temps, un grand nombre de fichiers inutiles s'accumule sur votre disque dur : à savoir les *fichiers temporaires*. Ces derniers, qui sont créés lors de l'installation de logiciel ou quand un programme se bloque, occupent beaucoup de mémoire.

Windows Me dispose d'un outil système pour éliminer ces fichiers, à savoir le *Nettoyage de disque*.

Nettoyage de disque

Sélectionnez *Démarrer/Programmes/Accessoires/Outils système/Nettoyage de disque*. Choisissez le lecteur à nettoyer et confirmez avec *OK*.

Fichiers Internet temporaires

Attendez que le système calcule la quantité d'espace pouvant être libérée. Le nombre d'options de nettoyage disponibles varie en fonction de la configuration du système. Sélectionnez les cases à cocher *Fichiers Internet temporaires* et *Fichiers programmes téléchargés* dans la boîte de dialogue *Nettoyage de disque dur pour...* si vous disposez d'un accès Internet et de *Pages Web hors-ligne* (à savoir des pages Internet stockées dans la mémoire temporaire du disque dur pour les consulter hors-ligne). Lisez les informations qui s'affichent sous *Description* lorsque vous sélectionnez une rubrique.

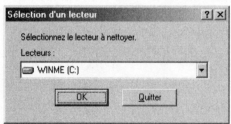

Figure 9.19   Sélection du lecteur à nettoyer

Si vous ne disposez pas d'un accès Internet, désactivez les cases *Fichiers Internet temporaires* et *Fichiers programmes téléchargés*.

Fichiers temporaires

Cochez la case *Corbeille*, si vous êtes sûr de ne plus avoir besoin des fichiers qu'elle contient. Sélectionnez toujours la case à cocher *Fichiers temporaires* pour effacer tous les fichiers que vous n'utilisez plus.

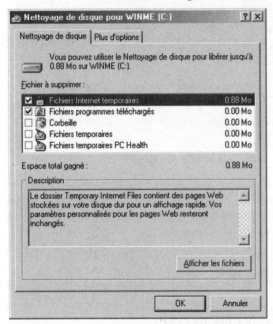

Figure 9.20   Quels fichiers faut-il supprimer ?

Avec *Fichiers d'installation Windows temporaires*, vous effacez les copies de sauvegarde d'une mise à jour *Windows Me* (environ 50 Mo).

L'activation de l'option *Fichiers temporaires PC Health* permet à l'ordinateur de vérifier les fichiers relatifs à la protection générale du système. Les éventuels fichiers doubles et donc non nécessaires sont supprimés.

Pour certaines options, vous pouvez voir les fichiers destinés à être supprimés en cliquant sur un bouton dont le nom change en fonction de l'option sélectionnée (vous verrez « Afficher les fichiers » ou « Visualiser les fichiers » ou « Détails... »). Un clic sur ce bouton ouvre une fenêtre de l'Explorateur Windows.

Lancement de la procédure de suppression

Cliquez sur *OK* pour lancer l'opération de suppression puis sur *Oui* pour confirmer le message qui suit. A ce stade, *Windows Me* lance le *Nettoyage de disque*.

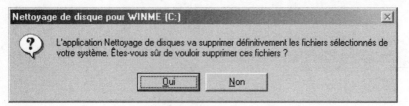

Figure 9.21   Message de confirmation du *Nettoyage de disque*

Le *Nettoyage de disque* supprime les fichiers temporaires indiqués (qui ne pourront plus être utilisés) mais pas les documents ou les programmes.

Si vous supprimez les fichiers Internet temporaires et les fichiers téléchargés (le standard *ActiveX* et les applets *Java* des pages Web) et que vous voulez ouvrir ces pages à partir du WWW, cela demandera un peu de temps puisque ces fichiers (qui ne figurent plus sur le disque dur) doivent de nouveau être téléchargés.

Copie de sauvegarde des données sous *Windows Me*

L'outil système *Microsoft Backup* de *Windows Me* permet de créer des copies de sauvegarde du disque dur sur des bandes magnétiques ou des disquettes. *Microsoft Backup* peut également être utilisé pour transférer des fichiers volumineux depuis un ordinateur vers un autre.

Sécurité des données

L'exécution régulière d'une sauvegarde avec *Microsoft Backup* augmente la sécurité des données enregistrées sur votre ordinateur. Vous vous en rendrez compte le jour où vous perdrez des données à cause, par exemple, d'un disque dur défectueux. Pour sauvegarder toutes les données, il faut disposer d'un périphérique de sauvegarde approprié !

Sous *Windows Me*, il est nécessaire d'installer manuellement le programme *Microsoft Backup*. Pour cela, introduisez le CD de *Windows Me* dans le lecteur de CD-ROM, lancez l'*Explorateur Windows* et double-cliquez sur le dossier *ADD – ONS* puis sur *MSBACKUP*.

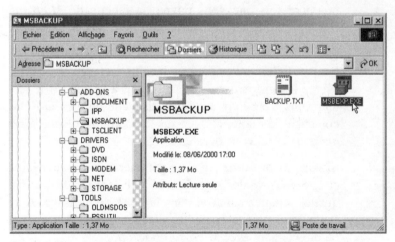

Figure 9.22   Lancement de l'installation de *Microsoft Backup*

Affichez le contenu du dossier *MSBACKUP* et double-cliquez sur le fichier *MSBEXP (.EXE)*.

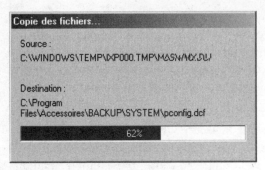

Copie des fichiers...

Source :
C:\WINDOWS\TEMP\IXP000.TMP\MASN\MX.DLL

Destination :
C:\Program
Files\Accessoires\BACKUP\SYSTEM\pconfig.dcf

62%

Figure 9.23   Installation de *Microsoft Backup*

Copie de sauvegarde des données avec *Microsoft Backup*

Il faut tout d'abord lancer *Microsoft Backup* : pour cela, sélectionnez *Démarrer/Programmes/Accessoires/Outils système/Sauvegarde*.

Installation du périphérique de sauvegarde

Si vous disposez d'un périphérique de sauvegarde (lecteur de cartouches DAT etc.) qui n'est pas encore installé, la première fois que vous ouvrez la fenêtre de *Microsoft Backup* cliquez sur le bouton *Oui* pour lancer l'*Assistant Ajout de nouveau matériel*.

Pour installer un dévideur ou bien un lecteur *ZIP* ou *JAZ*, suivez les instructions qui s'affichent à l'écran. Si le lecteur vous a été livré avec une disquette ou un CD-ROM contenant le pilote, cliquez sur le bouton *Disquette fournie* pour installer ce dernier.

Aucun périphérique de sauvegarde

Si vous ne disposez pas d'un périphérique de sauvegarde et que vous voulez effectuer la *Sauvegarde* sur des disquettes, cliquez sur *Non* dans la boîte de message. A ce stade, vous pouvez travailler avec l'*Assistant Sauvegarde* ou directement avec *Microsoft Backup*.

Avec ou sans Assistant Sauvegarde

Pour lancer l'*Assistant Sauvegarde*, dans la boîte de dialogue *Microsoft Backup,* sélectionnez l'option *Créer une nouvelle opération de sauvegarde* et cliquez sur *OK*. En revanche, pour travailler sans l'Assistant, cliquez sur *Fermer*. La procédure est pratiquement identique.

Onglet *Sauvegarde*

Sans l'*Assistant Sauvegarde*, la fenêtre *Microsoft Backup* s'affiche directement. Restez sur l'onglet *Sauvegarde* pour indiquer le type de sauvegarde dans le groupe d'options *Sauvegarder*.

Procédure guidée

Avec l'*Assistant Sauvegarde*, dans la boîte de dialogue *Sauvegarder les fichiers* activez la case d'option *Sauvegarder tous les fichiers sélectionnés...* pour définir les fichiers à sauvegarder ensuite cliquez sur *Suivant*.

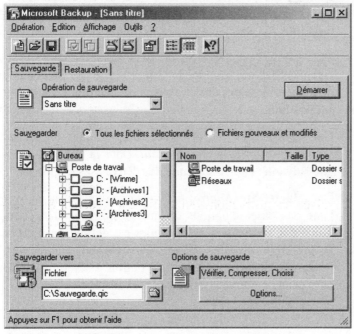

Figure 9.24   La fenêtre programme *Microsoft Backup*

Que vous choisissiez ou non la procédure guidée, vous devez sélectionner les fichiers dont vous voulez exécuter une sauvegarde. Effectuez votre choix dans l'onglet illustré ci-dessus. Dans la partie gauche, vous devez cocher les cases précédant les lecteurs et les dossiers à sauvegarder.

Si vous ne souhaitez pas sauvegarder tout le lecteur, sélectionnez les objets voulus un par un.

Sauvegarde du disque dur

Pour cela, procédez comme suit : pour sélectionner tous les objets d'un disque dur, cochez la case ☑ ⊟ C: - [Winme] précédant le nom du support de données.

Sauvegarde de dossiers

Pour sélectionner un dossier ou sous-dossier, cochez la case ☑ qui précède son nom. Pour sélectionner des fichiers, cochez la case précédant le nom mais dans la partie droite.

Vous pouvez parcourir les dossiers comme dans l'*Explorateur Windows*, en cliquant sur le signe ⊞. Le contenu de chaque dossier peut être visualisé à droite en cliquant sur son nom.

Sauvegarder

Une fois la sélection effectuée, cliquez dans l'*Assistant Sauvegarde* sur le bouton *Suivant*. Dans la boîte de dialogue suivante, choisissez l'une des deux cases d'options.

Dans la fenêtre *Microsoft Backup*, vous devez activer l'une des cases d'options du groupe *Sauvegarder*. L'option *Tous les fichiers sélectionnés* est définie par défaut. La première fois que vous exécutez une sauvegarde, vous devez absolument choisir cette option. Cliquez sur *Suivant* dans la boîte de dialogue de l'Assistant.

Sauvegarder vers

Sélectionnez à présent la destination pour la sauvegarde. Dans l'*Assistant Sauvegarde*, déroulez la boîte à liste *Sauvegarder vers* et sélectionnez le périphérique de sauvegarde. Dans la fenêtre *Microsoft Backup* la liste se trouve en bas à gauche.

Aucun périphérique de sauvegarde

Si vous ne disposez pas d'un périphérique de sauvegarde, choisissez la rubrique *Fichier* [Fichier ▼] pour effectuer une sauvegarde sur une disquette puis cliquez sur l'icône 🖾. Le programme affiche la boîte de dialogue illustrée dans la Figure 9.25 (deuxième figure).

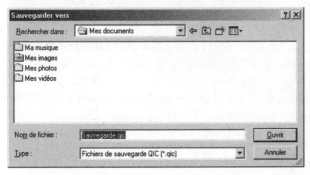

Figure 9.25   Définition de la destination pour la sauvegarde

Nom de la copie de sauvegarde

A l'aide de la boîte à liste déroulante *Rechercher dans :*, recherchez le lecteur de sauvegarde, dans ce cas le lecteur de disquettes *A:*. Dans la zone de texte *Nom*, affectez au fichier un nom significatif pour distinguer cette sauvegarde des copies que vous ferez par la suite. Le type de fichier est automatiquement *fichier de sauvegarde QIC (*.qic)*. Confirmez en cliquant sur *Ouvrir*.

Options de sauvegarde

Dans la boîte de dialogue de l'Assistant, cliquez de nouveau sur *Suivant*. Il faut à présent sélectionner les options de sauvegarde ; pour cela activez la case à cocher voulue. La case *Comparer les fichiers originaux et sauvegardés...* offre une meilleure fiabilité de la procédure puisque les données enregistrées sur le support sont confrontées aux données d'origine.

Avec la case *Compresser les données...*, *Microsoft Backup* écrit les données de sauvegarde sur le support en le compressant. Cela permet d'économiser de l'espace sur ce support mais requiert un peu plus de temps.

Si vous travaillez sans l'assistant, cliquez sur le bouton *Options* pour accéder aux options de sauvegarde.

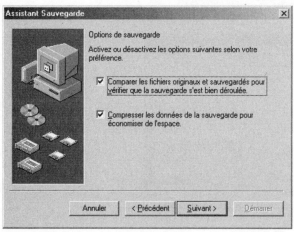

Figure 9.26   Définition des options de sauvegarde (*Assistant Sauvegarde*)

Nom de l'opération de sauvegarde

Dans la boîte de dialogue de l'*Assistant Sauvegarde*, cliquez de nouveau sur *Suivant*. Tapez un nom dans la zone de texte [Sans titre ▼] figurant dans la boîte de dialogue suivante pour enregistrer toutes les définitions de sauvegarde. Si vous n'utilisez pas l'Assistant, tapez ce nom sous *Opération de sauvegarde* [Sans titre ▼]

Lancement de la sauvegarde

Cliquez sur le bouton *Démarrer* pour que *Microsoft Backup* commence l'opération de sauvegarde des données. La progression de l'opération est représentée graphiquement dans la boîte de dialogue *Sauvegarde en cours*. Si vous utilisez des disquettes, suivez les instructions vous demandant d'insérer le support suivant.

Message
Opération terminée

Si la sauvegarde s'est déroulée sans problèmes, le message *Opération terminée* apparaît, cliquez sur *OK* pour le confirmer. Cliquez ensuite sur *OK* dans la boîte de dialogue Sauvegarde en cours pour revenir à la fenêtre de programme *Microsoft Backup*.

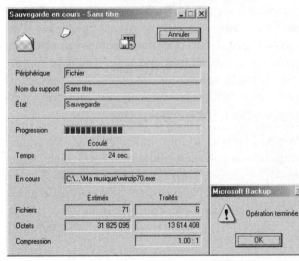

Figure 9.27   L'opération de sauvegarde et le message indiquant que tout s'est bien passé (à droite)

Définition du type de sauvegarde dans *Microsoft Backup*

Après la première sauvegarde avec *Microsoft Backup* il est possible de modifier le type de sauvegarde, par ex. sauvegarder uniquement les fichiers nouveaux ou modifiés. Vous pouvez, par ailleurs, définir des *options de sauvegarde* plus précises. Mais pour ceci, il faut travailler directement dans la fenêtre de programme *Microsoft Backup* et ne pas faire appel à l'*Assistant Sauvegarde*.

Configuration

Lancez tout d'abord *Microsoft Backup* en sélectionnant *Démarrer/Programmes/Accessoires/Outils système*, et la commande *Sauvegarde*.

Dans la boîte de dialogue de *Microsoft Backup*, cliquez sur *Fermer* pour ne pas utiliser l'Assistant. Dans la fenêtre de programme, sélectionnez la commande *Options* du menu *Opérations* ou cliquez directement sur le bouton *Options* situé au bas de l'onglet *Sauvegarde*.

Définition du type de sauvegarde

Pour déterminer le type de sauvegarde, sélectionnez l'onglet *Type* (voir la Figure 9.28). L'option *Tous les fichiers sélectionnés* entraîne une sauvegarde complète des données sélectionnées. Cette opération requiert du temps et de l'espace sur la bande/disquette mais il faut l'effectuer pour pouvoir par la suite créer des copies incrémentielles de fichiers nouveaux ou modifiés. Il convient donc d'effectuer en premier ce type de sauvegarde.

Sauvegarde incrémentielle

Afin de pouvoir par la suite exécuter une sauvegarde incrémentielle qui considère seulement les fichiers modifiés depuis la dernière sauvegarde, *Microsoft Backup* analyse les propriétés des archives. La sauvegarde incrémentielle peut également être configurée.

Sauvegarde incrémentielle

Les options *Seulement les fichiers nouveaux et modifiés* et *Type de sauvegarde incrémentielle* effectuent uniquement la sauvegarde des fichiers qui ont été modifiés ou créés depuis la dernière sauvegarde complète. Cette méthode contrôle pour chaque fichier sélectionné si la fonction « Propriétés des Archives » est activée, c'est-à-dire si le fichier a été modifié ou enregistré depuis la dernière sauvegarde. La sauvegarde est effectuée uniquement sur ces fichiers. Cela signifie que les fichiers qui n'ont pas subi de modifications ne sont pas copiés sur les disquettes de sauvegarde. Après ce type de sauvegarde la fonction « Propriétés des Archives » est de nouveau désactivée. Ainsi, vous êtes sûr que la sauvegarde suivante sera effectuée uniquement sur tous les fichiers qui ont été modifiés depuis la dernière *Sauvegarde incrémentielle*.

Sauvegarde rapide

Il convient de procéder comme suit : exécutez une première sauvegarde complète avec l'option *Tous les fichiers sélectionnés* puis, par ex., une fois par semaine lancez une *sauvegarde incrémentielle*. Ce type de sauvegarde est plus rapide que le type complet puisqu'il s'agit seulement de mettre à jour la première sauvegarde mais la restauration est lente puisque la lecture est effectuée sur toute la bande/disquette.

Sauvegarde différentielle

Les options *Seulement les fichiers nouveaux et modifiés* et *Sauvegarde différentielle* copient de la même manière uniquement les fichiers qui ont été modifiés ou créés depuis la dernière sauvegarde complète. L'inconvénient de cette méthode est que les fichiers modifiés ne sont pas enregistrés sur le fichier de sauvegarde complète mais sur un nouveau petit fichier et cela se produit chaque semaine.

Vous accumulerez ainsi un « petit tas de disquettes ou bandes » où sont stockées les modifications d'une sauvegarde à l'autre. La sauvegarde est, dans ce cas, plus lente mais la restauration sera beaucoup plus rapide.

Exécution régulière Pour travailler en toute sécurité, il n'est pas nécessaire d'effectuer tous les types de sauvegarde. Si vous n'enregistrez que certains fichiers, tels que des documents créés avec un programme de traitement de textes, vous obtenez de toute façon une sauvegarde complète (*Tous les fichiers sélectionnés*) des fichiers sélectionnés. Quel que soit le type de sauvegarde que vous choisissez, une chose est particulièrement importante dans ce cas : l'exécution régulière. Une fois par mois au moins, ou mieux encore une fois par semaine, il convient d'effectuer la sauvegarde des données.

Conservez les disquettes dans un lieu sûr et étiquetez-les clairement. Notez surtout le nom, le type et la date de la sauvegarde.

Option *Seulement* Sélectionnez la case d'option *Seulement les fichiers nou-*
les fichiers *veaux et modifiés,* si vous voulez sauvegarder unique-
nouveaux... ment les données modifiées depuis la dernière sauvegarde complète.

Sélectionnez le type voulu et confirmez les définitions avec *OK*. Sélectionnez les données à sauvegarder et la destination pour la sauvegarde et lancez la procédure en cliquant sur *Démarrer*.

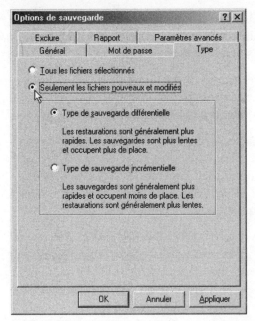

Figure 9.28   Sélection du type de sauvegarde dans *Microsoft Backup*

Définition des options de sauvegarde dans *Microsoft Backup*

Microsoft Backup avec les paramètres par défaut exécute toujours une sauvegarde de tous les fichiers sélectionnés. Ces données sont compressées et copiées sur des bandes ou des disquettes. Pour configurer la fonction de *Copie de sauvegarde des données*, lancez tout d'abord *Microsoft Backup* à l'aide de *Démarrer/ Programmes/ Accessoires/ Outils système/Sauvegarde*.

Sans l'Assistant   Dans la boîte de dialogue *Microsoft Backup*, cliquez sur le bouton *Fermer* pour ne pas activer l'Assistant Sauvegarde. Dans la fenêtre de programme, sélectionnez la commande *Options* du menu *Opérations* ou cliquez sur le bouton *Options...* qui se trouve au bas de l'onglet *Sauvegarde*.

Options	Normalement *Microsoft Backup* compresse les données sur le support de sauvegarde ; cela permet d'économiser de l'espace mais requiert un peu plus de temps.
Compression des données	La case d'option *Compression normale pour une sauvegarde rapide* permet de définir une procédure de sauvegarde plus rapide mais moins efficace.
Epargne de temps	Il est également possible d'épargner du temps en désactivant la case à cocher *Comparer les fichiers originaux et sauvegardés...* qui durant l'opération de sauvegarde compare par défaut les données sauvegardées et les données d'origine mais qui requiert un certain temps.
Recouvrir le support de données	Activez la case d'option *Remplacer la sauvegarde précédente par celle-ci*, si vous voulez copier la sauvegarde sur des disquettes ou des bandes déjà utilisées et dont le contenu n'est plus nécessaire. Pour des raisons de sécurité, nous vous déconseillons cette méthode.

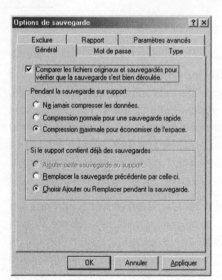

Figure 9.29   Définition des options de la sauvegarde des données

Mot de passe

L'onglet *Mot de passe* et la case à cocher *Protéger cette sauvegarde avec un mot de passe* permettent de choisir un mot de passe.

Tapez le mot de passe (huit caractères au maximum) dans les zones de texte *Mot de passe* et *Confirmation du mot de passe* puis cliquez sur *Appliquer*. A présent, pour accéder aux données figurant sur les supports de sauvegarde, il faut connaître ce mot de passe.

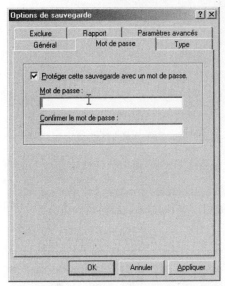

Figure 9.30   Définition du mot de passe protégeant la sauvegarde

Rapport

Dans l'onglet *Rapport*, il faut établir comment *Microsoft Backup* doit réagir en cas d'erreurs et si la sauvegarde peut avoir lieu sans que l'utilisateur fournisse d'autres informations.

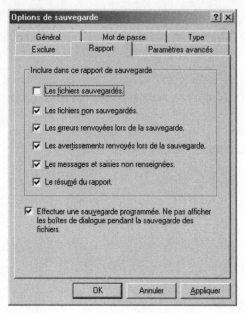

Figure 9.31 Définition des options pour le rapport de sauvegarde

Lancement de la sauvegarde Confirmez avec *OK* puis sélectionnez les données, le lecteur de destination etc. et lancez la sauvegarde.

Restauration des données sauvegardées avec *Microsoft Backup*

La fonction *Restauration* de *Microsoft Backup* permet de transférer les données stockées sur les supports de sauvegarde vers le disque dur.

Transfert de fichiers volumineux *Microsoft Backup* peut également être utilisé pour transférer des fichiers volumineux depuis un ordinateur vers un autre. Pour utiliser la fonction *Restauration*, lancez tout d'abord *Microsoft Backup* en sélectionnant. *Démarrer/Programmes/Accessoires/Outilssystème /Sauvegarde*.

Ouvrir une opération de sauvegarde existante

Dans la boîte de dialogue de *Microsoft Backup*, sélectionnez l'option *Ouvrir une opération de sauvegarde existante* et confirmez avec *OK*. Dans la boîte de dialogue *Ouvrir l'opération de sauvegarde*, sélectionnez le nom d'une destination de sauvegarde disponible et cliquez sur *Ouvrir*. La fenêtre de *Microsoft Backup* est activée, passez à l'onglet *Restauration*.

Un message vous demandant si vous voulez actualiser l'affichage apparaît, cliquez sur *Oui*. *Microsoft Backup* enregistre les emplacements disponibles et affiche le contenu dans la boîte de dialogue *Sélectionner les jeux de sauvegarde*.

Sélectionner les jeux de sauvegarde

Sélectionnez-y le nom d'un jeu de sauvegarde et cliquez sur *OK*. Après l'enregistrement, la fenêtre *Microsoft Backup* est de nouveau activée.

Assistant Restauration

Comme pour la création d'une copie de sauvegarde, vous pouvez faire appel à un assistant pour effectuer la restauration. Pour cela, sélectionnez dans le menu *Outils* la commande *Assistant restauration*.

Restaurer

Sélectionnez à présent le support où se trouve la sauvegarde. Déroulez la boîte à liste *Restaurer à partir de* Fichier ▼ et sélectionnez le périphérique de sauvegarde. Dans la fenêtre de *Microsoft Backup,* cette boîte se trouve en haut à droite. Si vous ne disposez pas d'un périphérique de sauvegarde, choisissez la rubrique *Fichier*. Pour restaurer des disquettes cliquez sur ce bouton 🖫 et sélectionnez le lecteur et le fichier de sauvegarde.

Mise à jour de l'Affichage

Un message vous demandera si vous voulez actualiser l'affichage en cours, cliquez sur Oui. *Microsoft Backup* enregistre ensuite les jeux de sauvegarde disponibles et les affiche dans la boîte de dialogue *Sélectionner les jeux de sauvegarde*. Sélectionnez-y le nom d'un jeu de sauvegarde et cliquez sur *OK*. Une fois le catalogue temporaire créé, il faut définir les fichiers à restaurer.

Sélection des fichiers à restaurer

Dans la fenêtre *Microsoft Backup* passez à l'onglet *Restauration*. A ce stade, quelle que soit la méthode utilisée, vous verrez la même boîte de dialogue permettant de sélectionner les fichiers à restaurer. Dans la partie gauche, sélectionnez le (ou les) dossier(s) contenant les données voulues.

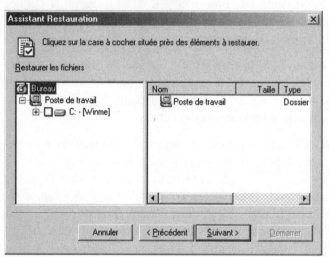

Figure 9.32   Définition des fichiers à restaurer (avec l'Assistant)

Affichage de la structure arborescente

Pour voir la structure arborescente, cliquez (à gauche) sur le signe positif ⊞ précédant le nom des dossiers. *Microsoft Backup* affiche les chemins d'origine qui ont été suivis pour exécuter la sauvegarde. Pour visualiser le contenu d'un dossier, cliquez sur son nom.

Restauration de la sauvegarde

Pour sélectionner tous les objets d'une sauvegarde, cochez la case ☑ 💻 C: - [Winme] précédant le nom du support de données. Pour sélectionner un dossier ou sous-dossier, cochez la case ☑ précédant leur nom dans la partie gauche.

Pour sélectionner les fichiers voulus, cochez toujours la case ☑ précédant leur nom mais dans la partie droite. Vous devez, pour cela, parcourir le dossier correspondant. Cliquez sur le signe positif ⊞ dans la partie gauche pour dérouler la structure. Le contenu de chaque dossier peut être visualisé à droite en cliquant sur son nom. Cliquez sur le bouton *Suivant*.

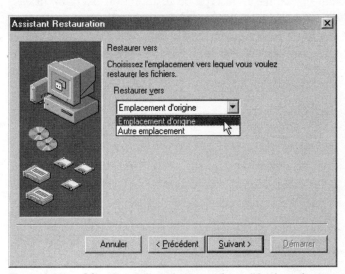

Figure 9.33   Sélection de l'emplacement (avec l'Assistant)

Dossier d'origine

Il faut à présent sélectionner l'*emplacement de destination* dans la boîte de dialogue de l'*Assistant Restauration*. Dans la fenêtre de *Microsoft Backup*, utilisez la boîte à liste déroulante *Restaurer vers* située en bas à gauche. Avec la rubrique standard *Emplacement d'origine*, *Microsoft Backup* écrit les données de la sauvegarde dans le dossier d'origine.

Autre emplacement

Si vous voulez qu'elles soient restaurées dans un autre dossier, sélectionnez la rubrique *Autre emplacement*. Pour sélectionner le nouveau dossier de destination, utilisez le bouton  puis confirmez avec *OK*.

Ne pas remplacer le fichier

Cliquez sur *Suivant* dans la boîte de dialogue de l'Assistant et établissez le type de restauration. Activez la case d'option *Ne pas remplacer les fichiers sur mon ordinateur* pour éviter qu'un fichier plus récent portant le même nom soit écrasé par une version précédente de sauvegarde. Dans la fenêtre de *Microsoft Backup,* il faut cliquer sur le bouton *Options...* et choisir l'onglet *Général*.

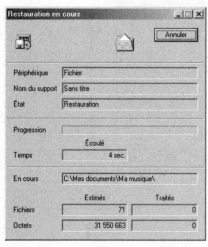

Figure 9.34   Restauration des données de sauvegarde et message confirmant le bon déroulement de l'opération

Réécriture de la copie de sauvegarde

Cliquez sur *Démarrer* pour lancer la restauration. *Microsoft Backup* réécrit la copie de sauvegarde. Si vous avez utilisé des disquettes, suivez les procédures relatives pour changer le support de données.

Si les données de la sauvegarde sont réécrites sans problèmes sur le disque dur, le message *Opération terminée* apparaît, cliquez sur *OK* pour le confirmer. Cliquez de nouveau sur *OK* pour fermer la boîte de dialogue *Restauration en cours* et revenir à la fenêtre de *Microsoft Backup*.

Définition des options de *Restauration* de *Microsoft Backup*

Si vous effectuez la restauration sans l'Assistant restauration, Microsoft Backup réécrit par défaut la copie de sauvegarde sur l'emplacement d'origine. Par ex. si vous avez sauvegardé des données dans le dossier Mes documents, *Microsoft Backup* réécrit la copie de sauvegarde exactement dans ce dossier. Si entre-temps le dossier d'origine a été supprimé, le programme crée de nouveau le dossier d'origine avec ses sous-dossiers et y stocke les fichiers de sauvegarde.

Personnalisation de la restauration

Il est possible de modifier la fonction de *Restauration* afin que les données de sauvegarde soient réécrites dans un autre dossier que celui d'origine.

Pour cela, il faut tout d'abord lancer *Microsoft Backup*. Choisissez donc les commandes *Démarrer/ Programmes/ Accessoires/Outils système/Sauvegarde*.

Dans la boîte de dialogue *Microsoft Backup*, cliquez sur *Fermer*. Passez à l'onglet *Restauration*. Confirmez le message d'actualisation de l'affichage par *Oui*.

Sélectionner les jeux de sauvegarde

Microsoft Backup analyse les jeux de sauvegarde disponibles et les affiche dans la boîte de dialogue *Sélectionner les jeux de sauvegarde*. Sélectionnez un jeu de sauvegarde disponible et confirmez avec *OK*. Après la création du catalogue temporaire, vous revenez à la fenêtre *Microsoft Backup*.

Restaurer vers

Ouvrez la boîte à liste déroulante *Restaurer vers* ; si vous voulez restaurer les données dans un dossier autre que celui d'origine, sélectionnez l'option *Autre emplacement*. Pour sélectionner le nouveau dossier de destination, utilisez le bouton 🗁.

Sélection du dossier de destination

Cliquez sur le signe positif pour afficher la structure arborescente du lecteur ou du dossier et sélectionnez le dossier de destination en cliquant sur son nom puis confirmez avec *OK*.

D'autres options

Pour sélectionner d'autres options, cliquez sur le bouton *Options...* puis passez à l'onglet *Général*.

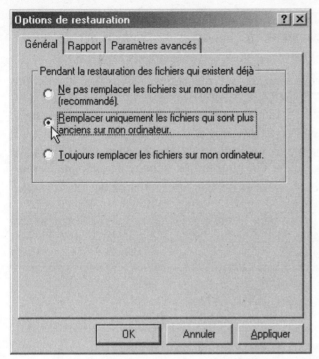

Figure 9.35   Onglet *Général* après un clic sur le bouton *Options...*

Sélectionnez l'option *Remplacer uniquement les fichiers qui sont plus anciens sur mon ordinateur*, si vous voulez que *Microsoft Backup* écrase les versions moins récentes de sauvegarde par les plus récentes. Avec l'option *Toujours remplacer les fichiers sur mon ordinateur* toutes les données (même les plus récentes) sont écrasées par la version courante de sauvegarde !

Rapport

Dans l'onglet *Rapport*, vous établissez comment *Microsoft Backup* doit se comporter en cas d'erreurs durant la restauration et si la procédure peut avoir lieu sans que l'utilisateur fournisse d'autres informations. Nous vous conseillons de ne pas modifier les paramètres standards de cet onglet.

Restaurer

Confirmez la définition des options avec *OK* et lancez la procédure de *Restauration* en cliquant sur *Démarrer*. *Microsoft Backup* réécrit la copie des sauvegardes.

Message *Opération*
terminée

Si vous utilisez des disquettes, suivez les instructions vous demandant d'insérer le support suivant. Si les données de la sauvegarde sont réécrites sans problèmes sur le disque dur, le message *Opération terminée* apparaît (voir la Figure 9.34 à droite) et confirmez avec *OK*. Cliquez de nouveau sur *OK* pour fermer la boîte de dialogue *Restauration en cours* et revenir à la fenêtre *Microsoft Backup*.

L'assistant pour la sauvegarde ou la restauration peut être rappelé dans la fenêtre *Microsoft Backup* à l'aide du menu *Outils*.

10. Applications multimédias

DVD, Télévision
digitale, audio et
jeux

Ce chapitre présente les applications multimédias les plus importantes intégrées dans *Windows Me*. Ce système d'exploitation est prédisposé pour la reproduction vidéo digitale, le DVD, le support pour audio digitale, la dernière génération de jeux *Direct-X*, la réception de la télévision digitale depuis Internet et également la connexion de « camcorder » digitaux via *IEEE 1394* (firewire). *Windows Me* offre également une réélaboration vidéo qui est réalisée à travers un petit programme.

Le présent chapitre indique comment reproduire les sons à partir de fichiers audio en ajoutant des effets ou en effectuant des enregistrements mais également comment lire les fichiers audio des outils digitaux *MIDI* et écouter des clips vidéo ou des compacts disques musicaux.

Carte audio, haut-
parleurs et lecteur
de CD-ROM

Il vous montrera également comment configurer les pilotes nécessaires et faire en sorte que *Windows Me* associe des sons à des évènements système particuliers. Pour exécuter la plupart des fonctions décrites dans ce chapitre, votre ordinateur doit être équipé d'une carte audio reliée à des haut-parleurs et d'un lecteur de CD-ROM.

Assignation de sons aux évènements système

Comment faire si l'on veut accueillir le lancement de *Windows* avec tous les honneurs ou que les messages d'erreur soient accompagnés d'un tintement ou bien qu'un son retentisse chaque fois qu'une fenêtre s'ouvre ?

Sons individuels

Cela n'est pas un problème car dans *Windows Me*, il est possible d'assigner un son à un événement système qui retentira chaque fois que ce dernier se vérifiera mais il est indispensable de posséder une carte audio installée et un haut-parleur relié à l'ordinateur.

Signaux sonores

Pour assigner des fichiers audio à des événements système, lancez le *Panneau de configuration* à l'aide de *Démarrer/Paramètres* ou à partir du *Poste de travail* 🖳. Double-cliquez ensuite sur l'icône *Sons et multimédia* et restez sur l'onglet *Sons*. Dans la liste *Evénements sonores*, sélectionnez l'évènement de Windows auquel vous voulez affecter un son. Déroulez la boîte à liste *Nom* et cliquez sur l'un des sons. Utilisez éventuellement la barre de défilement pour parcourir toutes les rubriques de la liste.

Bouton *Lecture*

Dans la liste *Evénements sonores* tous les évènements auxquels un fichier audio a été assigné sont précédés de l'icône d'un haut-parleur 🔊. Les sons associés aux rubriques sélectionnées peuvent être reproduits en cliquant sur le bouton *Lecture* ▶. Répétez cette procédure pour tous les événements auxquels vous voulez affecter un son.

Figure 10.1   Assignation d'un son aux événements système

438

Pour régler le volume des sons associés aux divers évènements, cliquez sur l'icône du haut-parleur ◀▷ située
dans la barre des tâches sur le côté droit et faites glisser
le curseur de la règle sur la position voulue. Les fichiers
énumérés dans la liste *Nom* sont enregistrés dans le dossier *C:\Windows\media*. Le bouton *Parcourir...* permet
d'assigner des sons personnalisés.

Installation et définition des modèles de sons de Windows

Modèle de sons

Dans *Windows Me*, un son différent peut être assigné à
chaque événement système afin qu'il retentisse dès que
l'événement se produit. Cette section décrit comment assigner en une seule opération un modèle de sons Windows à plusieurs événements. Les modèles contiennent
différents sons qui sont automatiquement assignés à des
évènements déterminés.

Les modèles de sons sont en outre associés à un Thème
de Windows. Vous disposez de différents types de sons,
tels que ceux des instruments de musique, les bruits de la
jungle, les sons mécaniques, etc.

Signaux sonores

Pour insérer un modèle de sons, lancez le *Panneau de
configuration* avec *Démarrer/Paramètres* ou à partir du
Poste de travail 🖳. Double-cliquez ensuite sur l'icône
Sons et multimédia puis restez sur l'onglet *Sons*. Déroulez la boîte à liste *Modèle* et cliquez sur l'une des rubriques.

**Liste *Evénements
sonores***

Dans la liste *Evénements sonores*, l'icône du haut-parleur
◀▷ précède tous les évènements auxquels un modèle de
sons a été assigné. Les sons associés aux rubriques sélectionnées peuvent être reproduits en cliquant sur le bouton
Lecture ▶ .

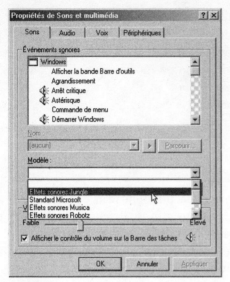

Figure 10.2   Modification complète du système audio à l'aide des *modèles* de sons

Installation des modèles

Si la boîte à liste *Modèle* ne contient aucune rubrique ou seulement *Standard Microsoft*, sélectionnez *Démarrer/Paramètres/Panneau de configuration* puis double-cliquez sur l'icône *Ajout/Suppression de programmes*.

Installation de Windows

Dans la boîte de dialogue *Propriétés de Ajout/Suppression de programmes*, choisissez l'onglet *Installation de Windows*. A l'aide de la barre de défilement parcourez la liste *Composants* et sélectionnez la rubrique *Multimédia* à l'aide d'un clic.

Durant l'installation standard de *Windows Me*, seul le modèle *Standard Microsoft* est chargé sur l'ordinateur. Pour installer par la suite d'autres modèles, rappelez le Panneau de configuration, double-cliquez sur l'icône *Ajout/Suppression de programmes*, passez à l'onglet *Installation de Windows* et sélectionnez la rubrique *Multimédia* à l'aide d'un clic. Cliquez ensuite sur le bouton *Détails...* puis cochez la case *Modèles de sons multimé-*

dias. Cliquez sur *OK* dans les deux boîtes de dialogue, à présent d'autres modèles sont disponibles dans la boîte de dialogue *Propriétés de Sons et multimédia*.

Base de données
de sons

Cliquez sur *OK* deux fois pour confirmer. Au terme de la copie des données, quittez le *Panneau de configuration*. A ce stade, vous pouvez assigner les nouveaux modèles en rappelant le *Panneau de configuration/Sons et multimédia*.

Pour régler le volume des sons liés aux événements système, cliquez sur l'icône du haut-parleur dans la barre des tâches et faites glisser le curseur de la règle sur la position voulue. Si vous n'entendez aucun son, contrôlez que les haut-parleurs sont bien branchés.

Définition du volume

Windows Me est en mesure de reproduire et d'enregistrer presque tous les sons audio digitaux. Pour l'émission ou l'enregistrement de fichiers audio (sons), il existe des applications multimédias spéciales appartenant au groupe de programmes *Accessoires* dont nous parlerons à part. Dans cette section, nous allons décrire comment définir le volume pour la lecture et l'enregistrement des sons. Toutes les applications audio se servent du mixeur de *Windows Me*.

Contrôle du volume à l'aide du mixeur de *Windows Me*

Il est inutile de chercher la rubrique Mixeur car le terme correct est *Contrôle du volume*. Pour y accéder, sélectionnez *Démarrer/ Programmes/ Accessoires/ Divertissement/Contrôle du volume*. Le système ouvre une boîte de dialogue dont le nom peut varier en fonction de la carte audio installée mais semblable à celle représentée dans la Figure 10.16. Pour certaines cartes audio (par ex. *Soundblaster,*) la boîte de dialogue est en anglais.

Contrôle du volume

Si la boîte de dialogue *Contrôle du volume* présente un nombre inférieur de curseurs, sélectionnez *Options* puis cliquez sur *Réglages Avancés*.

Boîte de dialogue
Propriétés

A l'aide de *Options/Propriétés*, sous *Afficher les contrôles de volume suivants*, vous pouvez personnaliser l'affichage en activant ou désactivant les cases à cocher relatives.

Spécifiez également si vous voulez visualiser les curseurs relatifs à la *lecture,* l'*enregistrement* ou à d'autres périphériques audio *(Autre).*

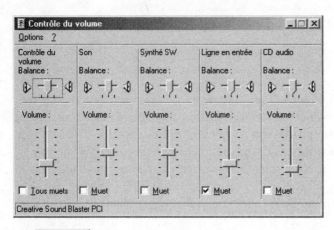

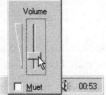

Figure 10.3   Contrôle du volume pour la lecture de sons, en haut : affichage complet

Curseur *Volume*

Pour le contrôle du volume en général, utilisez le curseur *Volume* situé à gauche. Le volume de certains sons (par ex. *wave*, *CD* ou *MIDI*) peut être réglé à l'aide du curseur correspondant. Les modifications entrent immédiatement en vigueur.

Voici comment rappeler rapidement le Contrôle du volume : dans le *Panneau de configuration*, double-cliquez sur l'icône *Sons et multimédia*, puis dans l'onglet *Sons*, cochez la case *Afficher le contrôle du volume sur la barre des tâches* pour insérer l'icône du contrôle du volume 🔊 00:53 dans cette barre (Figure 10.3 en bas). Vous pourrez ainsi ouvrir la boîte de dialogue relative en double-cliquant sur 🔊.

Modification des propriétés des dispositifs multimédias

Tous les ordinateurs les plus récents sont généralement dotés d'une carte audio. Celle-ci permet non seulement de reproduire les sons du système ou du CD audio mais également d'effectuer des enregistrements à l'aide d'un microphone.

Technologie *Plug & Play*

La plupart des cartes audio fonctionnent selon la technologie *Plug & Play*. Théoriquement, il suffit de monter cette carte audio dans le logement de l'ordinateur réservé aux cartes d'extension et d'installer le logiciel qui l'accompagne. Après cela, le monde magique du multimédia est à votre disposition.

Option *Multimédia*

Les dispositifs audio peuvent bien sûr être configurés manuellement. Cette section illustre comment modifier les définitions de base du volume aussi bien pour la lecture que pour l'enregistrement. Elle décrit, par ailleurs, les options permettant de régler la qualité de l'enregistrement et indique comment afficher dans la barre des tâches l'icône du contrôle du volume. Pour configurer les périphériques multimédias, sélectionnez *Démarrer/Paramètres/Panneau de configuration* puis double-cliquez sur *Sons et Multimédia* et passez à l'onglet *Audio*.

Figure 10.4   Configuration des périphériques de lecture et d'enregistrement par défaut

Périphérique de
lecture ou
d'enregistrement

A l'aide des boîtes à liste figurant sous *Lecture des sons* et *Enregistrement des sons*, configurez les périphériques voulus pour la lecture des sons du système. La carte audio active est normalement affichée dans les boîtes à liste déroulante *Périphérique par défaut*. Si la carte audio utilisée supporte d'autres formats audio, la boîte à liste contiendra d'autres options.

Utiliser seulement les périphériques par défaut

Si vous utilisez des programmes requérant un matériel spécifique, définissez sous *Périphériques par défaut* les dispositifs audio voulus. Pour ces programmes, vous pouvez en outre cocher la case *Utiliser seulement les périphériques par défaut* qui se trouve au bas de l'onglet.

Le volume de base ou le niveau d'enregistrement peuvent être définis en cliquant sur le bouton *Volume* et à l'aide de la boîte de dialogue *Contrôle du volume*.

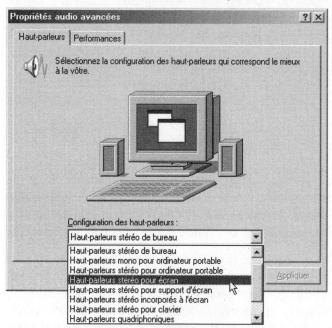

Figure 10.5   Définition des propriétés des haut-parleurs

Définition des propriétés

A l'aide du bouton *Avancé*, réglez la définition de base des périphériques de lecture et d'enregistrement. Dans la boîte de dialogue *Propriétés audio avancées* vous pouvez, par ex. déterminer le type de haut-parleur relié à votre ordinateur (voir la Figure 10.5). Dans l'onglet *Performances* vous pouvez, par contre, définir la *qualité de conversion du taux d'échantillonnage*. Confirmez toutes les modifications en cliquant sur OK. Le bouton *Paramètres par défaut* permet de revenir à la définition initiale.

Le contrôle du volume de lecture et d'enregistrement ne peut être défini à partir du *Panneau de configuration* que si les périphériques audio ont été installés correctement. Cochez la case *Afficher le contrôle du volume sur la barre des tâches* pour pouvoir par la suite définir le volume en cliquant sur l'icône 🔊 00:53 . Les paramètres à disposition permettent également d'installer un haut-parleur pour l'effet « surround », par exemple pour la reproduction des sons de films en DVD.

Reproduction de fichiers audio

Si votre ordinateur est équipé d'une carte audio et de haut-parleurs, il sera en mesure de lire les fichiers audio digitaux. Ces fichiers nommés *WAV* sont également utilisés pour assigner des sons à des événements système.

Fichiers *Wav*

En conséquence, peut-être que vous entendrez le cri d'un gorille lorsqu'un message d'erreur s'affiche ou la Cinquième symphonie de Beethoven lors du lancement de Windows ou encore le bruit d'une bouteille débouchée quand vous ouvrez et fermez une fenêtre. Il s'agit naturellement d'exemples que nous avons choisis parmi les nombreuses possibilités offertes par les fichiers audio.

Lecture de fichiers audio à l'aide du *Magnétophone*

Pour lire un fichier audio enregistré dans le support de données, vous pouvez activer le *Magnétophone*. Pour cela, sélectionnez *Démarrer / Programmes / Accessoires/ Divertissement* et dans le sous-menu, cliquez sur la commande *Magnétophone*.

Fichiers audio intégrés

Dans le menu *Fichier,* sélectionnez la commande *Ouvrir.* Le *Magnétophone* ouvre par défaut le dossier *C:\Windows\Media,* où sont stockés les fichiers audio intégrés dans *Windows Me.* Sélectionnez l'un des fichiers audio affichés ou passez éventuellement à un autre dossier. Pour charger le fichier, cliquez sur le bouton *Ouvrir.*

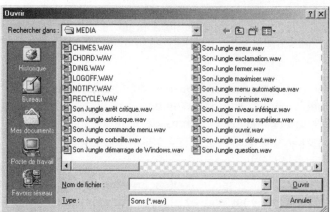

Figure 10.6   Le dossier standard des sons de *Windows Me*

Boutons

Le bouton *Lecture* ▶ permet de reproduire le son du fichier audio. Si vous cliquez sur *Arrêter* ■ la lecture sera interrompue. Le bouton *Recherche arrière* ◀◀ vous ramène au début du fichier audio ; le bouton *Recherche avant* ▶▶ permet de passer à la fin du fichier audio.

Figure 10.7   Lecture de fichiers Wav

Position de lecture   Vous pouvez, en outre, utiliser le curseur pour atteindre la position voulue. La boîte de dialogue affiche à gauche la position courante de la lecture exprimée en centièmes de seconde et à droite la durée totale du fichier audio. Durant la lecture, la forme d'onde du signal est représentée graphiquement sur un arrière plan noir.

Si vous entendez mal ou pas du tout le fichier audio, double-cliquez sur l'icône du haut-parleur ◁ située dans la barre des tâches et définissez de nouveau le niveau de reproduction à l'aide du curseur *Wave* ou *Volume* puis lancez la lecture.

Bouton *Enregistrer*   Si vous cliquez sur le bouton *Enregistrer* ● du *Magnétophone*, vous pouvez effectuer des enregistrements à l'aide d'un micro. D'autres détails seront fournis ci-après.

Pour régler le volume durant la reproduction des sons associés à des événements système, cliquez sur l'icône du haut-parleur ◁ située dans la barre des tâches et faites glisser le curseur sur la position voulue.

Lecture de fichiers audio à l'aide du *Lecteur Windows Media*

Pour la reproduction automatique de presque tous les fichiers multimédias, *Windows Me* utilise le *Lecteur Windows Media*. Il s'agit d'un programme de lecture universel qui est lancé automatiquement lorsque vous double-cliquez sur un objet multimédia à partir du *Poste de travail* ou de l'*Explorateur Windows*.

Le *Lecteur Windows Media* permet de reproduire tous les types de fichiers audio, de clips vidéo, de séquences *MIDI* ou bien de fichiers *mp3*. Pour y accéder, sélectionnez *Démarrer/ Programmes/ Accessoires/ Divertissement* et cliquez sur *Lecteur Windows Media* dans le sous-menu qui apparaît. Ce programme peut également être rappelé en cliquant sur son icône ▶ dans la barre de lancement rapide.

Boîte à liste *Type* Sélectionnez *Fichier/Ouvrir...*. Dans la boîte à liste déroulante *Type*, choisissez le format de l'objet multimédia à reproduire. Pour les sons *WAV* ou les sons système de *Windows*, sélectionnez-y la rubrique *fichiers audio*. Pour lire un CD musical, cliquez sur *Piste de CD audio* puis sélectionnez le CD-ROM dans la boîte à liste *Rechercher dans*.

Dossier
C:\Windows\Media Recherchez le dossier d'origine à l'aide de la boîte à liste *Rechercher dans:*. Les exemples relatifs aux Sons Wave se trouvent dans le dossier *C:\Windows\Media*. Sélectionnez le fichier et cliquez sur *Ouvrir*.

La reproduction est automatiquement lancée. Le nom du fichier et l'état de reproduction actuel apparaissent dans la partie centrale.

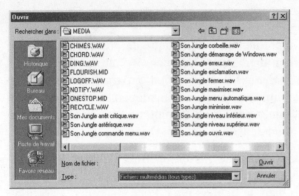

Figure 10.8   Boîte de dialogue d'ouverture de fichiers audio

Par défaut, durant la lecture des fichiers, vous verrez au centre de la fenêtre du *Lecteur Windows Media* une image animée constituée de différentes formes et couleurs (pour choisir un autre type d'image, sélectionnez *Affichage/Visualisations*).

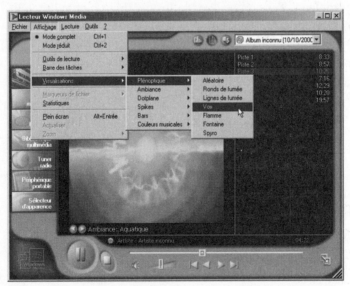

Figure 10.9   Définition des formes et des couleurs à l'aide du menu Affichage/Visualisations

Pour que la fenêtre prenne tout l'écran, sélectionnez *Affichage/Plein écran.*

Si vous devez travailler sur votre ordinateur durant la lecture, sélectionnez l'option *Mode réduit* dans le menu *Affichage*. Ainsi, la fenêtre du *Lecteur Windows Media* est réduite comme il se doit. Sur les vieux ordinateurs, la visualisation requiert un temps d'élaboration très long, vous pouvez dans ce cas renoncer aux effets de formes et de couleurs en désactivant la rubrique *Afficher les visualisations* dans le menu *Affichage/Outils de lecture.*

Vous pouvez charger d'autres visualisations à l'aide du menu *Outils/Télécharger des visualisations.*

Figure 10.10   Lecture d'un fichier audio avec le *Lecteur Windows Media*

Boutons

Vous disposez de boutons permettant de contrôler le *Lecteur Windows Media*. Pour interrompre la reproduction, cliquez sur le bouton *Arrêter* ⬤. Pour la lancer de nouveau, cliquez sur *Lire* ⬤. Vous pouvez la suspendre temporairement à l'aide du bouton *Pause* ⬤.

Vous pouvez aussi utiliser le curseur et donc la souris pour atteindre certaines positions. Pour *avancer* rapidement, cliquez sur ▶ pour *rembobiner* rapidement cliquez sur ◀. Si plusieurs titres figurent dans la barre de titre, utilisez les boutons ▶❙ et ❙◀ pour passer d'un titre à l'autre.

Quelle différence y-a-t-il entre le *Lecteur Windows Media Player* et le *Magnétophone* ?

Le magnétophone sert à reproduire, enregistrer ou modifier des fichiers audio d*e type WAV* tandis que le *Lecteur Windows Media* sert seulement à la lecture mais de presque tous les objets multimédias connus. Il permet en outre de télécharger du matériel radio et vidéo depuis Internet.

Si vous double-cliquez sur un fichier audio (ou vidéo) dans le *Poste de travail* ou l'*Explorateur Windows*, le *Lecteur Windows Media* sera directement lancé et reproduira le son. Ce programme ne permet pas de modifier ou d'enregistrer le fichier. Toutefois il peut lire tous les formats de fichier audio actuellement disponibles y compris les fichiers *MP3* pris sur Internet qui ont beaucoup de succès ces derniers temps.

Le *Lecteur Windows Media* permet aussi de reproduire des clips vidéo (fichier *AVI* et *MPG*), des séquences *MIDI (*des fichiers *MID(I)* etc.*)* et les données en continu (*streaming*) prises sur le web. Pour cela, reportez-vous aux sections suivantes.

Enregistrement de fichiers audio

Si votre ordinateur est équipé d'une carte audio et que vous disposez d'un micro, vous pouvez effectuer des enregistrements et les mémoriser comme fichiers audio digitaux mais aussi créer des fichiers *WAV* à insérer comme objets dans presque toutes les applications modernes de *Windows Me*. Ces sons pourront bien évidemment être assignés à des événements système déterminés.

Bouton *Enregistrer*
Enregistrer

Pour enregistrer des sons à l'aide du microphone, lancez le *Magnétophone* à l'aide de *Démarrer/Programmes/ Accessoires/Divertissement/Magnétophone*. Saisissez le micro et cliquez sur le bouton *Enregistrer* ● .

Interrompre
l'enregistrement

A présent, parlez (ou chantez) dans le micro. Le temps écoulé est exprimé en secondes à gauche sous *Position*. Cliquez sur *Arrêter* ■ pour interrompre l'enregistrement. Le bouton *Lecture* ▶ reproduit l'enregistrement. Le bouton *Recherche arrière* ◀◀ ramène au début, le bouton *Recherche avant* ▶▶ porte directement à la fin de l'enregistrement. Vous pouvez, en outre, utilisez le curseur ———╂——— pour atteindre la position voulue.

Volume du micro

Si vous entendez mal ou pas du tout le fichier audio, double-cliquez sur l'icône du haut-parleur 🔊 située dans la barre des tâches et redéfinissez le volume d'enregistrement à l'aide du curseur *Micro* ou *Line-in* puis enregistrez de nouveau.

Figure 10.11 Une carte audio et un micro vous permettent d'effectuer vos propres enregistrements

Enregistrement des fichiers audio

Pour mémoriser l'enregistrement comme fichier audio sur le support de données, sélectionnez *Fichier/Enregistrer sous*. Si vous voulez le mémoriser dans le dossier contenant tous les sons système, sélectionnez *C:\Windows\ Media*. Vous pourrez ainsi utiliser vos enregistrements comme sons à assigner aux événements système à l'aide du *Panneau de configuration/Sons et multimédia* et de la boîte à liste déroulante *Nom*. Sélectionnez éventuellement un autre dossier de destination puis confirmez en cliquant sur *Enregistrer*.

Le *Magnétophone* enregistre toujours avec le format audio suivi de l'extension fichier *wav*. Pour modifier la qualité de l'enregistrement, utilisez soit l'icône *Sons et multimédias* du Panneau de configuration, soit le bouton *Modifier* dans la boîte de dialogue *Enregistrer sous*. Le format standard est *PCM* mais vous pouvez faire votre choix dans la boîte à liste *Format*.

La vitesse de balayage et la qualité peuvent être définies dans la boîte à liste *Attributs*. Parmi les valeurs, il y a également le besoin de mémoire exprimé en Ko correspondant à son *WAV* d'une seconde.

Effets pour fichiers audio

Le programme multimédia *Magnétophone* permet non seulement d'enregistrer et lire les fichiers audio du type *WAV* mais également de les modifier.

Les résultats que vous obtiendrez ne seront pas extraordinaires mais satisfaisants pour les utilisateurs qui font leurs premiers pas dans l'élaboration des sons.

Avant de modifier un fichier audio, ce dernier doit être enregistré ou choisi parmi les fichiers offerts par *Windows Me*.

Définition des effets pour les fichiers audio à l'aide du *Magnétophone*

Pour lancer le programme *Magnétophone*, sélectionnez *Démarrer/Programmes/Accessoires/Divertissement* et cliquez dans le sous-menu sur la commande *Magnétophone*. Effectuez votre enregistrement comme illustré ci-après ou ouvrez l'un des sons fournis avec Windows figurant dans le dossier *C:\Windows\Media..* à l'aide de *Fichier/Ouvrir*.

Boutons

Avec le bouton *Lecture* ▶ vous reproduisez le son du fichier audio, le bouton *Arrêter* ■ permet d'interrompre la lecture. Le bouton *Recherche arrière* ◀◀ permet de revenir au début du fichier audio, avec *Recherche avant* ▶▶ vous passez à la fin du fichier audio. Vous pouvez aussi utiliser le curseur ———▯——— pour atteindre la position voulue

Position de lecture

La boîte de dialogue affiche à gauche la position courante de la lecture exprimée en centièmes de seconde et à droite la durée totale du fichier audio. Durant la lecture, la forme d'onde du signal est représentée graphiquement sur un arrière plan noir.

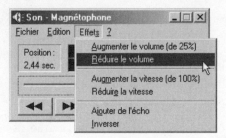

Figure 10.12   Le menu *Effets* du *Magnétophone*

Menu *Effets*

Pour modifier le fichier audio ouvert, utilisez le menu *Effets*. Les effets disponibles sont valables pendant toute la durée du fichier.

- *Augmenter le volume (25 %)*
lève d'environ 25% le volume du son. Cette commande peut être utilisée plusieurs fois de suite mais le son est rapidement déformé.

- *Réduire le volume*
réduit le volume du fichier audio. Cette commande peut être activée plusieurs fois de suite.

- *Augmenter la vitesse (100 %)*
redouble la vitesse de lecture du fichier audio. Cette commande peut être activée plusieurs fois de suite

- *Réduire la vitesse*
réduit la vitesse de lecture du fichier audio. Cette commande peut être activée plusieurs fois de suite.

- *Ajouter de l'écho*
ajoute un écho digital au fichier audio. Cette commande peut être sélectionnée plusieurs fois de suite ou tant que vous arrivez à entendre l'écho.

- *Inverser*
lit le fichier audio à l'envers.

Plus vous combinez d'effets les uns avec les autres, plus la qualité de la lecture sera mauvaise. L'utilisation répétée d'effets réduit considérablement la qualité de reproduction. Il est possible de revenir à l'état d'origine du fichier *WAV* enregistré en choisissant la commande *Fichier/Restaurer* et en confirmant avec *Oui.*

Pour régler le volume durant la reproduction de fichiers audio modifiés, cliquez sur l'icône du haut-parleur située dans la barre des tâches et faites glisser le curseur sur la position voulue.

Reproduction de fichiers MP3

Le programme *Lecteur Windows Media,* grâce auquel vous pouvez reproduire les fichiers audio au format WAV, permet également de lire les fichiers *MP3* qui ont tant de succès ces derniers temps. Les enregistrements musicaux peuvent être mémorisés avec la même qualité qu'un CD-ROM dans les fichiers MP3 en utilisant seulement un dixième du besoin de mémoire des fichiers *Wav.*

Musique sur Internet

Les morceaux *mp3* sont donc particulièrement appropriés à la diffusion à travers Internet. Une minute de musique *mp3* en qualité CD requiert seulement 1 Mo de mémoire environ tandis qu'un fichier *WAV* offrant la même qualité requiert plus de 10 Mo.

Reproduction de Fichiers *mp3*

Pour reproduire un fichier *mp3,* double-cliquez sur le fichier voulu dans l'*Explorateur Windows* ou le *Poste de travail.* Vous pouvez aussi rappeler le *Lecteur Windows Media* en sélectionnant *Démarrer/ Programmes/ Accessoires/ Divertissement/ Lecteur Windows Media.* Choisissez *Fichier/Ouvrir....*

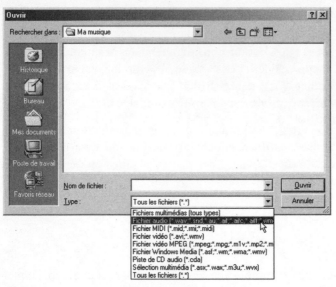

Figure 10.13 La rubrique *Fichier audio* comprend aussi les fichiers mp3

Dans la boîte à liste *Type*, définissez le format de l'objet multimédia à reproduire. Pour les fichiers audio *mp3*, sélectionnez la rubrique *Fichier audio*. Choisissez ensuite le dossier d'origine. Sous *Windows Me,* il n'y a malheureusement aucun exemple relatif aux objets *mp3,* par contre Internet offre des milliers de fichiers de ce genre. Sélectionnez un fichier *mp3* et cliquez sur *Ouvrir.*

Etat de lecture

La reproduction commence immédiatement. Le nom du fichier et l'état actuel de la lecture apparaissent dans la partie centrale.

Reproduction de CD musicaux

Normalement la reproduction d'un disque audio est effectuée à l'aide d'une chaîne Hi-Fi. Toutefois, si votre ordinateur est doté d'un lecteur de CD-ROM, vous pouvez l'utiliser pour écouter votre disque.

Carte audio et haut-parleur

Si votre ordinateur ne dispose pas d'une carte audio et d'un haut-parleur, il faudra relier un casque à la prise appropriée du lecteur. Par contre, si une carte audio est disponible, la reproduction sera effectuée à travers les haut-parleurs reliés.

Lecture de CD musicaux à l'aide du *Lecteur Windows Media*

Autoplay

Pour reproduire un CD musical sur votre ordinateur, faites sortir le plateau-tiroir du lecteur et placez-y le CD. Poussez le plateau-tiroir dans son logement et attendez quelques secondes. Par défaut *Windows Me* commence la reproduction du CD à partir du premier morceau musical. Cette fonction s'appelle *Autoplay*.

Lecteur Windows Media

S'il n'en est pas ainsi ou si vous voulez modifier l'ordre des titres, utilisez le *Lecteur Windows Media*.

Pour cela, sélectionnez *Démarrer/ Programmes/ Accessoires/ Divertissement/ Lecteur Windows Media*. Pour rappeler plus rapidement ce programme, cliquez sur son icône qui se trouve dans la barre de lancement rapide.

Titre et position

Le numéro relatif à la piste est affiché en haut à gauche dans la fenêtre du *Lecteur Windows Media* tandis qu'à bas à droite vous pouvez lire la position exprimée en secondes. Au-dessous, vous avez les boutons de lecture dont la configuration est identique à celle des chaînes Hi-Fi.

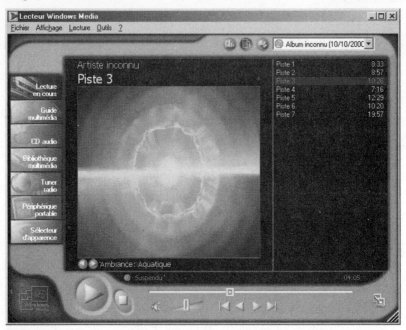

Figure 10.14 Vous pouvez écouter vos CD musicaux à l'aide du *Lecteur Windows Media*

Boutons

Pour suspendre la lecture, cliquez sur *Pause* ⏸, le bouton *Stop* ◼ sert à arrêter la lecture qui à l'aide de ▶ pourra être relancée. En cliquant sur *Suivant* ▶| vous passez au morceau suivant tandis que *Précédent* ramène au morceau précédant. Cliquez sur ▮▶ pour avancer rapidement et sur ◀ pour rembobiner. Pour sélectionner un morceau, déroulez la boîte à liste qui se trouve en haut à droite.

Répéter

Dans le menu *Lecture* vous disposez des options *Lecture aléatoire* et *Répéter*.

Le titre du morceau et sa position actuelle sont visualisés dans la partie centrale (si ces données sont disponibles).

Activer/désactiver la reproduction automatique du CD

Normalement, pour écouter un disque audio sur *Windows Me*, il suffit d'extraire le plateau tiroir, d'y placer le disque et de le pousser dans son logement. Après quelques secondes, *Windows Me* commence à lire automatiquement le CD à partir du premier morceau.

Fonction *Autoplay*

La fonction appelée *Autoplay* est pratique pour les débutants puisqu'ils doivent rester passifs. Dans *Windows Me* cette fonction est prévue même pour les CD-ROM dont les applications sont automatiquement lancées quand le CD est introduit dans le lecteur. Cette fonction s'appelle *AutoRun*.

Désactiver le lancement automatique

Si vous ne voulez pas que les programmes et la lecture de morceaux de musique soient automatiquement lancés, vous pouvez définir le comportement de l'ordinateur quand vous introduisez un CD-ROM.

Onglet *Gestionnaire de périphériques*

Pour cela, rappelez le *Panneau de configuration*, à l'aide du menu *Démarrer/Paramètres* ou à partir du *Poste de travail*. Ensuite, double-cliquez sur l'icône *Système* et choisissez l'onglet *Gestionnaire de périphériques*. Cliquez dans la case d'option *Afficher les périphériques par type* et recherchez dans la liste la rubrique *CD-ROM*.

Notification d'insertion automatique

Cliquez sur le signe plus précédent *CD-ROM* et sélectionnez la rubrique relative à votre lecteur de CD-ROM. Cliquez sur *Propriétés*, passez à l'onglet *Paramètres* et sous *Options*, désactivez la case *Notification d'insertion automatique*. Cliquez sur *OK* dans les deux boîtes de dialogue et quittez le *Panneau de configuration*.

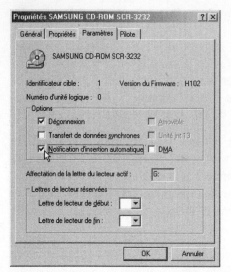

Figure 10.15   Désactivation du lancement automatique des CD

Reproduction de clips vidéo

Windows Me utilise le programme *Lecteur Windows Media* pour reproduire des objets multimédias de divers formats de fichiers, par exemple pour des sons audio au format WAV ou mp3, pour des fichiers *MIDI* (fichiers *MID(I)* et *RMI*) mais aussi pour le format vidéo *AVI*.

Reproduction de clips vidéo AVI avec le *Lecteur Windows Media*

Windows Me active automatiquement le *Lecteur Windows* quand vous double-cliquez sur un fichier vidéo *AVI* dans l'*Explorateur Windows* ou le *Poste de travail*. Vous pouvez bien sûr rappeler manuellement le *Lecteur Windows Media*, soit en sélectionnant *Démarrer/ Programmes/Accessoires/Divertissement/Lecteur Windows Media*, soit en cliquant sur son icône ▶ qui se trouve dans la barre de lancement rapide.

Fichier vidéo

Après le démarrage du programme, choisissez la commande *Fichier/Ouvrir*. Pour n'afficher que les clips vidéo *AVI*, sélectionnez dans la boîte à liste *Type* la rubrique *Fichier Vidéo* ; ensuite déroulez la boîte *Rechercher dans* pour sélectionner le dossier où le fichier est enregistré puis cliquez sur *Ouvrir*.

Windows Media Player prend aussi en charge le format WMV qui est utilisé par *Windows Movie Maker* pour enregistrer les clips vidéo (mais seulement sous *Windows Me*).

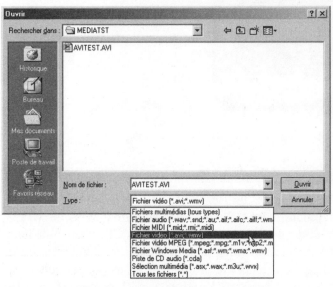

Figure 10.16   Sélection du type d'objets multimédias

La reproduction commence automatiquement. Pour l'interrompre, appuyez sur le bouton *Arrêter*   , cliquez sur *Lecture*   pour la relancer et, pour la suspendre, cliquez sur *Pause*   . Vous pouvez également utiliser le curseur pour atteindre certaines positions.

Sur le CD-ROM d'installation de Windows Me, dans le dossier *\WINME\TOOLS\PSUTIL\MEDIATST*, vous avez un exemple : double-cliquez sur le fichier *AVITEST.AVI*, pour voir l'essai vidéo de Microsoft. Ce dossier contient en outre des fichiers d'essai au format MP3 et MPEG.

Figure 10.17 Reproduction d'un clip vidéo *AVI* en mode réduit

Reproduction de fichiers movie avec le *Lecteur Windows Media*

CD vidéo

Vous pouvez utiliser le *Lecteur Windows Media* pour reproduire des fichiers movie au format MPG ou MPEG. Ce type de fichier est utilisé par des CD vidéo et de nombreuses cartes vidéo pour la digitalisation de films ou de clips. Pour lancer le programme, vous pouvez soit sélectionner *Démarrer / Programmes / Accessoires/ Divertissement / Lecteur Windows Media*, soit cliquer sur son icône ▶ dans la barre de lancement rapide.

Fichiers MPG ou MPEG

Le programme *Lecteur Windows Media* est activé automatiquement lorsque vous double-cliquez dans *l'Explorateur Windows* ou le *Poste de travail* sur un fichier MPG ou MPEG.

Fichiers *movie*

Après le démarrage du programme, choisissez *Fichier/Ouvrir...*. Pour n'afficher que les fichiers movie MPG, sélectionnez dans la boîte à liste déroulante *Type*, la rubrique *Fichier vidéo*. Déroulez ensuite la boîte à liste *Rechercher dans* pour sélectionner le dossier où est mémorisé le fichier vidéo puis cliquez sur *Ouvrir*.

Reproduction en plein écran

La vérification du fichier *movie* se produit de la même manière que pour les fichiers vidéo décrits précédemment. Vous pouvez utiliser le curseur pour sauter directement à une position voulue. Les fichiers movie MPG peuvent être reproduits à plein écran en cliquant sur la rubrique *Plein écran* dans le menu *Affichage*.

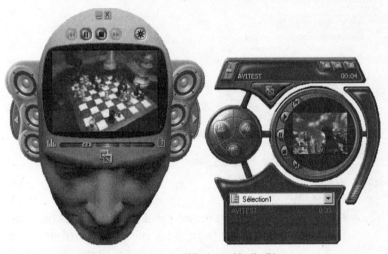

Figure 10.18   Deux apparences de *Windows Media Player*

Le mode d'affichage du *Lecteur Windows Media* peut être modifié de différentes façons. Le menu *Affichage* propose les divers modes (*Mode complet*, *Mode réduit*, *Plein écran*), les rubriques V*isualisations* et *Outils de lecture* (pour activer/désactiver certaines visualisations).

A l'aide du bouton *Sélecteur d'apparence* situé à gauche dans la fenêtre du *Lecteur Windows Media*, vous accédez à une liste permettant de modifier l'aspect du programme. Cliquez sur l'une des apparences puis sur *Appliquer l'apparence*.

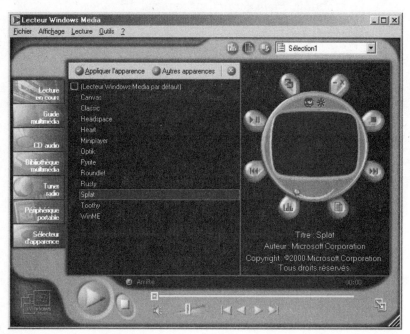

Figure 10.19 Le programme *Lecteur Windows Media* offre différentes apparences pouvant être sélectionnées

Reproduction de fichiers *MIDI*

Windows Me utilise le programme *Lecteur Windows Media* pour reproduire les objets multimédias les plus divers. Le *Lecteur Windows Media* est automatiquement lancé dès que vous double-cliquez dans *l'Explorateur Windows* ou le *Poste de travail* sur un clip vidéo (fichier AVI), un son audio (fichier WAV), un fichier *MP3* ou un fichier *MPG*.

Séquences *MIDI*

Il en est de même pour les séquences *MIDI* (fichiers *MID(I))* de claviers MIDI. Pour rappeler manuellement le programme, vous pouvez soit sélectionner *Démarrer/ Programmes/ Accessoires/ Divertissement/Lecteur Windows Media* soit cliquer sur son icône dans la barre des tâches.

Ouverture d'un fichier MIDI

Définissez le type d'objet multimédia à reproduire en choisissant *Fichier/Ouvrir*. Choisissez la rubrique *Fichier MIDI* pour n'afficher que les séquences MIDI. Déroulez la boîte à liste *Rechercher dans* pour sélectionner le dossier où sont enregistrés les fichiers MIDI, choisissez-en un et cliquez sur *Ouvrir*.

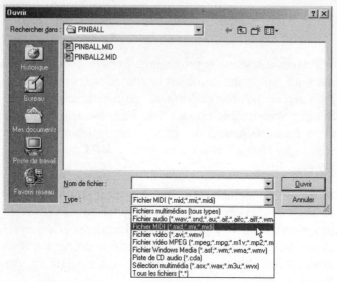

Figure 10.20   Sélection du fichier *MIDI* dans la boîte de dialogue *Ouvrir*

Lancement
automatique

La reproduction de la séquence MIDI est lancée automatiquement. Pour l'interrompre, cliquez sur le bouton *Arrêter* 🔳. Pour la lancer de nouveau, utilisez le bouton *Lire* 🔳. Le bouton Pause 🔳 permet de suspendre la reproduction. Il est en outre possible d'utiliser le curseur pour atteindre directement la position voulue.

Internet offre un grand nombre de séquences *MIDI* dans le format fichier *MID(I)*. Le jeu *Pinball* possède deux fichiers MIDI (dossier C :*Program file/Plus!\PINBALL*).

Contrôle ou modification des pilotes multimédias

Carte audio ou vidéo

De nos jours quand on parle d'ordinateurs, on utilise souvent le terme « multimédia ». Ce terme peut être décrit comme une combinaison de textes, d'images, de tableaux, de graphiques, d'animations, de sons, de séquence vidéos, etc. à l'intérieur d'une application sur l'ordinateur.

Pour gérer tous ces moyens, l'ordinateur doit être doté de cartes audio ou vidéo et de tous les périphériques multimédias nécessaires ainsi que de leur pilote respectif. Normalement *Windows Me* exécute automatiquement ces procédures durant l'installation.

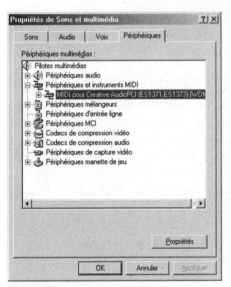

Figure 10.21   Affichage des périphériques multimédias

Technologie *Plug & Play* Malheureusement la technologie *Plug & Play* ne fonctionne pas toujours de façon satisfaisante comme promettent les constructeurs.

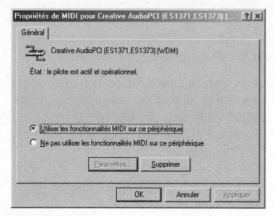

Figure 10.22   Contrôle des propriétés des pilotes multimédias

Option *Multimédia* A travers le *Panneau de configuration*, vous pouvez afficher tous les périphériques multimédias installés et modifier les propriétés de chaque composant. Ouvrez donc ce dossier à l'aide de *Démarrer/Paramètres*. Double-cliquez sur l'icône *Sons et multimédia* puis passez à l'onglet *Périphériques*. Tous les composants principaux reconnus y sont énumérés, cliquez sur le signe positif précédant les rubriques pour afficher tous les dispositifs englobés dans un groupe : vous verrez la carte audio sous *Périphériques audio*, les éventuels *Périphériques de capture vidéo* et différents autres composants logiciels.

Etat du dispositif Sélectionnez le périphérique vous posant des problèmes et cliquez sur *Propriétés*. Dans la boîte de dialogue homonyme, le système indique l'état du périphérique. Si vous lisez *le pilote est actif et opérationnel*, cela signifie qu'il n'y a pas de problème.

Si le pilote est désactivé ou ne fonctionne pas, il est possible de configurer le périphérique en question ou un nouveau périphérique à l'aide du bouton *Paramètres...* Le bouton *Supprimer* élimine le périphérique de la configuration. Si des conflits se vérifient avec un périphérique, activez la case d'option *Ne pas utiliser les fonctionnalités audio sur ce périphérique.*

Création des séquences vidéo

La Microsoft offre aux cinéastes amateurs et aux metteurs en scène un nouvel instrument leur permettant d'enregistrer, de couper et mettre en mesure des séquences vidéo. *Windows Movie Maker* est une application simple et utile qui, bien évidemment, ne peut pas rivaliser avec les applications professionnelles telles que *Adobe Premiere* mais qui est appropriée à la réélaboration rudimentaire d'enregistrements d'amateur.

Projets

Windows Movie Maker propose ce que l'on appelle des projets (il s'agit de fichiers autonomes) à l'intérieur desquels il faut insérer des clips audio et vidéo afin de composer une séquence vidéo. Voyons tout d'abord comment recueillir ces séquences dans le programme *Movie* Maker.

Lancement de *Windows Movie Maker*

Pour lancer ce programme, sélectionnez *Démarrer/Programmes/Accessoires/Windows Movie Maker*. Le système ouvre la fenêtre de l'application *Movie Maker* et la fenêtre *Visite guidée de Microsoft Windows Movie Maker*. Cette dernière contient les fonctions les plus importantes du *Movie Maker ;* le lien hypertexte *Démonstration* situé au bas de chaque texte illustre comment utiliser la fonction.

Enregistrement audio/vidéo

Si le matériel audio et vidéo a été installé correctement, la transmission de vidéo sur le disque dur sera réalisée à l'aide de quelques clics.

Enregistrement audio/vidéo

Sélectionnez *Fichier/Enregistrer...* dans la barre de menus. La boîte de dialogue *Enregistrer* montre déjà l'aperçu du périphérique vidéo standard. Pour recevoir des données à partir d'un autre périphérique installé, cliquez sur *Modifier le périphérique*. Sélectionnez ici l'un des liens vidéo et audio existants. Les options figurant dans les boîtes à liste Vidéo: et audio: dépendent des périphériques installés.

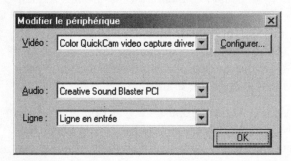

Figure 10.23   Sélection d'un autre périphérique d'enregistrement

Bouton Enregistrer

Quand tout est prêt pour lancer l'enregistrement (par ex. une pause de reproduction sur un magnétoscope ou sur une caméra), cliquez sur le bouton *Enregistrer*. Pour arrêter l'enregistrement, cliquez sur *Arrêter*.

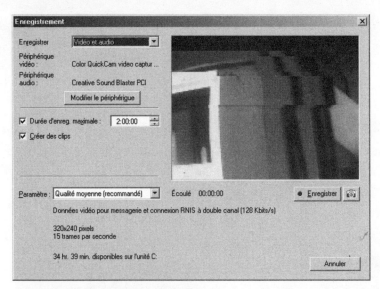

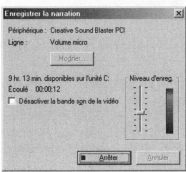

Figure 10.24 Boîte de dialogue pour un enregistrement vidéo (en haut) et audio (en bas)

 Dans la boîte de dialogue *Enregistrer*, vous pouvez aussi établir la qualité de l'enregistrement (à l'aide de la boîte à liste *Paramètres*) et lire d'autres informations.

473

Mémorisation de l'enregistrement

Au terme de l'enregistrement, le système ouvre la boîte de dialogue *Enregistrer le fichier Windows multimédia*. Recherchez le dossier (par ex. un dossier où vous stockerez tous vos vidéos), assignez un nom au vidéo et cliquez sur *Enregistrer*.

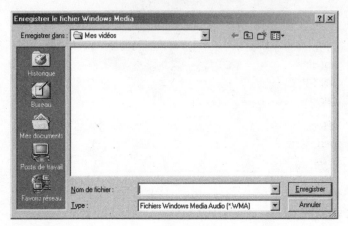

Figure 10.25   Mémorisation de l'enregistrement vidéo

Les enregistrements audio, par ex. pour mettre en musique par la suite le matériel vidéo existant ou un texte à narrer, sont activés dans une autre boîte de dialogue. Sélectionnez tout d'abord *Affichage/Table de montage séquentiel* pour visualiser la trace audio de la future séquence vidéo au bas de la fenêtre. A ce stade, dans le menu *Fichier*, vous pouvez choisir la rubrique *Enregistrer la narration*....

Enregistrer la narration

La boîte de dialogue *Enregistrer la narration* affiche le périphérique standard d'enregistrement audio (cliquez sur *Modifier...* pour choisir un autre périphérique). Cliquez sur *Enregistrer* pour que *Windows Movie Maker* enregistre les données audio.

Arrêt et enregistrement du fichier

Pour arrêter l'enregistrement, cliquez sur le bouton *Arrêter*. A ce stade, le système ouvre la boîte de dialogue permettant d'enregistrer le fichier WAV relatif. Recherchez un dossier approprié, indiquez le nom et cliquez sur *Enregistrer*.

Définition de reproductions audio/vidéo

La lecture de clips vidéo ou de séquences audio qui existent déjà en tant que fichiers est une opération plus simple. Même les fichiers d'image (JPEG, GIF, etc.) peuvent être intégrés dans le projet.

Importation de fichiers

Sélectionnez *Fichier/Importer...* dans la barre de menus pour ouvrir la boîte de dialogue *Sélectionner les fichiers à importer*. Recherchez le fichier à lire et confirmez l'importation en cliquant sur *Ouvrir*. Après quelques instants, le contenu du fichier apparaît dans la zone de collection du projet courant.

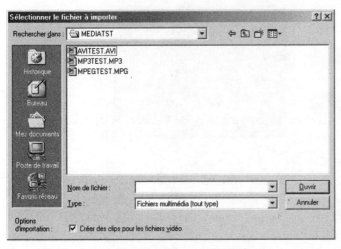

Figure 10.26   Importation de fichiers audio/vidéos

Composition de la séquence vidéo

L'écran du *Windows Movie Maker* est partagé en quatre zones :

Fenêtre du
Windows Movie
Maker

Les collections permettent d'accéder directement aux différents groupes de fichiers ou de segments vidéo (rangés par ex. par sujet). La zone de collection visualise des photos de scène ou des icônes des fichiers contenus dans la collection. A droite, il y a un petit *Windows Media Player* où vous pouvez afficher ou écouter les données figurant dans une collection. Utilisez pour cela les boutons qui sont situés sous cette zone d'aperçu et qui correspondent à ceux que vous trouvez sur un magnétoscope ou un lecteur CD.

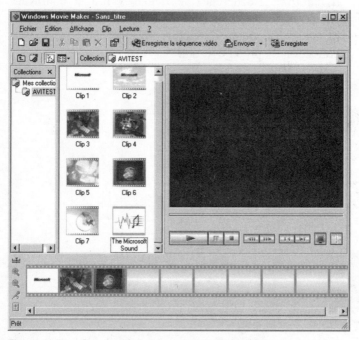

Figure 10.27 Composition de segments vidéo l'un après l'autre

Le secteur où les séquences vidéo sont coupées se trouve au bas de la fenêtre d'application. Les fichiers audio et vidéo de la zone de collection y sont représentés sur un axe du temps (table de montage séquentiel).

Composition à l'aide d'un glissement

La composition d'une séquence vidéo est effectuée simplement à l'aide d'un glissement. Il suffit de faire glisser les segments vidéo depuis la zone de collection vers la zone de montage séquentiel qui se trouve au bas de la fenêtre. Qu'il s'agisse de fichiers audio ou vidéo, cela n'a aucune importance. Selon l'endroit où vous placez le segment, les données seront déplacées avant, au milieu ou après les parties déjà composées. Un curseur vous indiquera la position d'insertion.

Figure 10.28   Traitement de la trace audio à l'aide de Affichage/Table de montage séquentiel

Positionnement des segments

Vous pouvez utiliser encore la souris pour positionner les parties intégrantes. Pour cela, cliquez sur le segment audio ou vidéo et maintenez enfoncé le bouton de la souris pendant le déplacement.

Si vous cliquez sur la zone de montage séquentiel, vous sautez à un point spécifique de la séquence vidéo et l'image vidéo locale s'affiche à droite dans le petit écran *Media Player*. A ce stade, vous pouvez partager en deux un segment audio ou vidéo existant, par ex. pour abréger le vidéo ou couper des scènes.

Fractionner

Pointez l'endroit où vous voulez couper le segment audio ou vidéo. Rappelez le menu contextuel du segment et choisissez la rubrique *Fractionner*. Cette fonction permet de réélaborer de façon presque professionnelle tout le matériel existant.

Pour placer avec précision les points d'intersection, vous pouvez agrandir l'axe du temps à l'aide du zoom. Pour cela, sélectionnez *Affichage/Zoom avant* dans la barre de menus. Pour réduire par la suite l'axe du temps, choisissez la rubrique *Zoom arrière*.

Enregistrement et chargement des projets

Pour pouvoir réélaborer une séquence vidéo par la suite, il faut enregistrer les compositions audio et vidéo dans les projets.

Enregistrement du projet

Pour enregistrer le projet courant, sélectionnez *Fichier/Enregistrer le projet... ;* dans la boîte de dialogue qui apparaît, sélectionnez le dossier de destination, tapez le nom du fichier projet puis cliquez sur *Enregistrer*.

Figure 10.29   Enregistrement d'un projet

Chargement d'un projet

Pour charger un projet que vous avez enregistré, sélectionnez *Fichier/Ouvrir un projet*.... Dans la boîte de dialogue qui apparaît, recherchez le fichier et cliquez sur *Ouvrir*. A ce stade, les collections et la zone de collection sont mises à jour en fonction des nouvelles données audio et vidéo ; au bas de la fenêtre, vous verrez la dernière coupe effectuée.

Enregistrement de séquences vidéo prêtes

Enregistrement des séquences vidéo

Voilà le plus grand défaut de Windows Movie Maker : les produits vidéo prêts ne peuvent être enregistrés qu'avec le format WMV qui correspond à un standard qui n'est pas encore très répandu. Ces fichiers peuvent toutefois être visualisés avec le *lecteur Windows Media*.

Sélectionnez *Fichier/Enregistrer la séquence vidéo...* dans la barre de menus. Le système ouvre la boîte de dialogue *Enregistrer la séquence vidéo* qui permet de choisir la qualité dans la boîte à liste *Paramètres*. En regard de *Profil*, vous pouvez lire un commentaire relatif à la qualité sélectionnée indiquant son secteur d'utilisation.

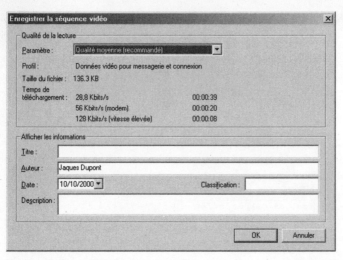

Figure 10.30   Définition des propriétés de la séquence vidéo terminée

Indications sur la séquence vidéo

Vous pouvez également taper des données relatives au *Titre*, à l'*Auteur*, la date de création et une *Description* pour commenter la séquence vidéo. Cliquez sur *OK*, vous verrez dans la boîte de dialogue suivante, le dossier et le nom du fichier de la séquence vidéo terminée. Si vous cliquez sur *Enregistrer*, la séquence vidéo est enregistrée sur le disque dur et peut être lue à l'aide, par ex., du *Lecteur Windows Media*.

11. Applications en ligne

**Graphisme orienté
vers Internet**

Ce chapitre est consacré aux applications en ligne de *Windows Me* les plus importantes. Ce système d'exploitation a une interface utilisateur orientée vers Internet. Par conséquent, vous ne remarquerez aucune différence graphique en travaillant sur votre disque dur, dans Internet ou dans Intranet à l'intérieur d'une entreprise.

Internet Explorer

Nous avons déjà parlé de la surface du bureau et de la possibilité de visualiser les contenus comme une page Web, tels que des animations ou des images. En outre, vous avez peut-être remarqué que les boutons des dossiers ou de la barre des contacts sont semblables aux éléments de *Microsoft Internet Explorer 5.0*. Toutefois, avant de relier votre ordinateur au reste du monde, vous devez effectuer une configuration appropriée.

Internet Explorer

Il faut, tout d'abord, faire reconnaître au système d'exploitation les dispositifs nécessaires pour les applications en ligne, à savoir le modem et le configurer. Pour cela, nous allons illustrer l'application *Accès réseau à distance* qui permet de se connecter à Internet à l'aide du navigateur *Microsoft Internet Explorer* intégré dans le système d'exploitation.

Nous parlerons ensuite de la commande *Internet Explorer* nécessaire pour représenter les informations du *World Wide Web* (WWW).

**Numéroteur
téléphonique**

Nous allons aussi présenter le programme *Numéroteur téléphonique* qui permet de configurer l'ordinateur afin qu'il sélectionne des numéros de téléphone.

Avant tout chose, il faut s'occuper de l'aspect technique : en effet si le modem ou la carte *ISDN* n'est pas installé correctement, il est impossible d'accéder à Internet.

Installation d'un modem pour *Windows Me*

Pour utiliser des services en ligne, tels que *AOL, CompuServe* mais aussi pour accéder à Internet, il faut disposer de périphériques matériels additionnels, par ex. un modem. Le modem convertit les données digitales en impulsions analogiques pouvant être transmises sur la ligne téléphonique normale. Chez le destinataire, un autre modem convertit les signaux analogiques en données pouvant être interprétées par l'ordinateur. Avant d'utiliser le modem, il faut le faire reconnaître par *Windows Me*. Si ce dernier ne le reconnaît pas automatiquement, il faut l'activer.

Installation du modem

Accédez au *Panneau de configuration* à l'aide de *Démarrer/Paramètres* puis double-cliquez sur l'icône *Modem*. L'assistant lance l'*Installation d'un nouveau modem*.

Bouton *Ajouter*

Par contre, si la boîte de dialogue *Propriétés Modems* s'affiche, dans l'onglet *Général* cliquez sur le bouton *Ajouter...* pour que l'assistant lance l'*Installation du nouveau modem*. Cochez la case *Ne pas détecter le modem, sélection dans une liste* pour effectuer une configuration manuelle puis cliquez sur *Suivant*.

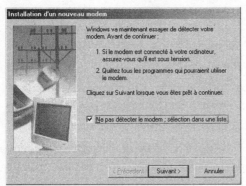

Figure 11.1   Sélection manuelle du modem

Constructeurs et
Modèles

Dans la boîte de dialogue suivante, sélectionnez le modem voulu dans les listes *Constructeurs* et *Modèles*.

Si votre modem n'est pas listé, sélectionnez sous *Constructeurs* la première rubrique, à savoir « *(Types de modems standards)* ».

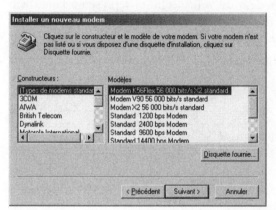

Figure 11.2   Sélection du constructeur et du modèle de modem

**Vitesse de
transmission**

Sélectionnez ensuite sous *Modèles* la vitesse de transmission appropriée à votre modem (par ex. *Modem standard 33600 bps* pour un modem *v.34bis* ou bien Modem *Standard 56000 bps K56 Flex/x2* pour un modem 56k).

Pour les modems *v.34* moins récents, sélectionnez la rubrique *Standard 28000 bps* ; pour un modem *V.90* à 56.000 bits par seconde, il faut utiliser la disquette fournie par le constructeur où figure le pilote.

Modem V.90

Si tel est votre cas, sélectionnez le constructeur et le modèle puis cliquez sur *Disquette fournie...* pour charger les données du pilote depuis la disquette du constructeur ou le CD-ROM. Confirmez en cliquant sur *Suivant*.

Attention : pour les *Types de modems standards* de *Windows Me*, il faut tenir compte de certaines limitations relatives à la dernière configuration du modem.

Port *COM*

Dans la boîte de dialogue suivante, sélectionnez le port auquel le modem est relié, celui-ci représente l'interface série. Sélectionnez l'une des rubriques, par ex. *Port de communication (COM1)*.

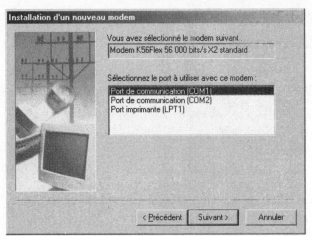

Figure 11.3   Définition du port de communication du modem

Confirmez en cliquant sur *Suivant*, *Windows Me* installe le pilote du modem. Dans la boîte de dialogue d'après, tapez les informations requises et faites attention lors de la frappe de l'indicatif interurbain. Quittez l'installation du modem en cliquant sur *Suivant* puis sur *Terminer*.

La boîte de dialogue *Propriétés Modems* apparaît et le modem que vous venez d'installer figure dans la liste.

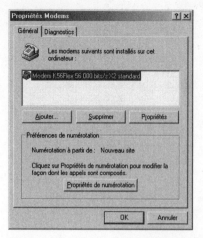

Figure 11.4   La fenêtre *Propriétés Modems* apparaît au terme de l'installation

Modem Plug & Play   Vous y verrez tous les modems installés et dans l'onglet *Diagnostic* vous lirez le numéro du port *COM* de connexion (*COM* signifie *Communication*).

Définition des propriétés du modem

Icône *Modem*   Une fois l'installation du modem terminée, vous pouvez vérifier et modifier les paramètres relatifs au port et à la vitesse maximum. Pour ce faire, rappelez la boîte de dialogue *Propriétés Modems* à partir du *Panneau de configuration* et de l'icône *Modem* 📠. La boîte de dialogue *Propriétés Modems* énumère tous les modems installés.

Définition du port et de la vitesse

Onglet *Général*   Sélectionnez le modem dont vous voulez contrôler les paramètres puis cliquez sur *Propriétés*. Une boîte de dialogue composée de deux onglets s'affiche. L'onglet *Général* contient des informations relatives au *Port* et à la *Vitesse maximale*.

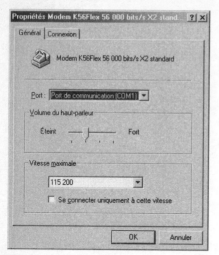

Figure 11.5   Vérification des propriétés d'un modem installé

Boîte à liste *Port*   Si le modem est relié à une autre ligne série, déroulez la boîte à liste *Port* et sélectionnez la rubrique correspondante. Sous *Volume du haut-parleur,* vous pouvez régler le haut-parleur du modem en faisant glisser le curseur sur la position voulue entre *Eteint* et *Fort*.

Si vous disposez d'un pilote de modem standard, il se peut que vous ne puissiez pas modifier tous les paramètres illustrés ci-dessous. Par exemple, vous ne pourrez peut-être pas configurer le haut-parleur, en revanche vous aurez toujours la possibilité de modifier les paramètres relatifs au port.

Vitesse maximale   L'un des paramètres les plus importants de la boîte de dialogue des Propriétés est représenté par la *Vitesse maximale* qui permet de définir la vitesse de transmission entre le modem et l'ordinateur. Déroulez cette boîte à liste en cliquant sur la petite flèche et sélectionnez la vitesse maximale de transmission à 115.200 bps.

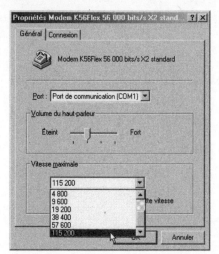

Figure 11.6   Définition de la vitesse maximale de transmission entre l'ordinateur et le modem

Communication interne

Cette définition n'a aucune relation avec la vitesse de transmission des données effective du modem. Ici on parle seulement de communication interne entre l'ordinateur et le modem.

Paramètres de connexion du modem

Un modem convertit des données digitales en impulsions analogiques pouvant être transmises à travers les lignes téléphoniques. Le modem récepteur convertit les signaux analogiques en données pouvant être interprétées par l'ordinateur. La façon dont les données sont transmises et vérifiées, pour contrôler l'éventuelle présence d'erreurs, dépend de l'utilisation du modem.

Paramètres de connexion

Certaines applications en ligne requièrent une modification des paramètres de connexion par défaut. Pour cela, sélectionnez dans le menu *Démarrer* la rubrique *Paramètres* et cliquez dans le sous-menu sur *Panneau de configuration* puis double-cliquez sur l'icône *Modem* 📞. La boîte de dialogue des *Propriétés Modem* énumère tous les modems installés.

Onglet *Paramètres*

Sélectionnez le modem dont vous voulez modifier les paramètres de connexion puis cliquez sur *Propriétés*. Dans la boîte de dialogue qui apparaît, sélectionnez l'onglet *Connexion*. Dans le groupe d'options *Paramètres de connexion*, vous pouvez établir le nombre de *Bits de données*, *Bits d'arrêt* et la *Parité*.

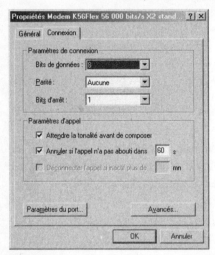

Figure 11.7   Définition des paramètres de connexion pour le modem

Contrôle de parité

Sous *Windows Me*, la boîte à liste *Parité* propose les rubriques *Aucune*, *Paire* et *Impaire* ou *Marque* et *Espace*. La plupart des services en ligne, des boîtes aux lettres électroniques ou des accès à Internet requièrent la configuration standard du *Modem*, à savoir huit bits de données, le contrôle de parité désactivé (*Aucune*) et 1 bit d'arrêt.

8, N, 1

Dans les services en ligne, pour ces paramètres, on utilise souvent la formule abrégée *8, N, 1* où « N » indique « None », donc « aucun contrôle de parité ».

Fenêtre
HyperTerminal

Pour les applications normales, les paramètres par défaut de *Windows Me* sont les plus appropriés. Certaines applications de la boîte aux lettres électronique peuvent toutefois poser des problèmes. Si tous les paramètres du modem ont été insérés correctement mais que vous n'arrivez pas à vous connecter ou que des signes bizarres s'affichent dans la fenêtre *Hyper Terminal*, il se peut que les paramètres relatifs à la connexion soient erronés.

Attendre la
tonalité ...

Si le modem ne compose pas le numéro, désactivez la case à cocher *Attendre la tonalité avant de composer*. Ce problème se présente parfois si le modem est relié à un réseau téléphonique interne ou s'il compose trop vite le numéro.

Annuler si
l'appel ...

Cochez la case *Annuler si l'appel n'a pas abouti dans* et dans la zone de texte en regard tapez le temps qui doit s'écouler avant d'annuler automatiquement un appel.

L'activation de la case *Déconnecter l'appel si inactif plus de [x] minutes* permet de limiter les coûts. Dans la zone de texte en regard, tapez les minutes devant s'écouler avant de couper la connexion si aucune activité en ligne (entrées de la part de l'utilisateur) n'a lieu.

Avec l'*Installation d'un nouveau modem*, vous pouvez créer plusieurs rubriques pour le même modem avec un autre nom et y associer des paramètres de connexion différents. Ainsi vous pouvez exclure les paramètres de base pour les services en ligne spéciaux et en assigner d'autres.

Définition des options de contrôle d'erreurs et de flux

La façon dont les données sont transmises, le contrôle du flux des données et la compression éventuelle des données dépendent du type d'utilisation du modem. Certaines applications en ligne requièrent une modification des définitions standards, par ex., de désactiver la compression des données.

Icône *Modem*

Pour modifier les propriétés avancées du modem, sélectionnez *Démarrer/Paramètres/Panneau de configuration* puis double-cliquez sur l'icône *Modem* 🖉.

Propriétés avancées

La boîte de dialogue des *Propriétés* énumère tous les modems installés. Sélectionnez le modem dont vous voulez modifier le contrôle d'erreurs et de flux et cliquez sur le bouton *Propriétés*. Dans la boîte de dialogue qui apparaît choisissez l'onglet *Connexion*. Cliquez ensuite sur le bouton *Avancés* qui affiche la boîte de dialogue *Paramètres de connexion avancés* illustrée dans la Figure 11.7.

Accès à Internet

Pour accéder à Internet à travers l'*Accès réseau à distance* et aux autres services en ligne principaux, cochez la case *Utilisez le contrôle de flux* et cliquez sur la case d'option *Matériel (RTS/CTS)*.

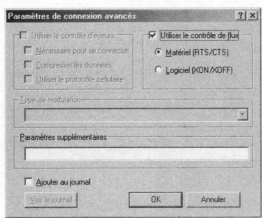

Figure 11.8   Définition des propriétés avancées du modem

Phase de handshaking

Il s'agit de la phase préliminaire de communication entre le modem et l'ordinateur qui dans la langue technique est définie *Phase de handshaking*. Avec l'option *Matériel (RTS/CTS)*, la communication entre l'ordinateur et le modem est confiée aux circuits du modem qui durant une transmission ralentissent ou font repartir automatiquement le flux des données.

L'option *Logiciel (XON/XOFF)* est utilisée rarement. Dans ce cas, les activités mentionnées ci-dessus sont gérées par le logiciel de communication.

Utiliser le contrôle d'erreur

Les cases à cocher du groupe d'options *Utiliser le contrôle d'erreur* sont beaucoup plus importantes car les principaux services en ligne travaillent avec des procédures de contrôle du constructeur. La définition de paramètres de base non appropriés dans ce groupe d'options peut provoquer des problèmes. La case à cocher *Compresser les données* active la procédure de compression des données du modem, la case *Nécessaire pour se connecter* rend cette définition obligatoire.

Utiliser le protocole cellulaire

L'option *Utiliser le protocole cellulaire* doit être cochée en cas de connexions à un téléphone portable. Si votre modem ne supporte pas ces options, elles seront grisées. Une fois les modifications effectuées, cliquez sur *OK* pour confirmer la boîte de dialogue *Paramètres de connexion avancés* puis de nouveau sur *OK* pour fermer les deux boîtes de dialogue *Propriétés* et quitter le *Panneau de configuration*.

Pour accéder à Internet à travers l'*Accès réseau à distance*, nous vous conseillons de vous adresser à votre fournisseur de services Internet pour connaître les options immatriculées du modem.

Configuration des paramètres de connexion pour l'interface série

Ports COM

Une fois le modem installé et configuré, la transmission des données devrait avoir lieu sans problèmes. Toutefois, si des problèmes se vérifient ou si le modem à haute vitesse n'atteint qu'une faible vitesse de transmission, les conseils donnés dans cette section pourraient être précieux.

Comme le modem est toujours relié à l'une des interfaces série disponibles, il faudrait à présent jeter un coup d'œil aux paramètres du port COM.

Onglet *Paramètres*

La fonction relative à la configuration des interfaces est bien cachée : ouvrez le *Panneau de configuration* à l'aide de *Démarrer/Paramètres* puis double-cliquez sur l'icône *Modem* 🖫. Dans la boîte de dialogue *Propriétés Modems* cliquez sur *Propriétés*. Dans la boîte de dialogue suivante, choisissez l'onglet *Connexion*. Cliquez sur le bouton *Paramètres du port* qui affiche la boîte de dialogue *Paramètres avancés du port*.

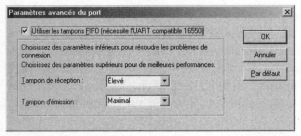

Figure 11.9   Paramètres du port pour les interfaces série avec une mémoire tampon FIFO

Utiliser les tampons FIFO

Si vous travaillez avec un *Pentium I/II/III*, contrôlez que la case *Utiliser les tampons FIFO...* est cochée.

Puce *UART*

La puce *UART* est un composant électronique de l'interface qui agit comme une mémoire temporaire. La puce *UART* gère en outre le contrôle de parité du matériel.

Cette mémoire tampon permet d'atteindre effectivement les grandes vitesses de transmission des données des modems à 56.000 bits. Si vous travaillez avec un vieil ordinateur, lisez attentivement la section suivante.

Règle *Tampon de transmission*

Si vous avez continuellement des problèmes de connexion avec le modem et que vous avez exclu les problèmes à la ligne téléphonique ou de numérotation, déplacez le curseur *Tampon de réception* vers une position inférieure (vers la gauche) et recomposez le numéro.

Règle *Tampon de réception*

Par contre, si vous disposez d'un modem à haute vitesse posant des problèmes relatifs à la vitesse de transmission des données et que vous avez vérifié que ces difficultés ne sont pas dues au service en ligne sélectionné ou au fournisseur Internet ou bien à la qualité de la ligne téléphonique, positionnez le curseur *Tampon de réception* sur la valeur maximale (vers la droite) et essayez de nouveau de vous connecter.

Contrôle des connexions série

Windows Me ne vous aide pas seulement durant l'installation et la configuration d'un modem mais offre aussi une fonction permettant de contrôler facilement les périphériques reliés aux interfaces séries. Il est ainsi possible de relever des défauts de fonctionnement éventuels avant de se connecter en ligne.

Diagnostics des interfaces

Pour cela, ouvrez le *Panneau de configuration* puis double-cliquez sur l'icône *Modem* 🖀 pour afficher la fenêtre *Propriétés Modem*. Choisissez l'onglet *Diagnostics* qui affiche toutes les interfaces et les périphériques qui y sont reliés. Cliquez sur le bouton *Pilote* pour obtenir des informations relatives au pilote du modem sélectionné dans la liste.

Bouton
Informations
complémentaires...

Sélectionnez la rubrique *COM* correspondant au modem utilisé puis cliquez sur *Informations complémentaires*. Il faut activer le modem avant de cliquer sur ce bouton ! Une boîte de message vous informe qu'une communication avec le modem est en cours. Durant la connexion, la boîte de dialogue *Informations complémentaires* affiche les informations que le modem et l'interface envoient au diagnostic. Ces informations sont importantes surtout si vous disposez d'un vieux modèle d'ordinateur.

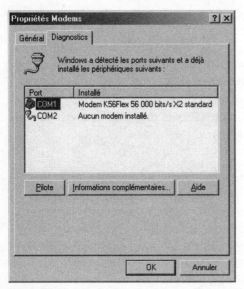

Figure 11.10   Activation du diagnostic du modem

Informations sur le
port

Le champ *Informations sur le port* affiche des informations relatives à l'interruption utilisée, l'adresse et le type de puce *UART* (cette information est importante). Si la puce de l'interface (*UART*) est indiquée avec *8250*, cela signifie qu'il est impossible d'obtenir une vitesse de transmission des données supérieure à 14.400 bps sur votre ordinateur.

Puce *UART*

La puce *UART* (*Universal Asynchronous Transmitter*) est le cœur de l'interface série qui gère l'émission des signaux nécessaires au transfert des données. La version obsolète de cette puce *8250* n'est pas compatible avec les vitesses de transmission des données des modems les plus récents.

Puce *UART - 16550*

De nos jours, il faut nécessairement disposer d'une interface série avec la puce *UART-16550* (standard pour tous les *Pentiums*, indiquée dans le diagnostic par *NS 16550AN*), qui possède une mémoire tampon intégrée (*FIFO*, first in, first out) et qui permet d'obtenir une vitesse de transmission des données jusqu'à 115.200 bps.

Définition des propriétés de numérotation du modem

Centraux téléphoniques

Avant d'utiliser le modem pour accéder à Internet ou à d'autres services en ligne, il faut définir les *Propriétés de numérotation* valables pour le lieu d'appel. Ces paramètres sont importants spécialement pour les modems qui sont utilisés avec les centraux téléphoniques car dans ce cas, il faut accéder à une ligne extérieure avant de pouvoir se connecter.

Pour configurer les *Propriétés de numérotation*, sélectionnez *Démarrer/ Paramètres/Panneau de configuration*, puis double-cliquez sur l'icône *Modem* 🖥.

Propriétés de numérotation

Dans la boîte de dialogue *Propriétés Modems,* choisissez l'onglet *Général* puis cliquez sur le bouton *Propriétés de numérotation*. Le système affiche la boîte de dialogue *Propriétés de la numérotation* illustrée dans Figure 11.11.

Lieu d'appel

Cliquez sur le bouton *Nouveau* puis définissez votre lieu de résidence sous *Je compose à partir de*, votre *Code régional* et votre *Lieu d'appel*. Ces paramètres permettent à *Windows Me* de différencier les appels locaux ou nationaux des autres types de connexion et, en conséquence, de ne pas composer durant la numérotation des codes régionaux ou internationaux inutiles.

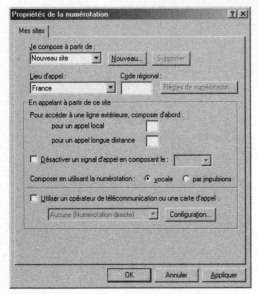

Figure 11.11   Définition des propriétés de numérotation du modem

Pour accéder à une ligne extérieure

Si votre modem est relié à un central téléphonique, sous *Pour accéder à une ligne extérieure composer d'abord*, dans les zones de texte *Pour un appel local* et éventuellement *pour un appel longue distance* entrez les numéros que vous utilisez pour téléphoner normalement.

Onglet *Mes sites*

Si vous travaillez avec un portable, vous pouvez définir des propriétés de numérotation différentes pour des lieux d'appel distincts (par ex. le central et la succursale). Pour cela, cliquez sur le bouton *Nouveau* de l'onglet *Mes sites* puis sur *OK* et tapez le nom du site à partir duquel vous composez. Modifiez ensuite les propriétés de numérotation en fonction du nouveau site. Ainsi quand vous sélectionnerez le site voulu dans la boîte à liste déroulante *Je compose à partir de*, les propriétés de numérotation seront automatiquement ajustées à votre choix.

Définition des modes de numérotation du modem

Propriétés de numérotation

Avant d'utiliser le modem, il faut également ajuster les *modes de numérotation* du modem. Pour cela, sélectionnez *Démarrer/Paramètres/Panneau de configuration* puis double-cliquez sur l'icône *Modem* 🖥️. Dans la boîte de dialogue *Propriétés Modems*, cliquez sur le bouton *Propriétés de numérotation*. Le système affiche la boîte de dialogue *Propriétés de la numérotation* illustrée dans la Figure 11.12.

Deux modes de numérotation

Si les *modes de numérotation* ne sont pas définis correctement, la connexion demandera inutilement un temps assez long. Il existe différents modes de composition. La numérotation par impulsions désormais obsolète est identifiée par des bruits de fonds et de longues attentes pour la connexion.

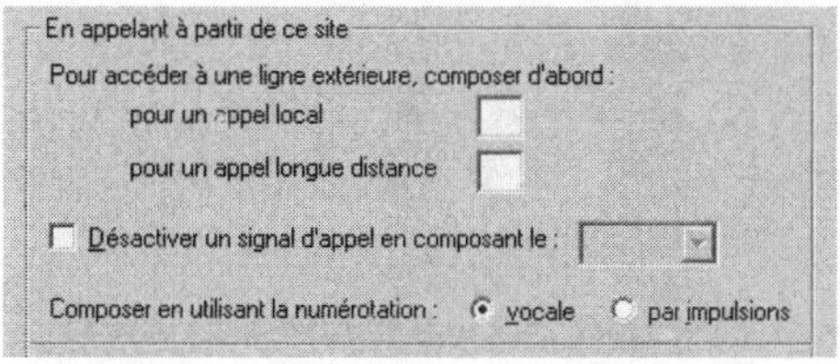

Figure 11.12   Définition de la procédure rapide de numérotation *MFV* pour le modem

Par impulsions (IWV)

Si votre modem n'est pas encore relié à une ligne téléphonique à transmission analogique, sélectionnez l'option *par impulsions* en regard de *Composer en utilisant la numérotation*.

Vocale (MFV)

Pour les modes de composition multifréquence modernes avec une transmission digitale, sélectionnez la case d'option *vocale*. Ce mode est identifié par différentes multi-fréquences élevées qui précèdent une procédure de composition très rapide.

Passage d'un mode à l'autre

Si votre téléphone et votre fax utilisent encore la numérotation par impulsions, vous pouvez la modifier. Les instructions qui accompagnent ces appareils fournissent les informations nécessaires à ce sujet. Confirmez en cliquant sur *OK* et fermez la boîte de dialogue *Propriétés Modems*.

Installation et configuration de l'adaptateur ISDN

Pour les applications en ligne, comme alternative au modem, il est possible d'utiliser un adaptateur *ISDN*. Il faut toutefois disposer d'une ligne digitale *ISDN* car l'adaptateur *ISDN* ne peut pas être utilisé sur une ligne téléphonique analogique.

Réseau téléphonique ISDN

Le réseau téléphonique digital *ISDN* (*Integrated Services Digital Network*) de *France Telecom* est un réseau de communication qui unit les services de télécommunication relatifs au téléphone, au fax et à la transmission de données sur un seul réseau digital.

Bande passante

Avec *ISDN* le transfert de données peut atteindre 64.000 bits par seconde (bps) sur chaque ligne téléphonique. Comme chaque connexion *ISDN* prévoit deux lignes téléphoniques, à l'aide de la *bande passante*, il est possible d'atteindre une vitesse de transmission de l'ordre de 128.000 bps. Ces deux lignes téléphoniques du réseau digital sont également disponibles pour les lignes téléphoniques et le télécopieur.

Deux lignes

Une connexion *ISDN* prévoit normalement trois numéros et deux lignes. Il est ainsi possible de recevoir un fax tandis que vous travaillez ou bien de téléphoner alors que vous êtes connecté à Internet. La connexion *ISDN* standard prévoit les services suivants :

- Connexion *ISDN* (2 lignes et 3 numéros de téléphone)

- 8 dispositifs *ISDN* au maximum pour chaque connexion

- Vitesse de transmission des données par canal de l'ordre de 64.000 bps

- Indication du numéro de téléphone d'autres abonnés *ISDN*

- Annonce d'un appel, conférence à trois, conversation intermédiaire, déviation d'appel et un autre numéro

Téléphones *ISDN*   Pour téléphoner, il faut cependant disposer d'un téléphone *ISDN* ou bien d'une installation téléphonique permettant d'utiliser des appareils analogiques tels que le téléphone, le fax ou le modem sur la connexion *ISDN*. Pour relier l'ordinateur sur une ligne téléphonique digitale, un dispositif supplémentaire est de toute façon nécessaire. Il s'agit de l'adaptateur *ISDN* qui est généralement fourni sous forme d'une carte *ISDN* interne à installer sur l'ordinateur.

Carte *ISDN* externe   Pour cela, il faut utiliser un logement libre *PCI* ou *ISA* pour cartes d'extension en fonction des caractéristiques de la carte *ISDN*. Il existe, en outre, des cartes *ISDN* externes contenues dans un boîtier et qui sont reliées à une interface série ou à un port USB de l'ordinateur. Cette section illustre uniquement la carte *ISDN* interne et sa configuration.

Plug & Play

Théoriquement, après avoir relié l'adaptateur ISDN, l'installation des pilotes de *Windows Me* est automatiquement lancée.

Configuration d'un adaptateur *ISDN*

Assistant Ajout de nouveau matériel

La plupart des adaptateurs *ISDN* internes sont généralement installés à travers l'*Assistant Ajout de nouveau matériel* de *Windows Me*. Théoriquement ceci se produit, une fois l'adaptateur monté, immédiatement après le premier démarrage.

Si l'*Assistant Ajout de nouveau matériel* part automatiquement, cliquez dans la première boîte de dialogue sur *Suivant*. Si tel n'est pas le cas, rappelez l'*Assistant Ajout de nouveau matériel* à partir du *Panneau de configuration* en double-cliquant sur l'icône *Ajout de nouveau matériel* 🖧. Sélectionnez la case d'option *Rechercher automatiquement un meilleur pilote (recommandé)* puis cliquez sur *Suivant*, le système recherche les cartes *ISDN* habilitées à la fonction *Plug & Play*.

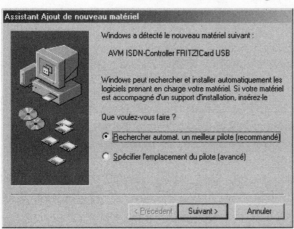

Figure 11.13   Installation de l'adaptateur ISDN à l'aide de *Assistant Ajout de nouveau matériel*

Si le pilote de l'adaptateur *ISDN* ne peut pas être trouvé automatiquement, choisissez la case d'option *Spécifier l'emplacement du pilote (avancé)* et cliquez sur *Suivant*. Si vous voulez que *Windows Me* recherche un pilote de façon semi-automatique, activez aussi l'option *Rechercher automatiquement un meilleur pilote (recommandé)* et indiquez en bas les lecteurs ou les dossiers où la recherche doit être effectuée. Introduisez également le CD-ROM du pilote fourni par le constructeur. Cliquez sur *Suivant*, *Windows Me* recherche de nouveau.

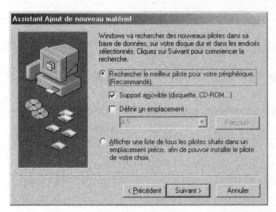

Figure 11.14   *Windows Me* recherche les pilotes de façon semi-automatique

Avec l'option *Afficher une liste de tous les pilotes situés dans un emplacement précis...* vous effectuez un contrôle complet. Cliquez sur *Suivant* puis sélectionnez l'option *Rechercher d'autres périphériques dans la liste* puis cliquez encore sur *Suivant*. Dans la boîte de dialogue suivante, cliquez sur *Disquette fournie...* et recherchez l'emplacement du pilote. Sélectionnez dans la boîte de dialogue d'après le dispositif *ISDN* et confirmez en cliquant sur *Suivant* puis sur *Terminer*.

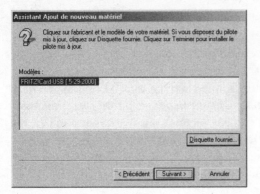

Figure 11.15   Pilote trouvé sur le CD-ROM du constructeur

Installation du pilote de communication CAPI

Pilote *CAPI*

Avec les dispositifs modernes ISDN, le logiciel nommé *pilote CAPI* est installé automatiquement. Si vous disposez d'un vieux modèle, vous devrez peut-être l'installer manuellement. Ce pilote est utilisé par *Windows Me* pour la communication avec un adaptateur *ISDN*. Le pilote *CAPI* est un pilote standard qui commande tous les périphériques *ISDN* d'un ordinateur à partir de différentes applications *ISDN*. Comme chaque carte *ISDN* peut être reliée à différents types de matériel, le constructeur doit fournir le pilote *CAPI*. Installez ce dernier à partir des disquettes qui accompagnent la carte.

Pour *Windows Me*, il faut toujours utiliser un pilote *CAPI* conforme à la norme *CAPI 2.0*. Il existe deux versions *CAPI*, dont la seconde ne correspond aucunement à une mise à jour du pilote, qui répondent en revanche à des normes différentes relatives à la communication *ISDN*. Pour *Windows 3.x* et toutes les autres applications *ISDN* précédentes à 16 bits, il faut utiliser la version *CAPI 1.1*. La version *CAPI 2.0* est requise pour tous les programmes *ISDN* à 32 bits sous *Windows Me*. Si vous avez la possibilité de choisir entre les deux versions, nous vous conseillons la *CAPI 2.0* ou une *CAPI* duale. Ces pilotes contiennent aussi bien la version 1.1 que 2.0. Avec la *CAPI* duale, vous évitez de rencontrer des problèmes avec les différentes versions de logiciel *ISDN*. Installez toujours la version la plus récente du pilote *CAPI* requis. Pour le premier contrôle du fonctionnement, utilisez le pilote disponible. Les versions mises à jour sont indiquées sur les ordinateurs de services *Euro-File-Transfer* du constructeur de la carte *ISDN*.

Lancez le programme d'installation *CAPI* selon les instructions du manuel qui accompagne le dispositif *ISDN* et suivez les instructions qui s'affichent sur l'écran. Pour l'accès à Internet, il faut disposer du module de communication *CAPI*. Il n'est généralement pas possible d'installer ce pilote séparément.

Applications *ISDN* Dans la plupart des cas, les programmes d'installation installent, outre le pilote *CAPI*, les applications *ISDN*. Pour utiliser toutes les fonctions *ISDN*, telles que le télécopieur ou le répondeur automatique, l'*Euro-File-Transfer* ou l'émulation intégrée du modem, il est également nécessaire d'avoir le logiciel fourni avec le dispositif (ce sujet n'est pas traité dans cette section).

Si vous voulez utiliser la carte *ISDN* uniquement pour la connexion à des services en ligne ou à Internet ou bien si vous utilisez exclusivement le programme de communication de Windows *Accès réseau à distance*, vous avez seulement besoin du pilote *CAPI* pour faire fonctionner la carte *ISDN*. Les applications additionnelles spécifiques de la carte sont nécessaires uniquement pour utiliser d'autres fonctions *ISDN* par ex. le télécopieur, le répondeur automatique, l'*Euro-File-Transfer* ou l'*émulation modem*.

Cette section illustre la configuration du pilote *CAPI* : la configuration des différentes cartes *ISDN* varie en fonction du constructeur. Les paramètres de base les plus importants sont cependant identiques pour tous les modèles, à savoir :

■ La sélection des *Protocoles canaux D*

■ Les options pour la *bande passante*

■ La mise au point des *protocoles de transfert*

■ Les définitions pour les *numéros multiples*

■ Les définitions pour les *codes de numérotation des périphériques*

Durant les procédures d'installation et de configuration, sélectionnez le *protocole canal D* correct qui établit le type de transmission des données *ISDN*. Bien qu'il existe de vieux protocoles nationaux, nous vous conseillons de sélectionner les protocoles modernes *Euro-ISDN DSS1*. Ce protocole *DSS1* est nécessaire pour l'*Euro-File-Transfer*.

Sélectionnez éventuellement toutes les options disponibles pour les protocoles digitaux de données, tels que *V.110* ou *X.75* etc. Si vous le voulez, vous pouvez sélectionner aussi les options pour la bande passante, appelée également *Channel Mapping*. Si vous ne disposez pas d'une bande passante, vous pouvez utiliser un seul canal B. Cependant pour atteindre une vitesse de transmission de 128.000 bps, il faut utiliser deux canaux B.

Comme chaque connexion *ISDN* prévoit trois numéros, il faut réserver l'un de ces numéros à la carte *ISDN* de l'ordinateur pour que ce dernier puisse recevoir les appels et distinguer les services. L'un des numéros peut ainsi être assigné par ex. à l'*Euro-File-Transfer*, un autre au modem-fax *ISDN* et le numéro de téléphone au répondeur automatique digital de la carte *ISDN*.

Figure 11.16   *Windows Me* utilise les pilotes CAPI standards version 2.0

Numéros multiples   L'assignation des *numéros multiples* (*msn*) de la connexion *ISDN* a lieu surtout à travers la configuration *CAPI* (ou la configuration *ISDN*). Indiquez à présent dans l'application de configuration, les numéros correspondants pour le modem-fax, l'*Euro-File-Transfer* et le répondeur automatique. Généralement l'acceptation du numéro doit être activée à part.

Code de sélection des périphériques   Ne vous inquiétez pas pour les *codes de sélection des périphériques* (*EAZ*), avec *Euro-ISDN* car ils ne sont plus utilisés. Avec les programmes de configuration moins récents qui requièrent donc les *codes de sélection des périphériques*, pour chaque modèle de programmation du logiciel *ISDN,* il faut indiquer les caractéristiques (*OUI*) établies selon les différents services *ISDN*.

Pour faciliter la définition des *codes de sélection des périphériques*, vous pouvez aussi insérer simplement « 0 » qui active la *global call*. Ainsi, le module de programme *ISDN* activé accepte tous les appels entrant avec la caractéristique appropriée. Le programme du fax accepte de la même manière tous les fax entrant, le module de données permet de transférer des données à travers les appels *Euro-File-Transfer* etc.

Le transfert à 2 canaux à une vitesse allant jusqu'à 128 Kbit/sec, est activé par la suite durant la définition de l'*Accès réseau à distance*. Si vous voulez utiliser les deux canaux ISDN pour accéder à Internet, dans l'onglet *Multi-lien* de la boîte de dialogue des Propriétés, activez l'option *Autre périphérique*. A l'aide du bouton *Ajouter* vous pouvez sélectionner un autre canal B.

Installation et configuration de l'*Accès réseau à distance*

Si vous possédez déjà un modem, vous comprendrez sans problème cette section car les procédures de configuration pour l'accès à Internet sont identiques à celles du modem ou d'un dispositif *ISDN*.

Vérification de l'installation

Pour accéder à Internet ou utiliser d'autres applications en ligne sous *Windows Me*, il faut utiliser l'*Accès réseau à distance*. Normalement, *Windows Me* installe tous les composants nécessaires durant l'installation du système d'exploitation mais il convient de vérifier si l'*Accès réseau à distance* est installé sur votre ordinateur.

Pour cela, ouvrez le menu *Démarrer* et pointez les rubriques *Programmes/Accessoires* et *Communications*. Si la commande *Accès réseau à distance* se trouve dans le groupe de programmes *Communications*, passez à la section suivante du manuel.

Navigateur Web

Si tel n'est pas le cas, il faut installer cette « centrale en ligne » de *Windows Me*. Même pour accéder à différents services Internet, il faut disposer de programmes additionnels. Pour le WWW, utilisez par ex. un navigateur tel que *Microsoft Internet Explorer version 5.5*.

Voici la procédure d'installation de l'*Accès réseau à distance* pour accéder à Internet sous *Windows Me*. Sélectionnez *Démarrer/Paramètres/Panneau de configuration*.

Double-cliquez sur l'icône *Ajout/Suppression de programmes* 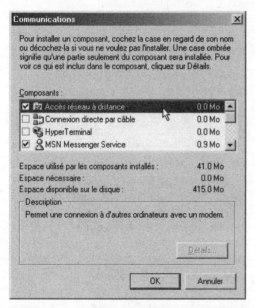 et passez à l'onglet *Installation de Windows*.

Sélectionnez dans la liste *Composants* la rubrique *Communications* et cliquez sur le bouton *Détails*. Cochez la case *Accès réseau à distance* et confirmez avec *OK* dans les deux boîtes de dialogue. Au terme de la copie, ce composant est disponible sur votre ordinateur.

Figure 11.17   Installation de l'*Accès réseau à distance*

Configuration de l'*adaptateur modem*

Avec l'*Accès réseau à distance*, le pilote réseau *Adaptateur modem* est automatiquement installé. Il en est de même pour le protocole Internet *TCP/IP* qu'il faut configurer individuellement pour chaque Connexion d'accès réseau à distance. Pour une *Connexion d'accès à distance* sous Internet, il faut :

- L'*Accès réseau à distance*
- Le pilote réseau *Adaptateur modem*
- Le protocole réseau *TCP/IP*
- La connexion à l'*Accès réseau à distance*
- La configuration du protocole Internet *TCP/IP*

Si vous voulez obtenir l'accès à Internet à travers un fournisseur tel que *Compuserve* ou *AOL*, cette procédure de configuration est tout à fait inutile. Ces fournisseurs offrent des kits complets permettant de naviguer dans le web qui ne requièrent pas la procédure décrite ci-dessus et qui sont en partie déjà contenus dans *Windows Me* (groupes de programmes *Services en ligne*).

Fournisseurs
Internet-by-Call

La description suivante permet d'accéder à Internet à travers l'*Accès réseau à distance* et *Windows Me*. Si notre description est trop compliquée, nous vous conseillons d'acheter un kit Internet complet livré par de gros fournisseurs tels que *Compuserve ou AOL* etc. qui évitent la configuration complexe de *Windows Me*. Différents fournisseurs de services *Internet by Call* offrent des logiciels ou des programmes semblables qui définissent et configurent automatiquement une *connexion modem*.

Si le fournisseur ne livre aucun logiciel, utilisez l'*Accès réseau à distance de Windows Me* qui représente la méthode la plus professionnelle. Vous pourrez constater personnellement que cette procédure n'est pas si compliquée, par ailleurs vous pouvez choisir soit la configuration manuelle soit la configuration guidée par un Assistant.

Installation suivante du protocole réseau *TCP/IP*

Pour accéder à Internet à travers une *connexion à distance*, il faut disposer d'un *Accès réseau à distance*, de l'*adaptateur modem* mais aussi du protocole réseau TCP/IP. Celui-ci est installé automatiquement par *Windows Me*.

Rubrique *Protocole* Les indications contenues dans cette section ne sont nécessaires que si la rubrique du protocole a été effacée par erreur de la liste des composants installés. Si la rubrique *TCP/IP* figure dans cette liste, vous pouvez sauter cette section.

Si le protocole *TCP/IP* n'est pas installé, affichez la boîte de dialogue *Réseau* (*Panneau de configuration/Réseau* 🖧). Dans l'onglet *Configuration*, cliquez sur le bouton *Ajouter...* puis dans la boîte de dialogue *Sélection du type de composant réseau*, cliquez sur la rubrique *Protocole* puis sur *Ajouter...*

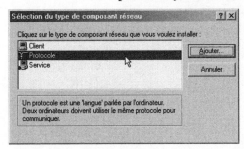

Figure 11.18   Installation d'un nouveau protocole

Dans la liste *Constructeurs*, sélectionnez la rubrique *Microsoft* et, sous *Protocoles réseau,* la rubrique *TCP/IP* puis cliquez sur *OK*. *Windows Me* installe le protocole et l'insère dans la liste de la boîte de dialogue *Réseau*.

Rubriques *TCP/IP*   Utilisez éventuellement les barres de défilement pour afficher les rubriques *TCP/IP*. Sur les ordinateurs reliés en réseau, *Windows Me* installe le protocole *TCP/IP* même pour les cartes réseau.

Si à l'aide de l'*Accès réseau à distance* vous voulez établir des propriétés *TCP/IP* identiques pour **toutes les** icônes de communications suivantes, reportez-vous à la section ci-dessous qui indique comme configurer le protocole Internet.

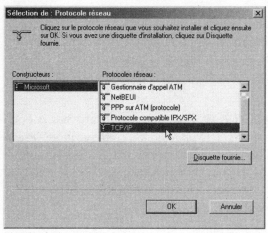

Figure 11.19   Sélection du protocole *TCP/IP* pour accéder à Internet

Connexion à Internet à l'aide de l'*Accès réseau à distance*

Nous allons à présent illustrer la définition des connexions pour l'accès à Internet avec *Windows Me*. Cette section explique comment prédisposer l'*Accès réseau à distance* pour la connexion Internet et la connexion au serveur du fournisseur. Il faut tout d'abord que tous les pilotes et les protocoles nécessaires soient installés.

Accès réseau à distance

Pour « créer » l'accès, il faut ouvrir le dossier *Accès réseau à distance*. Pour cela, sélectionnez *Démarrer/ Programmes/ Accessoires/Communications/Accès réseau à distance*

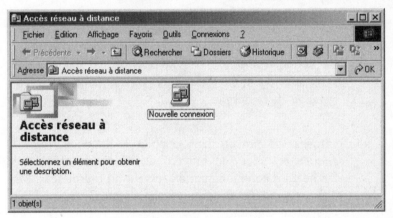

Figure 11.20   Le dossier *Accès réseau à distance*

Double-cliquez sur l'icône *Nouvelle connexion*. Dans la boîte de dialogue qui s'affiche sous *Entrer un nom pour l'ordinateur appelé* tapez le nom voulu, par ex. « Internet ».

Sélection de l'adaptateur ISDN

Déroulez la boîte à liste *Sélectionner un périphérique* et sélectionnez le modem. Si vous disposez d'une carte *ISDN*, sélectionnez *Mini Port* ou une rubrique indiquant le numéro du *canal B*. Sur certains périphériques, la rubrique appropriée peut aussi contenir le texte *PPP over ISDN*.

Figure 11.21   **Assistant pour l'installation d'une connexion à travers l'*Accès réseau à distance***

Le bouton *Configurer* ouvre la boîte de dialogue des Propriétés du modem où vous pouvez modifier les paramètres de ce dernier.

Frappe du numéro de téléphone

Cliquez sur *Suivant* dans la boîte de dialogue *Nouvelle connexion*. Tapez le numéro de téléphone précédé de l'indicatif à communiquer au serveur du fournisseur. Modifiez l'*Indicatif du pays* en choisissant *France (33)* et cliquez sur *Suivant*.

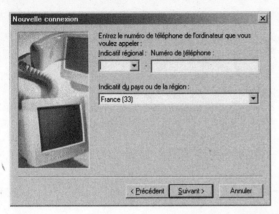

Figure 11.22 Communication du numéro de téléphone au serveur du fournisseur

La dernière boîte de dialogue vous donne la possibilité de contrôler ou modifier le nom de la nouvelle connexion. Si vous cliquez sur *Terminer*, l'assistant insère dans le dossier *Accès réseau à distance* une nouvelle icône portant le nom défini. Par la suite, il suffira de double-cliquer sur cette icône pour se relier à l'ordinateur Internet du fournisseur.

Propriétés

La première connexion est subordonnée à la définition des propriétés de connexion au serveur. Sélectionnez l'icône de la nouvelle connexion créée et cliquez sur le bouton droit de la souris pour afficher le menu contextuel, puis sélectionnez la commande *Propriétés*. Dans l'onglet *Mise en réseau*, pour utiliser un fournisseur *Internet By Call*, dans le groupe *Options avancées*, veillez à ce que seule la case *Activer la compression logicielle* soit cochée. Ensuite dans le groupe d'options *Protocoles réseau autorisés*, cochez uniquement la case *TCP/IP*.

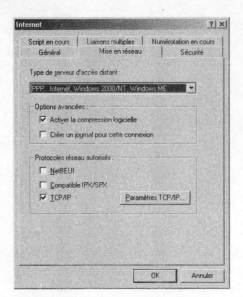

Figure 11.23   L'onglet Mise en réseau

Paramètres TCP/IP

Selon votre fournisseur Internet, cliquez sur le bouton *Paramètres... TCP/IP*. Dans la boîte de dialogue *Paramètres TCP/IP*, il faut définir l'*Adresse IP* et/ou l'adresse du serveur DNS du fournisseur Internet.

Adresse IP

Dans la boîte de dialogue *Paramètres TCP/IP*, sélectionnez l'option *Spécifier une adresse IP* et tapez l'adresse IP nécessaire à la connexion ; sinon indiquez l'*adresse IP* fournie par le serveur (c'est la définition standard de *Windows Me*).

Serveur - DNS

Si nécessaire, sélectionnez l'option *Spécifier les adresses de serveurs de noms* et tapez dans le champ *DNS primaire* le nom du serveur sous forme de *XXX.XXX.XXX.XXX*, en remplaçant les « X » par des chiffres. Tapez le *DNS* secondaire dans le champ correspondant, etc.

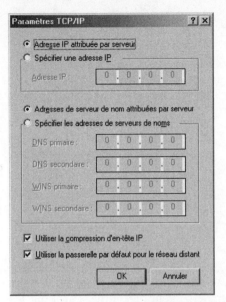

Figure 11.24 Entrée de l'*adresse IP* du serveur

Confirmez les paramètres *TCP/IP* en cliquant sur *OK*. Si d'autres indications ne sont pas nécessaires, cliquez sur *OK* pour fermer la boîte de dialogue des Propriétés de connexion.

Lancement de la connexion à Internet à l'aide de l'*Accès réseau à distance*

Si vous avez perdu tout espoir, cette section décrit finalement la connexion au serveur de votre fournisseur et donc à Internet. Pour cela il faut disposer de l'*Accès réseau à distance* et de l'icône créée pour la connexion.

Icône de connexion — Double-cliquez donc sur l'icône de connexion dans le dossier *Accès réseau à distance* pour lancer la première connexion à Internet. La boîte de dialogue *Connexion à* s'affiche.

Figure 11.25   La boîte de dialogue *Connexion à*

Tapez le *Nom d'utilisateur* et le *Mot de passe* pour accéder à Internet à travers le serveur du fournisseur. Pour les fournisseur de services Internet by Call , utilisez les données d'accès générales prescrites partiellement. Contrôlez éventuellement le numéro de téléphone puis cliquez sur *Options d'appel* pour vérifier la procédure de numérotation et l'indicatif.

Bouton *Connecter*   Cliquez sur le bouton *Connecter* pour commencer la numérotation. Celle-ci est affichée dans une boîte de message (voir la Figure 11.26).

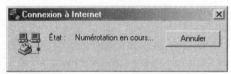

Figure 11.26   La numérotation

La phase de numérotation et de communication via modem est clairement audible, ensuite l'état de la connexion avec le serveur s'affiche. Dès que la connexion a lieu, un message s'affiche ; confirmez en cliquant sur *OK*. Si vous ne voulez plus que ce message apparaisse, cochez la case *Ne plus afficher ce message à l'avenir*.

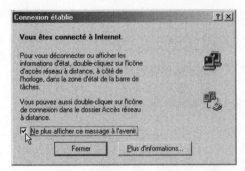

Figure 11.27   Ne plus afficher ce message à l'avenir

Boîte de dialogue
Connexion à

Au terme de la connexion, la boîte de dialogue *Connexion à* est réduite en icône et placée dans la barre des tâches à gauche de l'heure. Si vous double-cliquez sur cette icône, le système affiche la boîte de dialogue *Connecté à...* qui contient les données de connexion courantes (voir la Figure 11.28).

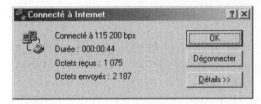

Figure 11.28   Connexion effectuée

Microsoft Internet
Explorer

La connexion active est affichée dans cette boîte de dialogue avec la vitesse de transmission des données courantes et le nombre d'octets envoyés et reçus. A ce stade, lancez le programme pour accéder aux différents services Internet, par ex. *Microsoft Internet Explorer* pour le WWW. Pour cela, double-cliquez sur l'icône *Internet Explorer* située sur le bureau de *Windows*. *Internet Explorer* s'ouvre avec la page d'accueil par défaut (*Microsoft Windows Me*).

Figure 11.29   Navigation sur le World Wide Web avec *Internet Explorer*

Interruption de la connexion

Il existe deux possibilités pour interrompre la connexion active : vous pouvez double-cliquer sur l'icône de connexion dans la barre des tâches pour rappeler la boîte de dialogue *Connecter à* (voir la Figure 11.30) et cliquer sur le bouton *Déconnecter*.

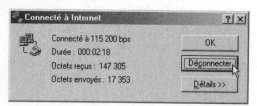

Figure 11.30   Interruption de la connexion à l'aide de la boîte de dialogue

Menu contextuel

Vous pouvez également cliquer sur cette icône à l'aide du bouton droit de la souris et, dans le menu contextuel, sélectionner la commande *Déconnecter* (voir la Figure 11.31). La connexion est ainsi terminée, *Microsoft Internet Explorer* reste actif mais il n'est pas en ligne et affiche la dernière page recherchée.

Figure 11.31   Interruption de la connexion à l'aide du menu contextuel

Définition de l'accès à Internet à l'aide de l'assistant

Dans les sections précédentes nous avons illustré comment créer manuellement, étape par étape, la connexion à Internet. Cette section décrit, par contre, comme exécuter les mêmes étapes avec l'assistant de connexion.

Il existe différentes possibilités pour activer l'assistant de connexion : la première consiste à activer directement l'icône *Assistant connexion Internet* en rappelant le programme à l'aide de *Démarrer/ Programmes/ Accessoires/Comunications* et enfin *Assistant connexion Internet*. La deuxième consiste à utiliser la commande *Outils/Options Internet* du programme Internet Explorer, dans la boîte de dialogue homonyme, passer à l'onglet *Connexion* et cliquer sur le bouton *Configurer...*.

Assistant
Connexion Internet

Quelle que soit la méthode choisie, l'*Assistant Connexion Internet* s'affiche. La première boîte de dialogue propose trois cases d'options, la première permet de configurer un nouveau compte Internet, la deuxième spécifie que vous voulez définir les programmes Internet de *Windows Me* de manière à utiliser une connexion déjà existante.

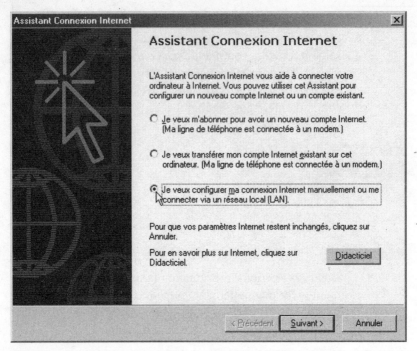

Figure 11.32 Configuration de l'accès à Internet à l'aide de l'assistant Connexion

Connexion à distance

Dans cette section, nous nous occuperons exclusivement du troisième choix, à savoir des opérations à exécuter pour installer des programmes Internet de *Windows Me* à travers un *accès à distance* à définir : sélectionnez donc l'option *Je veux configurer ma connexion Internet manuellement ou me connecter via un réseau local* et cliquez sur *Suivant*.

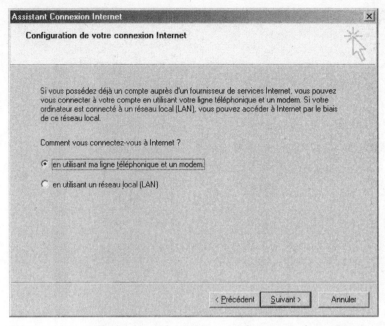

Figure 11.33   Accès à Internet à travers un modem ou un réseau local

Modem ou LAN

Dans la boîte de dialogue suivante, vous devez indiquer si vous souhaitez que la connexion vers le fournisseur de services Internet soit exécutée à travers un modem ou un réseau local (*LAN*). Nous allons nous occuper seulement de la première option *en utilisant ma ligne téléphonique et un modem*. Cliquez sur *Suivant* pour confirmer.

Sélection du modem

Dans l'étape d'après, définissez le périphérique à utiliser pour la connexion à Internet. Si vous disposez d'un modem, sélectionnez-le avant de cliquer sur *Suivant*.

Sélection de l'adaptateur *ISDN*

Par contre, si votre ordinateur est doté d'un adaptateur *ISDN*, sélectionnez la rubrique avec le canal B voulu ou un modem *PPP over ISDN*, ensuite cliquez sur *Suivant*.

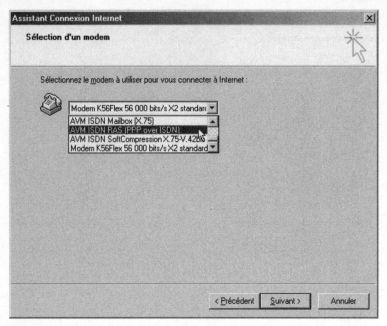

Figure 11.34   Sélection du modem ou du canal ISDN

Entrée du numéro de téléphone

Dans la boîte de dialogue suivante, tapez les informations sur la connexion à Internet. La procédure est identique à celle utilisée pour la création d'un *accès à distance*. Vous devez enregistrer le numéro de téléphone du fournisseur de Internet ; pour cela, vous pouvez utiliser l'un des fournisseur de services Internet by Call dont les données sont indiquées ci-après. Tapez le numéro de téléphone relatif dans la zone de texte homonyme. Laissez le champ *Indicatif régional* vide puis cochez la case *Composer le numéro en utilisant l'indicatif régional et le code du pays* uniquement si ces paramètres sont indispensables. Cliquez sur *Avancés....*

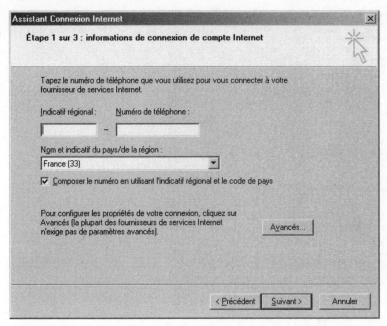

Figure 11.35   Entrée du numéro de téléphone du fournisseur de services Internet

Paramètres de connexion

Si le fournisseur de services Internet requiert certains paramètres relatifs à l'adresse ou à la connexion, vous devez les entrer à présent :

Dans l'onglet *Connexion*, vous pouvez sélectionner le type de connexion nécessaire.

La plupart des connexions utilisent le *protocole Point to Point (PPP)*, par ex. tous les fournisseurs de services Internet by Call.

Protocoles de transmission Internet

Comme le nombre de fournisseurs Internet est élevé, il existe différents types de connexion qui établissent le protocole de transmission utilisé.

Utilisez le protocole conseillé par le fournisseur pour l'accès.

523

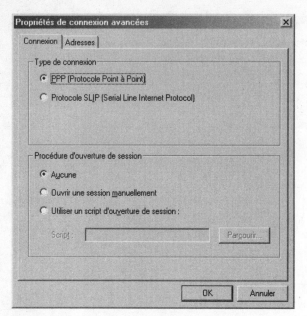

Figure 11.36   Définition du type de connexion

Sur Internet, on utilise les types de connexion suivants pour le modem :

■ *PPP (protocole Point à Point)*

■ *SLIP (protocole Serial Line Internet)*

■ *CSLIP (protocole Compressed Serial Line Internet)*

Généralement, pour accéder à Internet, on utilise le protocole de transmission moderne *PPP* qui est, par ailleurs, automatiquement installé pour les *connexions modem* standards. Utilisez-le pour accéder à Internet ou vous connectez en réseau sous *Windows Me*.

Sous *Procédure d'ouverture de session*, vous pouvez renoncer à cette procédure en cliquant sur *Aucune*, choisir un accès manuel avec *Ouvrir une session manuellement* ou bien *Utiliser un script d'ouverture de session*. Les scripts permettent d'automatiser la connexion. Pour tous les accès Internet utilisés actuellement, ces paramètres ne sont plus nécessaires.

Adresses IP

Passez à l'onglet *Adresses*, si vous devez définir une adresse *IP* particulière pour la connexion. Vous pouvez y définir l'*adresse IP* et/ou l'*adresse du serveur DNS* principal et auxiliaire.

Serveur DNS

Dans le groupe d'option *Adresse IP*, cliquez sur la case *Toujours utiliser l'adresse suivante* et tapez l'adresse IP fournie par le prestataire Internet. Comme alternative, vous pouvez la demander automatiquement au serveur (il s'agit de l'option standard de *Windows Me*).

Adresse du serveur DNS

Dans le groupe d'options *Adresse du serveur DNS*, cliquez sur la case *Toujours utiliser l'adresse suivante* et tapez le nom du serveur dans la zone de texte *Server DNS principal* sous la forme *XXX.XXX.XXX.XXX* où les « X » doivent être remplacés par des chiffres. Si votre entrée n'est pas correcte, un message d'erreur s'affiche.

Tapez éventuellement le nom du *server DNS auxiliaire*. Par exemple, pour le fournisseur de Internet by Call *Arcor*, tapez les adresses *145.253.2.11* et *145.253.2.75*.

Cliquez sur *OK* pour confirmer vos entrées. Ainsi vous revenez à l'*Assistant Connexion Internet*. Cliquez sur *Suivant* pour confirmer les données de connexion du serveur déjà enregistrées.

Entrée des données d'accès

Dans la boîte de dialogue suivante, tapez les données d'accès, c'est-à-dire le *Nom d'utilisateur* et le *Mot de passe*. Pour les fournisseurs de services *Internet by Call*, utilisez les données d'accès partiellement prescrites. Cliquez sur *Suivant* pour confirmer.

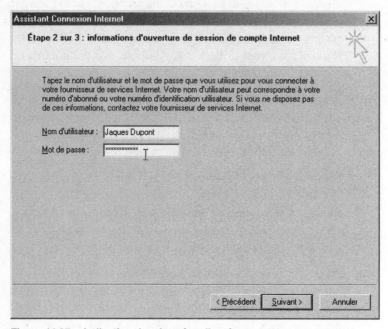

Figure 11.37   Indication des données d'accès

Nom de la connexion

A présent, vous pouvez modifier le nom de la connexion puis cliquez sur *Suivant*. Cette étape permet d'installer un compte de messagerie Internet, cliquez sur *Oui*, si vous disposez d'une adresse de courrier électronique.

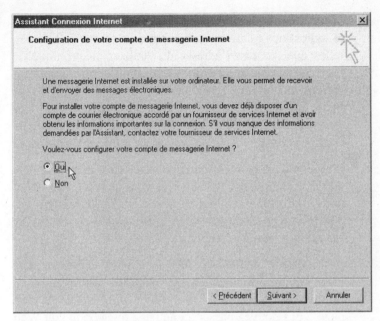

Figure 11.38 Création d'un *compte de messagerie Internet*

Pour configurer un compte de messagerie Internet, il faut indiquer le compte d'un fournisseur de courrier électronique. Si vous ne possédez pas boîte aux lettres E-mail, cliquez sur *Non*. Plus loin dans ce chapitre, nous vous expliquerons comment installer manuellement un compte de messagerie Internet.

Si vous choisissez *Oui*, vous pouvez vous reporter à la section *Installation d'un compte de messagerie Internet à l'aide de Outlook Express* de ce chapitre puisque les procédures sont identiques. Confirmez chaque étape en cliquant sur *Suivant*.

Indication du nom du serveur de courrier électronique

L'Assistant vous demandera à travers les étapes d'entrer le indications relatives au compte de messagerie Internet, telles que par ex., l'adresse du courrier électronique, le nom du serveur de courrier électronique pour le courrier entrant et sortant. Tenez ces informations à portée de main. Les données relatives aux fournisseurs de services *Internet by Call* sont indiquées ci-après. Cliquez sur le bouton *Terminer*. A ce stade, l'accès à Internet a été créé.

Bouton *Connecter*

Pour établir la connexion, cliquez sur *Connecter*. Dans la boîte de dialogue *Connecter à*, vous pouvez voir votre nom d'utilisateur, le mot de passe crypté, le numéro appelé et le type de numérotation. *Microsoft Internet Explorer* est automatiquement lancé.

Données de connexion

A l'intérieur de *Internet Explorer*, vous verrez la page d'accueil par défaut (*Microsoft Windows Me*) ou celle du fournisseur de services *Internet by Call*. A partir de cette page, vous pouvez passer à une page quelconque du Web de Internet. Vous trouverez d'autres informations relatives à la navigation sur le World Wide Web et à l'utilisation de ce navigateur dans la section suivante. Une fois la connexion activée, l'icône correspondante apparaît dans la barre des tâches près de l'heure. Si vous cliquez sur celle-ci, vous affichez une *info bulle* fournissant les données courantes de la connexion. En revanche, un double-clic entraîne l'ouverture d'une boîte de dialogue contenant des données plus détaillées.

Travailler avec *Microsoft Internet Explorer*

Après avoir défini l'icône de connexion à l'aide de l'*Accès réseau à distance* et exécuté les procédures de l'*Assistant Connexion*, vous pouvez utiliser le navigateur Web *Microsoft Internet Explorer 5.5,* intégré dans le système d'exploitation, pour naviguer dans le réseau

mondial des services d'informations d'Internet, le World
Wide Web.

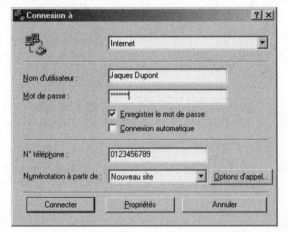

Internet Explorer

Figure 11.39   *Internet Explorer* en ligne

**Fournisseur de
services Internet**

Pour accéder à *Internet Explorer* en ligne, il y a différentes possibilités : vous pouvez lancer le logiciel d'accès à
Internet d'un service de données ou d'un fournisseur de
services Internet pour établir une connexion ; vous pouvez également double-cliquer sur l'icône d'une *connexion à distance* dans le dossier *Accès réseau à distance*
puis cliquer sur *Connecter*.

Dès que la connexion au serveur du fournisseur est établie, vous pouvez lancer *Internet Explorer* ou passer au
navigateur qui est déjà lancé et dont le bouton se trouve
dans la barre des tâches. La page d'accueil par défaut
s'affiche. Si vous travaillez avec l'*Assistant Connexion
Internet*, vous pouvez double-cliquer sur l'icône de *Internet Explorer* qui se trouve sur le bureau ; dans la boîte de
dialogue qui s'affiche, cliquez sur *Connecter* pour établir
la connexion en ligne.

Connecter

Vous avez encore une possibilité, à savoir cliquer, sous

Windows Me, sur un bouton contenant un raccourci vers Internet : vous lancez ainsi *Internet Explorer* qui ouvre la boîte de dialogue où figure le bouton *Connecter*.

World Wide Web

Le *World Wide Web*, ou *WWW*, indique le système d'informations le plus vaste du monde et fait partie d'Internet. Le WWW est sans doute le service Internet le plus apprécié et visité par les utilisateurs. On utilise souvent le sigle www comme synonyme d'Internet, un gigantesque réseau d'ordinateur reliés à travers les lignes téléphoniques.

Technologie hypertexte

Le WWW se base sur la technologie *hypertexte* (*HTML*) pour la représentation d'informations dans les documents. Dans les hypertextes, chaque élément d'un document, aussi bien un point du texte qu'une image, peut représenter un index qui renvoie à d'autres points à l'intérieur du même document ou dans d'autres documents. Ces index sont définis *liens hypertextes* et ils peuvent facilement être repérés à l'intérieur des documents puisqu'ils sont affichés avec une autre couleur.

Navigateur

Pour afficher les informations du WWW sur votre écran, vous devez disposer d'un *navigateur* tel que *Internet Explorer*. Le navigateur permet en effet de visualiser les informations des serveurs Web et de naviguer sur le Web afin de voir sur votre écran (ou d'écouter) les documents hypertextes.

Page d'accueil

Voici la description de la procédure pratique : après avoir créé la connexion à travers l'*Accès réseau à distance*, lancez *Internet Explorer* en double-cliquant sur son icône de programme située sur le bureau. Si vous travaillez avec l'assistant de connexion, vous pouvez activer immédiatement l'icône de *Internet Explorer*. Le navigateur web est lancé et montre la page d'accueil par défaut (*Microsoft Windows Me*), à savoir la page visualisée lors de l'ouverture.

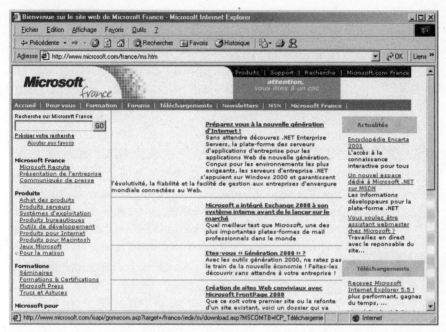

Figure 11.40   *Microsoft Internet Explorer*

Hors connexion
Pour se familiariser avec *Internet Explorer* et ses éléments de commande, il convient d'interrompre la connexion en ligne avec le serveur du fournisseur pour éviter des coûts inutiles.

Figure 11.41   Interruption de la connexion

Interruption de la connexion
Pour interrompre la connexion, rappelez la boîte de dialogue *Connecter à* en double-cliquant sur l'icône de connexion dans la barre des tâches, près de l'heure puis cliquez sur *Déconnecter*.

Comme alternative, cliquez à l'aide du bouton droit de la souris sur l'icône 📖 située dans la barre des tâches puis choisissez la commande *Déconnecter* dans le menu contextuel (voir la Figure 11.41). A ce stade, la connexion est interrompue mais *Internet Explorer* est encore actif hors connexion et montre le dernier site visité.

Les éléments de commandes d'*Internet Explorer*

La surface d'un navigateur Web est partagée en trois zones. La section supérieure contient la barre de titre avec le titre du document visualisé, une barre de menus, dans la *barre d'adresses* où figure l'*URL* (l'adresse Web) et une *icône* animée quand vous êtes en ligne.

La section centrale sert à la représentation du document que vous pouvez parcourir à l'aide de la barre de défilement. Au bas, il y a une barre d'état où s'affichent les messages relatifs à la connexion et au temps de téléchargement restant. La page d'accueil est une page Web qui est automatiquement activée lors du lancement du navigateur. Vous pouvez la remplacer par une page personnelle ou un *URL* pris sur Internet.

Barre de titre

Comme tout programme *Windows*, même dans *Internet Explorer* la barre de titre constitue la limite supérieure de la fenêtre de programme. Dans *Internet Explorer* c'est là que sont visualisés le titre du document affiché et le nom du programme *Microsoft Internet Explorer*.

URL

L'*URL* (*Uniform Resource Locator*) – à savoir l'adresse du site Web – se trouve dans la *barre d'adresses* mais aussi dans la *barre d'état*. Les *URL* déjà connus peuvent être directement activés à partir de la *barre d'adresses*, par contre, si vous sélectionnez un lien, l'*URL* apparaît uniquement dans la barre d'état.

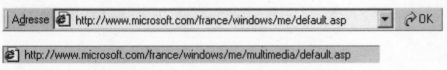

Figure 11.42   La barre d'adresses (en haut) et la barre d'état

Protocole://Service/Adresse   serveur/Parcours/Dénomination.

http ://www.

http indique le protocole de transmission *Hyper Text Transfer Protocol*. *WWW* indique le service Internet du *World Wide Web*, l'adresse du serveur par ex. *microsoft.fr*. Il y a ensuite le dossier et le nom du fichier du document requis. Les éléments des chemins de l'adresse ne sont jamais séparés par des espaces.

Barre de menus

La barre de menus se trouve sous la barre de titre. Vous y trouverez les noms des menus disponibles dans *Internet Explorer*. Au-dessous, il y a la barre d'outils *Boutons standard* pour naviguer sur le Web. La barre d'outils d'*Internet Explorer* contient onze boutons pour naviguer sur le WWW.

Figure 11.43   La barre d'outils d'*Internet Explorer* avec de petits et grandes icônes

Barres d'Internet Explorer

Ces boutons permettent d'accéder rapidement aux commandes utilisées le plus fréquemment. La signification de chaque bouton est illustrée ci-dessous. Les boutons grisés ne peuvent temporairement pas être sélectionnés. Pour afficher et masquer la *barre d'outils*, la *barre d'état* et d'autres *barres d'Internet Explorer*, utilisez le menu *Affichage*. La « petite barre verticale » située à gauche permet de déplacer les barres d'outils ou de les insérer comme une petite fenêtre sur l'écran.

533

Voici les boutons standards de *Internet Explorer* et leur signification :

Bouton	Nom	Fonction
Précédente	*Précédente*	Il permet de revenir au document affiché précédemment
Suivante	*Suivante*	Après avoir activé le bouton *Précédent*, il permet de passer au document suivant déjà rappelé
Arrêter	*Arrêter*	Il interrompt le téléchargement d'une page
Actualiser	*Actualiser*	Il recharge le document courant
Démarrage	*Démarrage*	Il vous ramène à la page d'accueil
Rechercher	*Rechercher*	Il recherche des pages Web à l'aide du dispositif de recherche par défaut du WWW
Favoris	*Favoris*	Il permet de mémoriser et de rappeler les adresses *URL* intéressantes
Historique	*Historique*	Il partage la fenêtre et affiche les pages à peine visitées à gauche

	Courrier	Pour écrire, envoyer et lire le courrier électronique
	Imprimer	Il imprime le document courant sur l'imprimante par défaut
	Messenger	Il permet de garder le contact avec des personnes sur Internet

Figure 11.44   Boutons standards de la barre d'outils

Serveur
« sécurisé »

La barre d'état affiche des informations sur l'état de chargement du document requis et son adresse. Une icône représentant un cadenas indique que la page contient un serveur « sécurisé ». Pour toutes les transactions de données réservées (commandes par carte de crédit, achats en ligne, service bancaire à domicile etc.) vérifiez si le serveur est « sécurisé ».

Navigation entre les propositions du *Web* avec *Internet Explorer*

Pour savoir comment fonctionne *Internet Explorer*, il faut avant tout se connecter à Internet. Pour entrer en ligne, double-cliquez sur l'icône *Internet Explorer* qui se trouve sur le bureau puis sur *Connecter* dans la boîte de dialogue *Connecter à*. Pour les connexions exécutées à partir du dossier *Accès réseau à distance*, la boîte de dialogue *Connexion à* s'affiche, cliquez alors sur le bouton *Connecter*.

Etat de la
connexion

Au cours de la connexion, vous voyez l'état de la connexion. Après la notification réseau, la page d'accueil par défaut s'affiche :

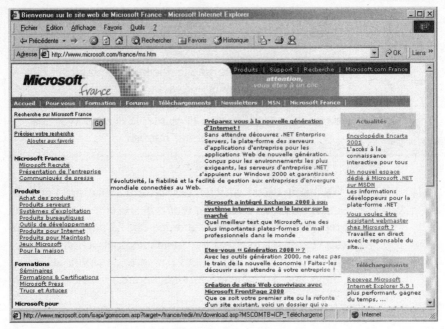

Figure 11.45 En ligne sur la page d'accueil de *Windows Me*

Si vous vous connectez à un fournisseur de services *Internet by Call*, vous pouvez définir comme page d'accueil celle de ce fournisseur. Il en est ainsi par ex. avec *freenet*.

Insertion d'adresses Web dans *Internet Explorer*

Pour insérer une adresse Web (*URL*) connue, cliquez dans la *barre d'adresses* d'*Internet Explorer*. Recouvrez la sélection en tapant l'adresse complète. Si vous ne connaissez aucun *URL*, tapez le *URL* indiqué ci-dessous qui correspond à la page d'accueil française de *Microsoft* :

▪ *http://www.microsoft.com/france/*

Appuyez sur ⏎ pour assigner l'adresse et la recherche du site est lancée. Si vous n'êtes pas connecté en ligne, la boîte de dialogue *Connexion à* s'affiche. Tapez votre *Nom d'utilisateur* et *Mot de passe* puis cliquez sur *Connecter*. La page d'accueil de *Microsoft* est ainsi affichée. Cliquez sur le lien hypertexte *Windows* puis sur *Support*.

Figure 11.46   Ouverture d'un site Web

Adresse automatiquement complétée

Sélectionnez *Fichier/Ouvrir* et tapez l'*URL* *http://www.microsoft.com/france/* dans la zone de texte.

Contrôlez ce qui s'affiche dans la *barre d'adresses* : appuyez sur la touche ⏎ dès que *Internet Explorer* complète automatiquement le reste de l'adresse tapée. La page d'accueil de *Microsoft* est de nouveau affichée.

Vous pouvez également ouvrir les sites déjà visités à l'aide de la flèche de déroulement de la boîte à liste *Barre d'adresses*.

Flèche de déroulement

Déroulez la boîte à liste *Barre d'adresses* en cliquant sur ▾ et sélectionnez l'une des rubriques à l'aide d'un clic. *Internet Explorer* visualise les pages précédemment ouvertes.

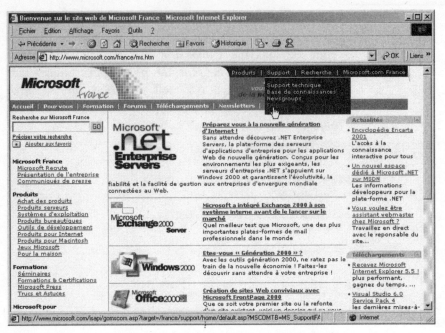

Figure 11.47   Rappel de la *FAQ* sur la page d'accueil de *Microsoft*

Activation du lien	Cliquez de nouveau sur le lien hypertexte *Windows*, ensuite sur *Support* puis sur *FAQ*. Lisez les informations qui apparaissent dans la barre d'état. Vous accédez ainsi, par ex. à la *zone de support* de *Microsoft*.

Précédente et
Suivante

Pointez puis cliquez sur l'un des liens hypertextes, une nouvelle page Web sera ainsi chargée dans la fenêtre du navigateur.

Pour revenir à la page Web précédente, cliquez sur *Précédente*. Ensuite pour passer à la page suivante, que vous venez de visualiser, cliquez sur *Suivante*.

Bouton Arrêter

Si la transmission de la page voulue requiert trop de temps, vous pouvez l'interrompre en cliquant sur *Arrêter*.

Avec le bouton *Actualiser*, il est possible de charger de nouveau la page courante. Avec le bouton *Démarrage* vous revenez à la page d'acceuil par défaut.

Comme les pages Web sont continuellement mises à jour, ce manuel ne peut fournir qu'une description générale du contenu. Sachez que le World Wide Web vous offre les pilotes les plus récents ou les kits d'assistance de *Windows Me* et vous permet de télécharger gratuitement des images, des fichiers audio, des séquences vidéo ou des icônes, des jeux et d'autres dispositifs logiciels.

Antivirus

Chaque fois que vous naviguez en ligne, sachez que quand vous téléchargez depuis Internet vous risquez de contaminer votre ordinateur avec des virus. Bien que ceci soit notifié avant de commencer à télécharger les données, nous vous conseillons de contrôler toujours les données téléchargées à l'aide d'un programme antivirus.

Fonctionnement des liens hypertextes dans les sites Web

Passez à la page d'accueil *Microsoft*. Si le navigateur montre une autre page, sélectionnez la rubrique *http ://www.microsoft.com/france/* dans la boîte à liste de la *Barre d'adresses* pour visualiser la page de *Microsoft*.

Texte mis en évidence

La page Web affichée contient divers liens hypertextes, par exemple sous forme de texte mis en évidence avec une couleur différente comme voir aussi... qui affiche des informations supplémentaires.

Index pointé

Les *liens hypertextes* sont couramment appelés *liens*. Passez le curseur sur les différentes zones de la page et observez sa forme puis ce qui s'affiche dans la barre d'état. Quand vous vous trouvez sur un lien (un texte souligné en bleu ou mis en surbrillance, un bouton, une image etc.), le pointeur se transforme en main avec l'index pointé et l'*URL* de la ressource qui est reliée à ce lien s'affiche dans la barre d'état. Les *Liens* peuvent aussi se cacher derrière des boutons, des images ou d'autres points de l'écran. Si vous pointez le lien *Office*, vous verrez un menu contenant d'autres liens hypertexte. Si vous cliquez sur le lien *Support*, vous passez à la *zone de support* des produits *Microsoft Office*.

Utilisation des liens comme menus

Les liens tels que *Support* ouvrent une liste de rubriques ; si vous en choisissez une, vous n'obtiendrez aucune réaction de l'ordinateur mais si vous confirmez le choix du produit en cliquant sur le lien graphique *Go*, la page Web requise sera affichée. Sélectionnez d'autres liens hypertextes pour afficher d'autres informations. Chaque élément d'une page Web peut servir de lien.

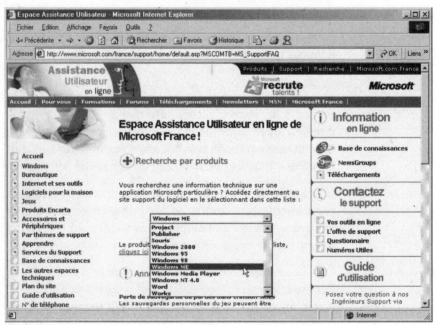

Figure 11.48   Les liens peuvent aussi ouvrir des listes de rubriques

A l'aide du lien hypertexte *Support* et de la rubrique *Support technique,* vous passez de la page d'accueil *Microsoft* aux pages Web de support puis, avec les liens hypertextes, de ces pages aux accessoires, versions mises à jour ou pilotes pouvant être téléchargés gratuitement.

Liens en violet

Internet Explorer reconnaît les liens hypertextes qui ont été sélectionnés et les indique avec une autre couleur (en *violet* normalement).

Tables hypertextes

Les *tables hypertextes*, à savoir des images pouvant être rappelées à travers des liens, correspondent à des images, des figures ou des photos, des listes ou des tableaux auxquels un lien est associé. Sur la *page d'accueil Microsoft* ces liens graphiques se trouvent derrière les figures, à droite sur la page. Quand vous passez le pointeur sur une *table hypertexte* sa forme change. Si vous pointez un *Lien*, l'*URL* du document en question ou du service s'affiche dans la barre d'état. Pour activer un *Lien* cliquez sur le bouton gauche de la souris.

Configuration de *Internet Explorer*

Pour configurer le navigateur, interrompez la connexion avec le serveur : pour cela cliquez avec le bouton droit de la souris sur l'icône de connexion située dans la barre des tâches, près de l'heure.

Dans le menu contextuel choisissez la commande *Déconnecter.* La connexion est ainsi interrompue, *Internet Explorer* n'est pas en ligne mais reste actif et affiche le dernier site Web visité.

Modification de la page d'accueil

Pour modifier la *Page d'accueil*, sélectionnez dans le menu *Outils* la commande *Options Internet*. Affichez l'onglet *Général*. Dans le groupe d'options *Page de démarrage,* si vous cliquez sur le bouton *Page vierge*, un site Web vide sera toujours affiché lors du lancement de *Internet Explorer*.

Personnalisation de la page d'accueil

Bien sûr dans la zone de texte *Adresse,* vous pouvez toujours taper une adresse connue. Faites attention à l'orthographe et tapez absolument *http ://www.* car sinon un message d'erreur s'affichera. Confirmez en cliquant sur *Appliquer.*

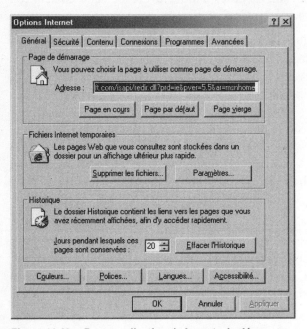

Figure 11.49   Personnalisation de la page de démarrage

Page d'accueil

La page de démarrage appelée également *Page d'accueil* visualise normalement le document qui est automatiquement chargé quand vous accédez au serveur Web. Si vous cliquez sur *Démarrage,* vous pouvez toujours revenir à ce point de départ configurable.

**Page d'accueil
personnalisée**

Les *Pages d'accueil*, grâce à un graphisme très coûteux, servent généralement à présenter une offre en ligne et fournissent une vue d'ensemble des produits offerts. Chaque utilisateur Internet peut créer sa propre page d'accueil et la télécharger dans le Web. Pour cela, presque tous les fournisseurs fournissent une certaine quantité d'espace de mémoire sur leur serveur. Le programme *Frontpage* contenu dans *Windows Me* permet de créer une propre page d'accueil.

Dans le groupe d'options *Page de démarrage*, vous pouvez définir une page standard en cliquant sur le bouton *Page par défaut*.

L'adresse d'un document, dans le jargon technique du WWW, signifie *Universal Resource Locator*. Une adresse *URL* a toujours la même structure *Protocole ://Service.Nom serveur/Chemin/Identification du fichier*, par ex. : *http ://www.microsoft.com*.

Dans l'exemple *www.microsoft.com : http ://* indique le protocole de transmission *Hyper Text Transfer Protocol*, *www.* indique le service Internet *World Wide Web*, *microsoft.com* est le nom du serveur. Vous pouvez ajouter d'autres chemins (par ex. */france*) indiquant des documents déterminés (*index.htm*).

**Définition des
couleurs du
programme**

Pour définir les couleurs du programme, sélectionnez dans le menu *Outils* la commande *Options Internet...* puis dans l'onglet *Général*, cliquez sur le bouton *Couleurs*. Ouvrez la palette de couleurs de chaque élément, tel que *Texte* ou *Liens* pour sélectionner la couleur voulue puis cliquez sur *OK*.

Figure 11.50   Définition des couleurs pour*Internet Explorer*

Définition de la police

Pour définir la police, dans le menu *Options* sélectionnez la commande *Options Internet* puis dans l'onglet *Général*, cliquez sur le bouton *Polices*. Sélectionnez le type de police dans les listes proposées.

Définition de la taille de la police

Pour définir la taille de la police, dans la barre de menus sélectionnez *Affichage/Taille du texte* puis l'une des rubriques (La plus grande, Plus grande, Moyenne, Plus petite, La plus petite).

La police que vous définissez à l'aide du bouton *Police...* de l'onglet *Général* n'affecte pas la vitesse de téléchargement de *Internet Explorer*. Le navigateur convertit uniquement les documents *HTML* dans la police sélectionnée. Ce procédé n'est actif qu'à un niveau local, à savoir sur votre ordinateur.

Définition des paramètres de sécurité

Onglet *Sécurité* Pour déterminer les paramètres de sécurité, dans le menu *Outils* sélectionnez la commande *Options Internet...* Passez à l'onglet *Sécurité*. Dans la boîte à liste déroulante *Zone,* sélectionnez la zone en fonction du contenu du Web, dont vous voulez modifier les définitions de sécurité.

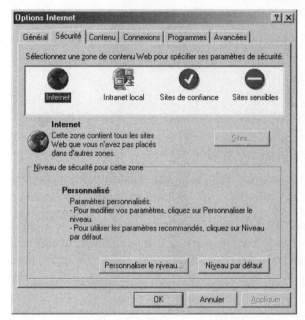

Figure 11.51 Définition des paramètres de sécurité d'*Internet Explorer*

Bouton
Personnaliser le niveau Le bouton *Personnaliser le niveau...* permet aux utilisateurs experts d'établir au fur et à mesure comment *Internet Explorer* doit réagir devant des contenus Web actifs c'est-à-dire quels programmes ou quelles données il doit exécuter automatiquement ou charger sur l'ordinateur.

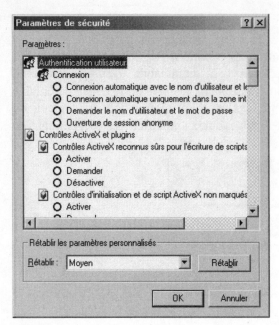

Figure 11.52   Personnalisation individuelle des paramètres de sécurité pour *Internet Explorer*

**Contrôles
ActiveX**

Par défaut, la transmission des contenus actifs est activée ainsi que le téléchargement de contenus multimédias tels que vidéo, sons ou inscriptions qui défilent. Les différents *contrôles Active X* et *Autorisation Java* permettent de télécharger et d'exécuter des petits programmes, des animations, des sons, des images tridimensionnelles. Ceci améliore l'esthétique mais réduit la sécurité. Confirmez toujours les modifications avec *OK*.

Si vous cliquez sur le bouton *Rétablir*, vous rétablissez les paramètres d'origine pour le niveau de sécurité spécifié dans la boîte de *Rétablir*.

Enregistrement et rappel de pages Web intéressantes comme *Favoris*

Internet Explorer prévoit la fonction *Favoris* pour enregistrer les propositions les plus intéressantes du Web. La fonction *Favoris* permet d'enregistrer les adresses des pages Web visitées puis de les rappeler rapidement.

Affichage d'une page intéressante

Faites cet exercice : sélectionnez par ex. la page d'accueil de *Microsoft http ://www.microsoft.com/france/* puis cliquez sur le lien *Support*. Dans la page de support de *Microsoft*, choisissez dans la liste le lien *Télécharge-ments*.

Ajouter au Favoris

Pour enregistrer la page téléchargée dans les favoris, dans le menu *Favoris* ou le menu contextuel, sélectionnez la commande *Ajouter au Favoris...* Acceptez ou recouvrez le nom proposé pour le Favoris dans le champ *Nom* et cliquez sur *OK* pour enregistrer la page courante dans le menu *Favoris*.

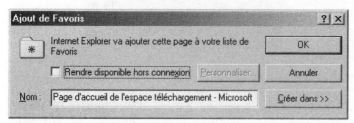

Figure 11.53   Création d'un *Favori*

Rappeler un Favori

Passez à d'autres pages WWW et choisissez d'autres *Favoris*. Pour passer à un Favori enregistré précédemment, ouvrez le menu *Favoris* qui est automatiquement mis à jour et sélectionnez la rubrique voulue.

Vous pouvez également cliquer sur le bouton *Favoris*. La fenêtre d'*Internet Explorer* est partagée en deux sections : la liste des *Favoris* et les dossiers des *Favoris* apparaissent à gauche. Par défaut, les nouveaux *Favoris* sont placés au bas de la liste.

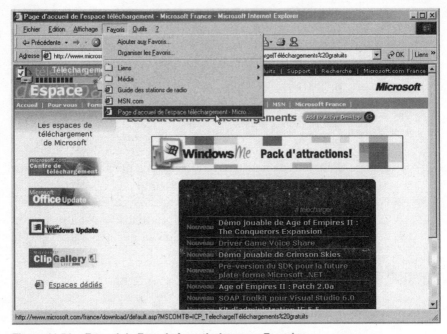

Figure 11.54   Rappel de Favoris à partir du menu *Favoris*

Dossier des Favoris *Liens*

Cliquez dans la section gauche de la fenêtre d'*Internet Explorer* sur le Favori voulu pour passer au site Web correspondant. Essayez d'ouvrir le dossier des Favoris nommé *Liens* et sélectionnez un *Favori*.

Par défaut les nouveaux *Favoris* sont toujours placés à la fin de la liste. Il est possible d'enregistrer les favoris dans les dossiers existants : pour cela, cliquez dans la boîte de dialogue *Ajout de Favoris* sur le bouton *Créer* puis sélectionnez le dossier de destination à l'aide du signe + et confirmez en cliquant sur *OK*.

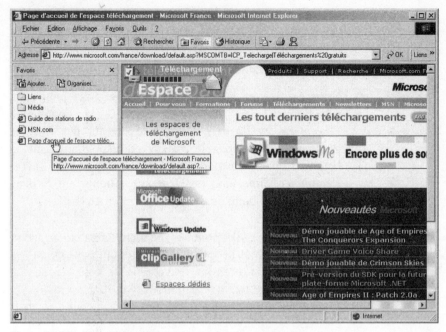

Figure 11.55 . Rappel d'un élément enregistré parmi les *Favoris*

La définition de Favoris vous évite de taper les longues adresses *URL* dont vous avez fréquemment besoin. Quand vous cliquez sur le bouton *Favoris* la fenêtre d'*Internet Explorer* est partagée en deux.

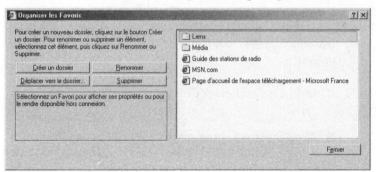

Figure 11.56 Organisation des Favoris

Menu *Favoris*

Si vous cliquez sur une rubrique, *Internet Explorer* récupère l'adresse dans le dossier *Favoris* et essaie d'établir la connexion. Vous pouvez également rappeler les Favoris à l'aide du menu homonyme.

Vous pouvez, en outre, modifier les Favoris : pour cela, sélectionnez dans le menu *Favoris* la commande *Organiser les Favoris*. Ouvrez le dossier des *Favoris* voulu et sélectionnez le *Favori* correspondant dans la liste. Utilisez ensuite l'un des boutons, à savoir *Renommer*, *Supprimer* ou *Déplacer*. Cliquez sur *Fermer* pour quitter la boîte de dialogue.

Les Favoris sélectionnés peuvent également être renommés dans la boîte de dialogue appropriée en cliquant sur le nom du Favori. Pour cela, recouvrez simplement la ligne sélectionnée par le nouveau nom. Pour achever l'opération *Renommer* des Favoris enregistrés, appuyez sur la touche ⏎.

Travailler avec *Microsoft Outlook Express*

Vue d'ensemble

Outlook Express est le programme de *Windows Me* qui aide l'utilisateur à organiser et utiliser les données mais aussi à communiquer avec d'autres personnes. *Microsoft Outlook Express* peut être utilisé pour les activités suivantes :

- Lire, écrire ou gérer des messages électroniques (e-mail)

- Lire, écrire ou organiser les News des newsgroup d'Internet

- Gérer des adresses ou enregistrer, organiser et rechercher des personnes dans un *carnet d'adresses*

Accès en ligne

Pour la plupart des susdites informations, l'ordinateur doit soit être relié en réseau, soit disposer d'un accès Internet. Les fonctions d'e-mail et de News requièrent en outre un compte de courrier électronique et un compte de News.

Carnet d'adresses
Outlook Express

Outlook Express sert également à envoyer et recevoir des messages électroniques depuis votre bureau, chez vous ou quand vous voyagez. Il est possible d'afficher un aperçu des messages avant de les ouvrir, d'utiliser des mots de passe de messages et de sélectionner les messages avec une action à exécuter, etc... *Microsoft Outlook Express* peut être utilisé même si vous ne disposez pas d'un accès Internet. Dans ce cas, vous l'utiliserez principalement pour gérer les adresses personnelles et relatives à votre travail à l'aide d'un *carnet d'adresses*. Le *Carnet d'adresses* sert à mettre à jour les données des contacts personnels et professionnels. *Outlook Express*, grâce à la fonction de recherche, facilite la recherche des données.

Lancement et définition de *Microsoft Outlook Express*

Cette section illustre la fenêtre de programme d'*Outlook Express*. Suivez l'une des méthodes suivantes pour lancer *Microsoft Outlook Express* :

- Double-cliquez sur l'icône *Outlook Express* qui se trouve sur le bureau

- Cliquez sur l'icône Démarrer Outlook Express dans la barre de lancement rapide

- Sélectionnez Démarrer/Programmes/Outlook Express.

Outlook Express

Figure 11.57 Icône de *Outlook Express* sur le bureau et dans la barre de lancement rapide

Selon la configuration, l'application *Microsoft Outlook Express* est lancée, avec ou sans autres demandes. Normalement une fenêtre de programme semblable à celle illustrée dans la Figure 11.58 apparaît.

Si vous voyez un message vous demandant si vous voulez travailler hors connexion ou en ligne, refusez la connexion. Pour vous familiariser avec le programme *Outlook Express*, il n'est pas nécessaire de se connecter.

Outlook Express est affichée comme dans la Figure 11.58 uniquement si un accès Internet est installé sur l'ordinateur. S'il manque des indications relatives aux serveurs de courrier électronique et de news, la boîte de dialogue de l'*Assistant Connexion Internet* s'affiche ; insérez toutes les informations nécessaires.

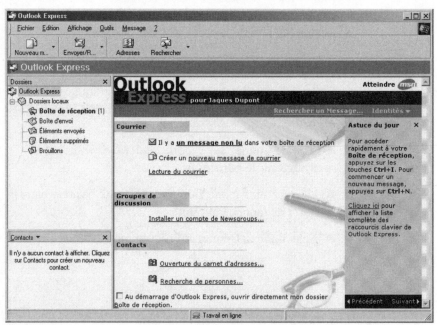

Figure 11.58   La fenêtre de programme de *Microsoft Outlook Express*

Sélection de la connexion et fonctionnement hors-ligne

Si les configurations par défaut sont maintenues, *Microsoft Outlook Express* essaie d'établir une connexion en ligne au moment de son lancement à moins que la connexion soit déjà en cours. Vous verrez le message illustré dans la Figure 11.59

En ligne ou Hors connexion ?

Le système affiche la boîte de dialogue *Connexion à* dont le bouton *Connecter* permettant de se relier au fournisseur de services Internet. Si vous cliquez sur *Travailler hors connexion*, *Outlook Express* est lancé sans connexion Internet.

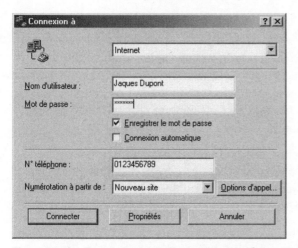

Figure 11.59   Demande de connexion lors du démarrage de *Outlook Express*

Hors connexion

En fonctionnement hors ligne, la connexion sera effectuée seulement en cas de besoin, par exemple pour envoyer un e-mail ou pour rappeler des news. Pour configurer le comportement du programme au moment du démarrage, sélectionnez dans la barre de menus *Outils/Options* puis l'onglet *Général*.

Avant de rappeler pour la première fois le programme *Microsoft Outlook Express*, il faut configurer l'accès à Internet et les services de courrier électronique et de news. Pour cela utiliser la méthode la plus simple, à savoir l'assistant de connexion dont nous avons déjà parlé.

Toutes les indications nécessaires pour configurer les services e-mail et les news sont données par le fournisseur de services Internet. Si vous utilisez un fournisseur de services *Internet by Call*, reportez-vous au début de ce chapitre.

Application de l'adresse d'email sur Internet

Sur Internet, il y a différents fournisseurs, dont plus connus sont *gmx.fr*, *hotmail* (*msn*) ou *web.fr*, qui offrent gratuitement une adresse d'email. Les fournisseurs de services *Internet by Call* mettent eux aussi une adresse à disposition.

gmx.it

Cette section décrit comment demander gratuitement une adresse d'email auprès de *gmx.fr*. Comme pour cela il faut accéder à Internet, double-cliquez sur l'icône de *Internet Explorer*.

Dans la boîte de dialogue *Connecter à,* cliquez sur *Connecter*. Tapez le *URL* suivant dans la *barre d'adresses* :

```
http://www.gmx.fr
```

Formulaire à remplir

Dans la page Login de GMX, cliquez sur le lien hypertexte *Enregistrement* pour afficher le formulaire de notification. Complétez-le avec toutes les indications nécessaires.

Tapez votre prénom, nom et adresse corrects. Utilisez les boîtes à liste (si celles-ci sont disponibles) pour sélectionner le titre ou le pays.

Indications statistiques

Remplissez également les indications statistiques sur la date de naissance, l'état civil, la profession et l'ordinateur. Ces données sont nécessaires pour obtenir une adresse d'e-mail. Cliquez sur le lien *Continuer l'enregistrement...* Tapez l'adresse d'e-mail voulue comme suit :

```
Prénom.Nom@gmx.fr
```

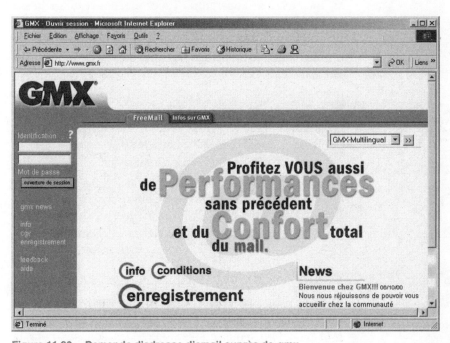

Figure 11.60   Demande d'adresse d'email auprès de *gmx*

Comme alternative, vous pouvez utiliser les domaines internationaux. Vous aurez peut-être la chance de trouver un nom d'e-mail encore libre. Il ne doit y avoir aucun espace dans l'adresse d'e-mail :

```
Prénom.Nom@gmx.net
```

Mot de passe

Il n'est pas important de connaître les champs de compétence utilisés puisque on a toujours recours au serveur *gmx.net*. Tapez un mot de passe composé de six caractères au moins. Si l'adresse d'e-mail tapée est encore libre, elle est enregistrée au près de *GMX*. S'il n'en est pas ainsi, un message apparaîtra. Tapez de nouveau l'adresse avec une autre orthographie. Lorsque vous obtenez la notification, cela signifie que vous possédez une adresse d'e-mail valable au niveau mondial auprès du fournisseur allemand *GMX*.

Pour rappeler ou écrire des adresses d'e-mail uniquement en ligne à travers *gmx.fr*, durant la connexion, tapez l'adresse d'e-mail complète sous *ID utilisateur*. Tapez le mot de passe dans le champ homonyme et cliquez sur *Login*. Cliquez sur le lien *Réception* pour les messages entrant ou sur *Nouveau message* pour envoyer un e-mail. Le programme e-mail *Outlook Express* permet de travailler d'une façon plus pratique.

Définition du compte de messagerie Internet sous *Outlook Express*

Si vous disposez d'une adresse d'e-mail auprès d'un fournisseur qui prend en charge le protocole *POP3*, *IMAP* ou *http*, vous pouvez entrer les données pour la demande d'une adresse d'e-mail dans *Outlook Express*.

Aucune connexion en ligne

Si vous voulez utiliser le programme e-mail *Outlook Express* pour envoyer et recevoir des e-mail, vous devez établir une connexion en ligne vers le serveur du fournisseur. Vous pouvez configurer *Outlook Express* de façon à ce qu'il recherche automatiquement des nouveaux e-mail après le démarrage de *Windows Me*. Une autre définition concerne l'envoi et la réception à intervalles pouvant être librement définis. Lancez *Outlook Express*, en cliquant sur l'icône *Démarrer Outlook Express* dans la *barre de lancement rapide*. Dans le message qui s'affiche (éventuellement) cliquez sur *Travailler hors connexion*.

Assistant Connexion Internet

Si vous rappelez *Outlook Express* pour la première fois, la boîte de dialogue de l'*Assistant Connexion Internet* s'affiche automatiquement. Le nom que vous tapez apparaîtra par la suite dans le champ *De* de la fenêtre *Outlook Express*. Cliquez sur *Suivant*. Choisissez l'option *J'ai déjà une adresse d'email dont j'aimerais me servir*, tapez votre adresse puis cliquez sur *Suivant*.

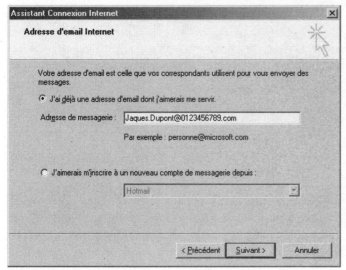

Figure 11.61   Indication de l'adresse d'email

Serveur POP3

Tapez ensuite le nom du serveur de courrier électronique du fournisseur Internet. Si vous avez un fournisseur *Internet by Call*, utilisez les données décrites plus loin dans ce chapitre.

Si vous disposez d'une adresse d'email pour *gmx.fr*, tapez les données suivantes :

```
Serveur de courrier entrant (POP3) :
pop.gmx.net
```

```
Serveur de courrier sortant (SMTP) :
mail.gmx.net
```

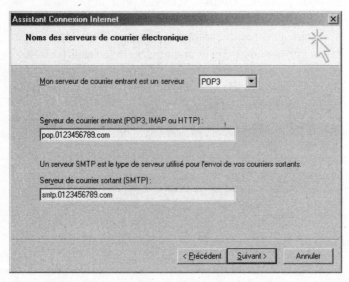

Figure 11.62   Entrée des données pour le serveur de courrier électronique

Nom du compte

Cliquez sur *Suivant* et tapez le nom du *compte* à enregistrer sur le serveur de courrier électronique. La plupart des fournisseurs requièrent le caractère @ et le domaine. Si vous utilisez *gmx.fr* le nom du compte sera par exemple :

```
JacquesDupond@gmx.fr
```

Tapez le *mot de passe* voulu. Vous pouvez cocher la case *Enregistrer le mot de passe*. La sauvegarde du mot de passe représente toujours un risque puisque l'ordinateur ne vous le demandera plus à chaque connexion. Confirmez cette étape en cliquant sur Suivant puis sur *Terminer* pour quitter l'Assistant. A ce stade, *Outlook Express* est chargé.

Définition du compte de messagerie Internet

Pour définir d'autres comptes de messagerie Internet, sélectionnez la commande *Outils/Compte...* dans la barre de menus de *Outlook Express*. L'onglet *Courrier* fournit une liste des comptes Internet existant. Les autres onglets visualisent les comptes de service d'annuaire ou les news.

Compte de service d'annuaire et News

Les rubriques sélectionnées peuvent être affichées ou modifiées à l'aide du bouton *Propriétés*. Pour assigner un nouveau compte Internet, cliquez sur *Ajouter* puis sur *Courrier...*Les autres rubriques permettent de créer un compte de service d'annuaire ou de news. La boîte de dialogue de l'*Assistant Connexion Internet* s'affiche.

Tapez toutes les données nécessaires pour le nouveau compte puis confirmez à la fin avec *Terminer*. Le nouveau compte apparaît dans l'onglet *Courrier*. Cliquez sur *Fermer* pour quitter la boîte de dialogue *Comptes Internet*.

Organisation des messages électroniques avec *Outlook Express*

Lancement de *Outlook Express*

Le programme *Outlook Express* permet de visualiser tous les types de messages électroniques dans le même dossier, qu'ils soient reçus par fax, courrier électronique (e-mail) à travers des services en ligne tels que *CompuServe* ou *AOL*. Pour lancer ce programme, cliquez sur l'icône *Démarrer Outlook Express* dans la *barre de lancement rapide*.

Pour les premières fois, lancez *Outlook Express* hors connexion – c'est-à-dire sans vous connecter à Internet : pour cela, sélectionnez la rubrique *Travailler hors connexion* dans la boîte de dialogue qui apparaît (éventuellement).

Dossier *Boîte de réception*

Pour afficher la liste du courrier entrant, cliquez soit sur le rubrique *Boîte de réception* dans la section gauche de la fenêtre *Outlook Express*, soit sur le lien *Boîte de réception* qui se trouve dans la section droite. Après cela, tous les messages présents apparaissent dans la section droite.

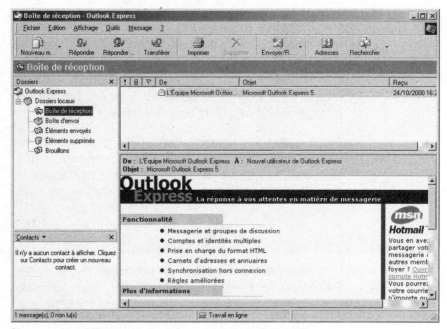

Figure 11.63   Affichage du courrier entrant dans *Outlook Express*

Lecture d'un message

Cette procédure peut également être effectuée sans accéder à Internet car *Microsoft* met à disposition de *Outlook Express* un message. Pour le lire, il suffit de cliquer sur la rubrique correspondante dans la section de droite de la fenêtre. Vous pouvez lire en haut les informations relatives à l'expéditeur (De), à l'objet (Objet) du message et à la date d'envoi (Reçu).

Exemple de message

Agrandissez éventuellement la fenêtre d'*Outlook Express* ou utilisez les barres de défilement pour lire tout le message. Sur tous les ordinateurs *Windows Me,* vous lirez le message suivant :

■ *Outlook Express - La réponse à vos attentes en matière de messagerie*

Messages pas encore lus

Outlook Express affiche dans la section droite tous les messages reçus, ceux qui n'ont pas encore été lus sont précédés de l'icône d'une enveloppe fermée, en revanche, vous verrez une enveloppe ouverte si le message a été lu. Vous pouvez modifier la disposition des messages figurant dans cette section.

Rangement du courrier

Cliquez sur l'en-tête de colonne *Objet* pour ranger tous les messages selon la description de l'objet ou bien sur *Reçu* pour ranger le courrier selon la date de réception.

Aide de *Outlook Express*

Ouvrez le message disponible en cliquant sur la rubrique *Equipe Microsoft Outlook Express.* A partir de ce message qui représente une partie de l'Aide de O*utlook Express*, vous pouvez passer à la *hotmail* à l'aide des liens pour créer une adresse d'email. Le lien *Cliquez ici pour vous inscrire* permet de demander une ID personnelle digitale gratuite servant à identifier l'expéditeur. Pour afficher ce message dans une fenêtre à part, double-cliquez sur sa rubrique.

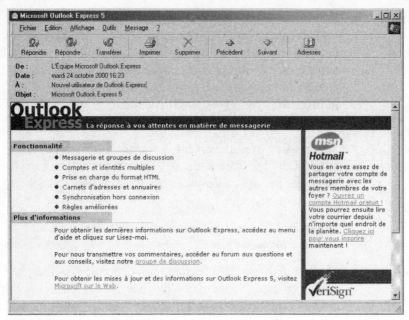

Figure 11.64   Affichage du message dans une fenêtre à part

Cette nouvelle fenêtre possède une barre de titre où figure le nom du message et une barre d'outils permettant éventuellement de répondre au message.

Répondre aux messages électroniques

Bouton *Répondre*

Cliquez sur le bouton *Répondre* de la barre d'outils pour insérer automatiquement les indications de l'expéditeur dans la fenêtre de réponse *Re :....* Effacez ce qui n'est pas nécessaire sous *Original message* et tapez le texte de réponse puis cliquez sur *Envoyer*.

Si les configurations par défaut ont été maintenues, *Outlook Express* essaie de se connecter en ligne avec le fournisseur de services Internet. Confirmez la boîte de dialogue *Connexion à* en cliquant sur le bouton *Connecter* pour envoyer immédiatement votre message.

Dossier *Boîte*
d'envoi

Pour visualiser dans *Outlook Express* par ex. une liste de messages devant être encore envoyés, cliquez dans la section gauche sur le dossier *Boîte d'envoi*. Vous affichez ainsi tous les types de courrier électronique qui ont été créés mais pas encore envoyés. Vous pouvez configurer la procédure d'envoi de façon à ce que tous les messages soient envoyés manuellement l'un après l'autre. Sélectionnez pour cela *Outils/Options*, dans l'onglet *Envoyer* désactivez la case *Envoyer les messages immédiatement* et confirmez en cliquant sur *OK*.

Pour ranger les informations de la *Boîte de réception* ou de la *Boîte d'envoi*, cliquez sur l'en-tête de colonne voulu. Si vous voulez visualiser d'autres informations relatives aux messages, sélectionnez *Affichage/Colonne* puis cochez la ou les cases voulues et cliquez sur *Ajouter*. Si vous confirmez avec *Afficher*, la colonne ajoutée apparaîtra dans la section droite avec les informations correspondantes.

Les boutons *Monter* et *Descendre* permettent de changer l'ordre d'affichage des en-têtes de colonne. Au terme des modifications, quittez la boîte de dialogue *Colonnes* en cliquant sur *OK*.

Création d'un E-Mail avec *Outlook Express*

Nouveau message
e-mail

Outlook Express peut aussi être utilisé pour créer et envoyer des messages. Pour cela, lancez le programme en mode hors connexion. Pour écrire un nouveau message, sélectionnez *Fichier/Nouveau/Message de courrier* ou appuyez sur les touches $\boxed{\text{Ctrl}}$ + $\boxed{\text{N}}$ ou bien cliquez sur le bouton *Nouveau message* dans la barre d'outils.

Si dans la barre de menus, vous sélectionnez *Message/Ouvrir avec*, vous pourrez accéder aux modèles *HTML* tels que le papier à lettres. Dans ce cas, le destinataire doit posséder un programme e-mail compatible avec *HTML*, par ex. *Outlook Express*.

Si le destinataire du message ne dispose pas d'un programme compatible HTML, vous devez renoncer au papier à lettres et à la mise en forme. Un message de ce type est envoyé par *Outlook Express* mais reçu dans le format *HTML* et pas comme e-mail de texte.

Certains services de messages ne peuvent pas afficher des messages mis en forme, en effet cela n'est possible que pour un *email de Internet* qui est visualisée par ex. dans un navigateur Web. Dans un e-mail de texte, il est impossible de taper des trémas, les lettres accentuées ne figurant pas sur le clavier et les caractères spéciaux. Pour envoyer un email de texte, sélectionnez *Outils/Options...*, dans l'onglet *Envoyer*, sous *Format d'envoi du courrier*, sélectionnez l'option *Texte brut*.

Frappe de l'adresse d'email

Dans la boîte de dialogue *Nouveau message,* tapez une adresse d'e-mail en regard de *À* ou bien cliquez sur *À* pour ouvrir le *Carnet d'adresses*.

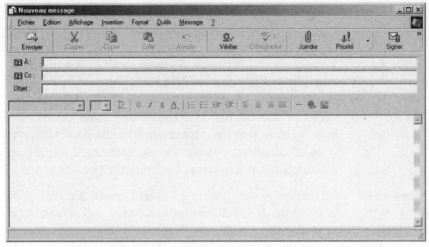

Figure 11.65   Boîte de dialogue *Nouveau message* pour écrire un message

Objet

En regard de *Cc*, tapez l'adresse d'email à laquelle vous voulez envoyer une copie de votre message. Dans la zone de texte *Objet*, tapez un bref commentaire concernant le sujet. Dans la partie inférieure de la boîte de dialogue, tapez votre message.

Envoi de l'email à l'aide de *Outlook Express*

Bouton *Envoyer*

Pour envoyer le message, sélectionnez la commande *Envoyer le message* dans le menu *Fichier*. Vous pouvez également cliquer sur ⌊Alt⌋+⌊S⌋ ou sur le bouton *Envoyer*.

Connexion

Si les paramètres standards ont été maintenus, *Outlook Express* essaie d'établir la connexion en ligne avec le service Internet. Confirmez la boîte de dialogue *Connexion à* en cliquant sur *Connecter*.

Dossier *Eléments envoyés*

Une copie du message est enregistrée dans le dossier *Elément envoyés*.

Si *Outlook* a été configuré sous *Outils/Options*... de façon à ce que les messages ne soient pas envoyés immédiatement, l'email est inséré dans le dossier *Boîte d'envoi*. Vous pouvez ainsi créer d'autres email et lorsque vous avez terminé, cliquez sur le bouton *Envoyer et Recevoir* dans la fenêtre de programme *Outlook*. Cliquez sur *Connecter* pour confirmer la demande de connexion. Si vous la refusez, le courrier sera envoyé la prochaine fois que vous accéderez au serveur, par ex. après avoir fermé puis relancé *Outlook Express* et confirmé par *Oui*.

Commande *Pièce jointe*

Pour envoyer des fichiers à travers *Outlook Express*, dans la boîte de dialogue *Nouveau message*, sélectionnez *Insertion/Pièce jointe*... ou cliquez sur le bouton *Joindre* qui est représenté par une trombone.

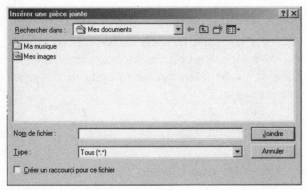

Figure 11.66   Insertion d'un fichier en tant que *Pièce jointe* dans un e-mail

Insérer une pièce jointe

Dans la boîte de dialogue *Insérer une pièce jointe*, sélectionnez le dossier voulu puis le fichier à envoyer. Il convient d'envoyer toujours un fichier en tant que *Pièce jointe* en activant l'option *Créer un raccourci pour ce fichier*. Ainsi aucun problème ne surviendra durant la transmission.

Réception du e-mail à l'aide de *Outlook Express*

La réception du courrier est une opération tout aussi facile : pour cela, lancez *Outlook Express* en cliquant sur l'icône *Démarrer Outlook Express* dans la *barre de lancement rapide*.

Acceptez la connexion en cliquant sur *Connecter*.

Envoyer et recevoir Si les paramètres par défaut ont été maintenus, *Outlook Express* recherche automatiquement les nouveaux messages sur le serveur. Pour recevoir les messages manuellement, vous pouvez sélectionner *Outils/Envoyer et recevoir/Envoyer et recevoir tout* ou appuyez sur les touches Ctrl + M ou bien cliquez sur le bouton *Envoyer et recevoir*.

Dossier *Boîte de réception* Que vous adoptiez la procédure automatique ou manuelle, le programme demande au serveur tous les comptes de messagerie Internet et les messages disponibles sont placés dans le dossier *Boîte de réception*. Au terme du téléchargement, déconnectez-vous puis lisez votre courrier en mode hors connexion.

Messages reçus Pour lire les messages reçus, sélectionnez le dossier *Boîte de réception* dans la section gauche puis cliquez sur le message dans la section droite. Si vous voulez répondre, double-cliquez sur l'e-Mail pour l'afficher dans une fenêtre à part puis dans la barre d'outils, cliquez sur le bouton *Répondre*, ainsi les informations relatives à l'expéditeur sont automatiquement insérées dans une nouvelle boîte de dialogue nommée *Re :....*

Fichiers en tant que pièces jointes Si les messages contiennent des fichiers insérés en tant que pièce jointe, une trombone précèdera l'icône de l'enveloppe fermée dans la section droite. Quand vous double-cliquez sur ce trombone, une boîte de dialogue s'affiche ; double-cliquez sur l'icône du fichier en regard de *Joindre* ; vous verrez une autre boîte de dialogue dans laquelle vous devez choisir si vous voulez ouvrir le fichier (*L'ouvrir*) ou le copier sur votre ordinateur (*L'enregistrer sur le disque*).

Utilisation du *Carnet d'adresses*

Application *Carnet d'adresses*

Avec *Windows Me*, vous pouvez ranger les adresses, les numéros de téléphone et de fax, les contacts de travail ou les adresses d'email dans un *Carnet d'adresses* à partir duquel vous pourrez les rappeler en cas de nécessité. La commande permettant de rappeler le carnet d'adresses ne figure pas dans le menu *Démarrer*. En effet l'application *Carnet d'adresses* fait partie du programme *Outlook Express*.

Enregistrement d'adresses dans le *Carnet d'adresses*

Kit *Microsoft Office*

Les rubriques contenues dans le *Carnet d'adresses* peuvent être utilisées en dehors d'*Outlook Express*. Il est possible de visualiser le *Carnet d'adresses* ou d'insérer des adresses mêmes dans les programmes du kit *Microsoft Office*, tels que *Microsoft Word*.

De nouvelles adresses

Pour enregistrer les adresses dans le *Carnet d'adresses*, il faut tout d'abord lancer *Outlook Express*. Pour cela, cliquez sur l'icône *Démarrer Outlook Express* dans la *barre de lancement rapide*. Choisissez le mode hors connexion. Cliquez sur le bouton *Adresses* de la barre d'outils ou sur le lien *Ouverture du carnet d'adresse* dans la section droite d'*Outlook*. Le *Carnet d'adresses* est encore vide.

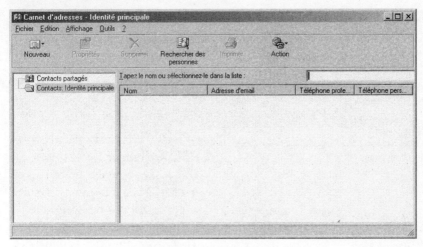

Figure 11.67   Le *Carnet d'adresse*

Pour insérer de nouvelles adresses, sélectionnez *Fichier/Nouveau contact...* ou cliquez sur le bouton *Nouveau* puis sur la rubrique *Nouveau contact....*

Onglet *Personnel*

Une boîte de dialogue contenant différents onglets apparaît. Remplissez toutes les zones de texte de l'onglet *Personnel*. Tapez le prénom et le nom du destinataire dans les champs correspondants. Tapez l'adresse d'email puis cliquez sur *Ajouter*. Pour enregistrer les différents numéros de téléphone et les adresses, utilisez les autres onglets de la boîte de dialogue. Enregistrez si nécessaire les fichiers pour les signatures digitales dans l'onglet *Identification numérique*. Insérez dans les onglets toutes les informations nécessaires pour le contact.

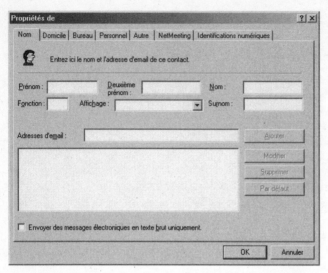

Figure 11.68 Enregistrement de nouveaux contacts dans le *Carnet d'adresses*

Quand vous cliquez sur *OK*, la boîte de dialogue est fermée et la nouvelle adresse apparaît dans la liste du *Carnet d'adresses*.

Si, dans un nouvel e-mail, vous cliquez sur le bouton précédant l'une des zones de texte *À, Cc* ou *Cci*, le programme affiche le *Carnet d'adresses*. Dans la boîte de dialogue *Sélectionner les destinataires*, sélectionnez un nom puis cliquez à droite sur l'un des boutons *À, Cc* ou *Cci*. Pour enregistrer une nouvelle adresse, cliquez sur *Nouveau contact*. Pour modifier la rubrique sélectionnée, cliquez sur *Propriétés…* Cliquez sur OK pour insérer vos choix dans la boîte de dialogue *Nouveau message*.

Organisation des adresses dans le *Carnet d'adresses*

Pour organiser les adresses, il faut tout d'abord lancer *Outlook Express,* ensuite rappeler le *Carnet d'adresses :* pour cela cliquez sur le bouton *Adresses* de la barre d'outils ou sur le lien *Ouverture du carnet d'adresse* dans la section droite d'*Outlook.* Vous pouvez également utiliser la combinaison de touches Ctrl + ⇧ + B.

Détails des rubriques

Le *Carnet d'adresses* permet de gérer facilement les adresses postales, les numéros de fax et de téléphone, les adresses de courrier électronique de personnes et d'entreprises. Si vous pointez un contact, une *info-bulle* affichera des détails correspondants.

Fichier/ Propriétés

Pour afficher la boîte de dialogue des *Propriétés,* double-cliquez sur un contact ou sélectionnez le contact puis choisissez *Fichier/Propriétés* ou bien cliquez sur le bouton *Propriétés.* Les informations figurant sur les onglets peuvent être modifiées ou complétées en écrasant le texte. Confirmez avec *OK* pour enregistrer les modifications.

Suppression des adresses

Sélectionnez les adresses dont vous n'avez plus besoin et cliquez sur le bouton *Supprimer* ou sélectionnez *Fichier/Supprimer.* Cliquez sur *Oui* pour éliminer définitivement le contact du *Carnet d'adresses.*

Bouton *Rechercher des personnes*

Si le *Carnet d'adresses* contient un grand nombre de rubriques, utilisez le bouton *Rechercher des personnes* ou la commande *Edition/Rechercher des personnes...*

Recherche d'adresses

Vous pouvez également utiliser la combinaison de touches Ctrl + F. Tapez le nom voulu ou une partie du nom dans la zone de texte et cliquez sur *Rechercher.*

Affichage des résultats

Toutes les entrées trouvées apparaissent dans cette boîte de dialogue qui est automatiquement agrandie. Si la recherche n'aboutit pas, le message « Aucune entrée du carnet d'adresses ne correspond à vos critères de recherche » s'affichera. Cliquez sur *OK* pour confirmer et répétez la recherche

La recherche peut aussi être lancée en indiquant une adresse d'email, une rue ou un numéro de téléphone. Utilisez pour cela les zones de texte correspondantes dans la boîte de dialogue *Rechercher des personnes*.

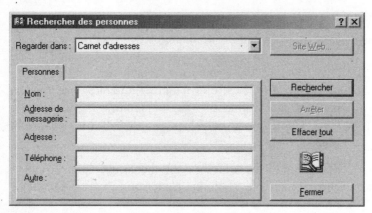

Figure 11.69   Recherche de contacts dans le *Carnet d'adresses*

Recherche en ligne

Vous pouvez afficher les propriétés des personnes trouvées en double-cliquant sur l'entrée relative dans la fenêtre des résultats de la recherche. La fonction de recherche permet également de consulter des bases de données en ligne pour trouver des adresses d'email. Ouvrez la boîte à liste déroulante *Regarder dans* et sélectionnez l'un des services d'annuaire proposés.

Recherche en ligne Cliquez sur *Rechercher* pour entrer en ligne à l'aide de *Connexion à*. Sélectionnez le service d'annuaire en ligne et parcourez-le à l'aide des critères de recherche insérés.

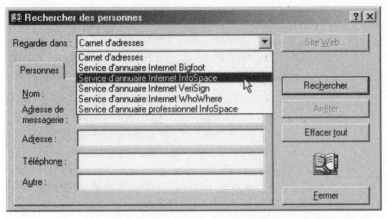

Figure 11.70 Sélection d'un service d'annuaire en ligne pour la recherche en ligne d'adresses de courrier électronique

Le programme *Numéroteur téléphonique*

Windows Me peut être défini pour sélectionner des numéros de téléphone à condition que le modem dispose de la fonction relative *Voice*. Après avoir effectué la connexion, utilisez la carte audio et un microphone ou un dispositif ayant les même fonctions relié au modem. Pour composer le numéro, sous *Windows Me,* utilisez le programme *Numéroteur téléphonique* dont l'aspect et le fonctionnement sont identiques à ceux d'un téléphone à touches modernes.

Composition de numéros de téléphone à l'aide *Numéroteur téléphonique*

Cette section illustre comment composer des numéros de téléphone à l'aide du *Numéroteur téléphonique*, tandis que la section suivante illustrera comment enregistrer et composer les numéros de téléphone. Ainsi il suffira d'appuyer sur un bouton pour sélectionner tout le numéro.

Téléphone à touches

Sélectionnez *Démarrer/Programmes/Accessoires/Communications* et cliquez sur la commande *Numéroteur téléphonique* pour lancer le téléphone à touches de *Windows Me*. Pour sélectionner directement un numéro de téléphone, tapez le numéro dans la zone de texte *Numéro à composer* ou bien utilisez les touches du pavé numérique qui se trouve au-dessous.

Séparateur pour la télésélection

Pour la télésélection automatique, vous pouvez utiliser des séparateurs tels que « - » qui sont ignorés par la connexion téléphonique. Cliquez ensuite sur le bouton *Composer un numéro*.

Boîte de dialogue *Numérotation en cours*

Windows affiche la boîte de dialogue *Numérotation en cours* où sont indiquées les principaux paramètres de numérotation et l'état. Si la connexion n'aboutit pas, un message d'erreur s'affichera.

Figure 11.71   Composition de numéros de téléphone à l'aide
du *Numéroteur téléphonique*

Une fois la connexion établie, vous pouvez utiliser la fonction *voice* du modem et donc commencer la conversation à travers la carte audio et le microphone ou des accessoires appropriés reliés au modem.

Interruption de la connexion

Pour interrompre la connexion, cliquez dans la boîte de dialogue *Numérotation en cours* sur le bouton *Raccrocher*. Pour configurer les règles de numérotation, sélectionnez *Outils/Propriétés de la numérotation...*

Mémorisation des numéros de téléphones utilisés fréquemment à l'aide du Numéroteur téléphonique

Mémoriser un numéro de téléphone

Le *Numéroteur téléphonique* de *Windows Me* peut être configuré pour la composition directe de numéros de téléphone. Le programme est également en mesure de mémoriser des numéros de téléphone importants que vous pourrez rappeler par la suite en cliquant sur une touche de numérotation rapide. Rappelez le *Numéroteur téléphonique*.

Bouton *Enregistrer*

Si vous voulez enregistrer un numéro de téléphone et l'insérer dans la liste de numérotation rapide, sélectionnez la commande *Edition/Numérotation rapide* puis un bouton vide dans le groupe proposé. Tapez ensuite le *Nom* et le *Numéro à composer* pour le bouton sélectionné. Le nom que vous entrez sera assigné à ce bouton. Cliquez ensuite sur le bouton *Enregistrer*.

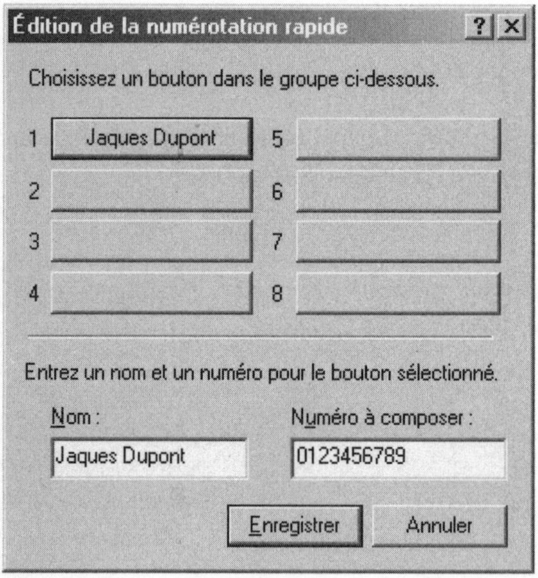

Figure 11.72   Programmation des touches de numérotation rapide

Supprimer des rubriques

Utilisez la boîte de dialogue *Edition de numérotation rapide* pour modifier les numéros enregistrés précédemment. Si vous effacez les entrées des zones de texte, vous supprimerez automatiquement les touches de numérotation rapide.

Sélection de numéros programmés

Pour sélectionner directement un numéro programmé, cliquez sur le bouton relatif de numérotation rapide. *Windows* affiche la boîte de dialogue *Numérotation en cours* où sont affichés l'état et les propriétés les plus importantes de la composition. Si la connexion n'aboutit pas, un message d'erreur s'affichera.

Bouton *Raccrocher*

Pour interrompre la connexion, cliquez dans la boîte de dialogue *Numérotation en cours* sur le bouton *Raccrocher*. Quittez ensuite la boîte de dialogue *Numéroteur téléphonique* à l'aide de *Fichier/Quitter*.

12. L'application graphique *Paint*

Avec l'application graphique *Paint* de *Windows Me*, il est possible de créer des images à pixels d'une façon simple et rapide. Pour créer le dessin, on utilise des figures géométriques élémentaires à partir desquelles naissent lentement de nouvelles formes. Il est également possible de dessiner à main levée ou en utilisant un aérographe.

Images à pixels

Nous allons vous expliquer comment copier, déplacer ou effacer des parties d'image de *Paint*, comment créer des objets colorés, dessiner en mode opaque ou définir le zoom ; mais aussi comment étirer et incliner les images, retourner et les faire pivoter ou comment créer un arrière-plan personnel avec *Paint*.

Dessiner avec Paint

Cette section illustre les différentes possibilités graphiques offertes par l'application.

Boîte à outils

Pour lancer cette application, sélectionnez *Démarrer/ Programmes/Accessoires* puis la commande *Paint*. Les instruments graphiques de *Paint* sont contenus dans la *Boîte à outils* située contre le bord gauche de la fenêtre.

Info-bulle

La fonction de la plupart des outils graphiques peut être déduite du nom ou du bouton relatif. A propos des noms : si vous pointez un outil pendant environ une seconde, une *Info-bulle* apparaîtra au-dessous du pointeur.

Sélection d'outils graphiques

Pour activer un outil, il suffit de cliquer sur le bouton correspondant. *Paint* affiche dans la barre d'état la signification et la tâche du bouton sélectionné.

Si la *Boîte à outils* n'est pas affichée, cliquez sur la rubrique homonyme dans le menu *Affichage*.

Figure 12.1   La *Boîte à outils* et la palette de couleurs de *Paint*

Rectangle et ellipse

Avec le bouton *Rectangle* ▢, il est possible de dessiner des rectangles et des carrés, avec le bouton *Ellipse* ◯, des cercles et des ellipses. Les autres boutons permettent de créer des rectangles arrondis, des lignes droites, des courbes et des polygones. Voyons maintenant comment dessiner avec *Paint*.

Dessin

Avant de commencer, sélectionnez un outil à l'aide de la souris, placez le pointeur dans la zone du dessin et cliquez puis maintenez enfoncé le bouton de la souris ; vous pouvez ainsi étirer l'objet jusqu'à la taille voulue.

Carrés et cercles

Quand vous relâchez le bouton de la souris, l'objet est créé. Si vous voulez dessiner des carrés ou des cercles au lieu de rectangles et d'ellipses, appuyez sur la touche ⬧ et maintenez-la enfoncée.

Contour des formes

Avec la configuration standard, les outils ne sont en mesure de dessiner que les contours des formes. Pour créer des objets pleins, avec ou sans contour, il faut sélectionner l'option relative dans le *Groupe d'options de la Boîte à outils*.

Groupe d'options de la Boîte à outils

Ce groupe qui est situé au-dessous de la boîte à outils varie en fonction de l'outil sélectionné. Cliquez sur un outil et sélectionnez dans le *Groupe d'options* la largeur du trait ou le remplissage à l'aide d'un clic sur l'option voulue.

Dessiner des lignes droites

Pour dessiner des lignes droites, utilisez le bouton *Lignes* ◣. Sélectionnez l'outil et cliquez dans le *Groupe d'options* sur l'épaisseur de trait voulue. Etablissez le début de la ligne dans la zone du dessin à l'aide d'un clic. Puis faites glisser la ligne en maintenant enfoncé le bouton de la souris. Pour obtenir une ligne horizontale, verticale ou inclinée de 45 degrés, appuyez aussi sur la touche ⬙.

Dessin à main levée

Utilisez le bouton *Brosse* 🖌 pour dessiner des lignes à main levée. Pour dessiner des lignes horizontales ou verticales, maintenez enfoncée la touche ⬙. La largeur de ces lignes peut être définie dans le *Groupe d'options*.

Dessin de lignes courbes

Avec le bouton *Courbe* ⟨, il est possible de créer des lignes courbes. Placez le pointeur sur la position de départ et faites glisser la ligne sur la position finale en maintenant enfoncé le bouton de la souris. Cliquez ensuite dans la zone de dessin, maintenez enfoncé le bouton de la souris puis déplacez-la dans la direction voulue pour créer une courbe. Cliquez de nouveau dans la zone de dessin, pour fixer la courbe.

Polygones

Pour dessiner les polygones, utilisez le bouton *Polygone* 🔲. Dans le *Groupe d'options*, choisissez le style de remplissage (contour seulement ou plein). Cliquez dans la zone de dessin pour indiquer le point de départ et maintenez enfoncé le bouton de la souris.

Fermeture polygone

Faites glisser la première ligne, relâchez le bouton de la souris quand vous atteignez le premier angle ; ensuite faites glisser la ligne suivante en maintenant enfoncé le bouton de la souris. L'angle d'autres lignes peut aussi être établi en cliquant sur la position finale. Pour fermer le polygone, cliquez sur le point de départ.

Vous pouvez également double-cliquer dans la zone de dessin. *Paint* trace une droite entre la position du curseur et le point de départ. Pour les polygones ouverts, si vous cliquez sur le bouton droit de la souris, vous supprimez toutes les lignes représentées.

Lignes avec effet « aérographe »

Pour créer des taches sous forme de points, utilisez le bouton *Aérographe* . En maintenant enfoncé le bouton de la souris, vous pouvez créer des lignes avec l'effet « aérographe ». Définissez la taille de la tache dans le *groupe d'options*. L'intensité de la couleur dépend de la vitesse de la souris. Si vous maintenez enfoncée la touche ⬧ vous obtenez des lignes avec l'effet « aérographe » horizontales ou verticales.

Insertion de texte

Pour associer une légende aux éléments graphiques, utilisez la touche *Texte* A . Quand vous cliquez sur le point d'insertion, un petit cadre et la barre d'outils texte s'affichent.

Vous pouvez agrandir à votre gré ce cadre à l'aide d'un glissement. Tapez le texte à l'intérieur de ce cadre. Pour assigner un format au texte, utilisez la *Barre d'outils texte* (menu *Affichage*).

Pour corriger une faute de frappe, appuyez sur la touche ⬅ . Si vous le voulez, vous pouvez appuyer sur la touche ↵ ; toutefois, *Paint* exécute automatiquement le retour à la ligne.

Gras, italique et souligné

Vous pouvez également assigner les attributs *gras*, *italique* ou *souligné* à l'aide des boutons de la *Barre d'outils texte* tant que le cadre du texte est visible.

Quand vous cliquez en dehors du cadre pour sélectionner par ex. un autre outil, le texte est fixé et ne peut plus être modifié. Les erreurs de dessin peuvent être corrigées en sélectionnant *Edition/Annuler*. Enregistrez de temps en temps votre travail avec *Fichier/Enregistrer*. Vous pourrez ainsi retourner à la version enregistrée si les dernières modifications du dessin ne vous satisfont pas.

Définition des couleurs de remplissage et d'arrière-plan avec *Paint*

Avec les paramètres standards de *Paint*, il est possible de créer uniquement des contours noirs ou des objets pleins noirs. Si vous voulez utiliser une couleur, il faut la sélectionner avant de commencer à dessiner. Il est également possible de colorier des objets déjà terminés.

Palette de couleurs

Avant de dessiner, sélectionnez une couleur dans la *Palette de couleurs* de *Paint*. Celle-ci se trouve au-dessus de la barre d'état et dispose de vingt-huit champs. A gauche des couleurs, il y a un champ permettant de sélectionner la *Couleur de premier ou d'arrière-plan*.

Le champ antérieur correspond à la couleur de remplissage du premier plan. Les lignes ou les contours des figures géométriques sont représentés avec cette couleur. Ceci est valable pour tous les objets qui sont représentés à l'aide du bouton gauche de la souris. Le champ postérieur correspond à la couleur de l'arrière-plan.

Couleur du premier plan et de l'arrière-plan

La couleur d'arrière-plan sert à représenter ou remplir les objets, si ces derniers sont dessinés à l'aide du bouton droit de la souris. Pour sélectionner une couleur, il suffit de cliquer sur le champ correspondant. Durant cette opération, si vous cliquez sur le bouton gauche de la souris, vous définissez la couleur du premier plan, tandis que si vous cliquez sur le bouton droit, vous définissez la couleur de l'arrière-plan.

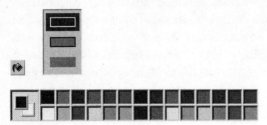

Figure 12.2   *Remplissage* (en haut à gauche), *Groupe d'options de la Boîte à outils* et *Palette de couleurs* (en bas)

Bouton droit de la souris

Les nouvelles couleurs sont immédiatement utilisées pour les nouveaux objets. Les objets dessinés avec le bouton gauche de la souris sont toujours représentés avec la couleur de l'arrière-plan tandis que le contour est affiché avec la couleur du premier plan. Si vous dessinez à l'aide du bouton droit de la souris pour invertir le choix des couleurs, les contours sont représentés avec la couleur de l'arrière-plan et les remplissages avec la couleur du premier plan.

Coloration après le dessin

Pour colorier les objets dessinés précédemment ou des figures composées de lignes fermées, utilisez le bouton *Remplissage* 🔄 de *Paint*. Cliquez sur ce bouton et sélectionnez la couleur du premier plan en cliquant à l'aide du bouton gauche sur une couleur de la palette.

Remplissage

Positionnez le pointeur de la souris sur un objet fermé dans la zone de dessin et cliquez. L'objet est rempli avec la couleur sélectionnée. Pour colorier les objets avec la Couleur d'arrière-plan, cliquez à l'aide du bouton droit sur *Remplissage* 🔄.

Sélectionner, copier, déplacer et supprimer avec *Paint*

Les éléments d'un dessin de *Paint* devant être répétés peuvent être dessinés une seule fois puis copiés.

Position dans le dessin

Les objets figurant dans le dessin n'ont pas une position nécessairement définitive. Les éléments qui ne sont reliés à aucun autre élément peuvent être déplacés dans un autre point de la zone de travail. Par ailleurs, une fois l'objet dessiné, s'il ne vous satisfait pas vous pouvez le supprimer.

Sélectionner un objet

Pour toutes les opérations décrites, il faut sélectionner préalablement l'objet voulu. Pour cela, il faudrait que l'élément soit identifiable en tant qu'objet individuel dans la zone de dessin pour éviter de modifier les autres éléments.

Outils de sélection

Pour sélectionner les éléments graphiques, *Paint* dispose de deux outils spéciaux : en haut dans la *Boîte à outils*, vous avez les boutons *Sélection libre* 🔲 et *Sélection* 🔲 qui correspondent à deux modes de sélection.

Bouton *Sélection libre*

Avec *Sélection libre* 🔲, il est possible de sélectionner une partie quelconque du dessin. Pour cela, tracez une ligne autour de l'objet voulu en maintenant enfoncé le bouton de la souris. Quand vous relâchez ce bouton, la ligne se transforme en rectangle. Avec ce mode, la sélection est effectuée à main levée.

Bouton Sélection

Le bouton *Sélection* 🔲 permet de sélectionner une partie rectangulaire de l'image en maintenant enfoncé le bouton de la souris. Avec les boutons *Sélection libre* 🔲 ou *Sélection* 🔲 les éléments graphiques ou les parties sélectionnées sont toujours entourés d'un cadre en tirets (voir la Figure 12.3 à gauche). L'objet sélectionné peut être déplacé à l'intérieur de la zone de travail en maintenant enfoncé le bouton de la souris.

Déplacer une partie sélectionnée

Par défaut, le déplacement d'une partie sélectionnée a lieu sur un arrière-plan transparent. Sélectionnez la commande *Dessiner opaque* du menu *Image* pour que l'arrière-plan de la partie sélectionnée devienne opaque et recouvre les autres objets.

 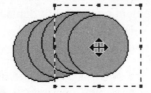

Figure 12.3   Sélection d'objets (à gauche) et copie avec Ctrl

Supprimer un objet

Si vous appuyez sur la touche Suppr, vous effacez l'objet ou la zone de dessin sélectionné. Si l'objet sélectionné se trouve à l'intérieur d'autres objets graphiques, vous verrez un rectangle ou une forme à main levée vide et blanc.

Annuler la sélection

Une sélection peut être annulée en cliquant dans la zone de dessin en dehors du rectangle de sélection. Le cadre de sélection possède toujours huit poignées, permettant d'étirer, d'incliner, d'agrandir ou de réduire la sélection en maintenant enfoncé le bouton de la souris.

Copier des objets

Il est possible de copier des objets sélectionnés dans le *Presse-papiers* à l'aide des commandes *Edition/Copier* ou avec Ctrl+C. Vous pouvez également utiliser la commande *Copier* du menu contextuel. Avec *Edition/Coller* ou la combinaison de touches Ctrl+V, il est possible de transférer des objets depuis le *Presse-papiers* vers *Paint* ou une application de Windows quelconque.

Point d'insertion

Le point d'insertion dans *Paint* se trouve toujours dans l'angle supérieur gauche. L'élément inséré contient automatiquement un cadre de sélection permettant de le déplacer. Pour faire glisser un élément sélectionné, appuyez sur la touche $\boxed{\text{Ctrl}}$, une copie de la sélection est créée, l'original reste inchangé.

Couper des objets

Avec la commande *Couper* du menu *Edition* ou du menu contextuel ou bien à l'aide de la combinaison de touches $\boxed{\text{Ctrl}}$+$\boxed{\text{X}}$, il est possible d'effacer un objet de *Paint* pour le placer dans le *Presse-papiers*. A partir de là, vous pouvez l'insérer à l'endroit voulu.

Si vous déplacez un élément sélectionné en maintenant enfoncée la touche $\boxed{\text{\small$\diamond$}}$, la partie sélectionnée est continuellement reproduite en fonction du mouvement de la souris. Ce procédé est défini *traînée*.

Dessiner ou insérer en opaque dans *Paint*

Dans *Paint*, il est possible de déplacer les éléments du dessin sur un autre point à l'intérieur de la zone de travail – ou sur d'autres parties de l'image. Dans *Paint*, vous pouvez représenter une seule fois les éléments à réutiliser puis les copier le nombre de fois voulu.

Mode transparent

Les copies peuvent être déplacées à votre gré. Pour ce type d'opération, *Paint* utilise par défaut un mode transparent. Ainsi l'arrière-plan est visible à travers les objets déplacés.

Dessiner opaque

Si vous travaillez avec un arrière-plan blanc et que vous déplacez un objet contenant des taches blanches sur des parties d'image, vous verrez au niveau de ces taches l'arrière-plan (voir la Figure 12.4 à droite). Cet effet n'est pas toujours pratique. Pour éliminer la transparence, sélectionnez dans le menu *Image* la commande *Dessiner opaque*.

Sélection libre

Sélectionnez ensuite la zone de dessin voulue. Avec *Sélection libre*, vous sélectionnez une partie quelconque du dessin. Pour cela, tracez une ligne autour de l'objet voulu en maintenant enfoncé le bouton de la souris. Quand vous relâchez ce bouton, la ligne se transforme en rectangle. Avec ce mode, la sélection est effectuée à main levée.

Sélection

Le bouton *Sélection* permet de sélectionner une partie rectangulaire de l'image en maintenant enfoncé le bouton de la souris, ensuite déplacez la partie sélectionnée sur la nouvelle position en mode opaque (voir la Figure 12.4 à gauche).

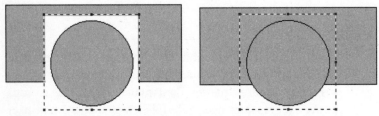

Figure 12.4   Insertion transparente et opaque (à gauche)

Comme avec les boutons *Sélection libre* ou *Sélection*, les éléments graphiques ou les parties sélectionnées sont toujours entourés d'un rectangle de sélection, les pixels avec la couleur d'arrière-plan actif contenus dans ce rectangle sont déplacés.

Nouvelle couleur d'arrière-plan

En changeant la couleur de l'arrière-plan et en déplaçant une partie sélectionnée, la position d'origine de la sélection est coloriée avec la nouvelle couleur de l'arrière-plan.

La commande *Dessiner opaque* est aussi appliquée aux objets insérés à l'aide de *Edition/Coller* ou de Ctrl+V depuis le *Presse-papiers* vers *Paint*.

Définition paramètre d'agrandissement dans *Paint*

Chaque objet de *Paint* est constitué de points graphiques individuels. Les corrections dans *Paint* s'effectuent en effaçant ou en recouvrant.

Curseur à quatre flèches

Il est parfois difficile d'identifier le point de départ et le point final des objets avec le curseur à quatre flèches. Si vous voulez travailler avec la plus grande précision, il convient d'agrandir l'affichage. *Paint* offre des paramètres d'agrandissement allant jusqu'à 800%.

Commande *Zoom*

Pour agrandir le dessin, sélectionnez dans le menu *Affichage* la commande *Zoom*. Le sous-menu qui s'affiche offre différents paramètres d'agrandissement.

Commande *Grande taille*

La commande *Grande taille* correspond à un agrandissement égal à 400%. Pour définir vous-même l'agrandissement, cliquez sur la commande *Personnaliser*. La boîte de dialogue *Zoom personnalisé* contient cinq paramètres d'agrandissement compris entre 100% et 800%.

Nouvelle définition du zoom

Activez l'une des cases d'option sous *Faire un zoom de* et confirmez avec *OK*.

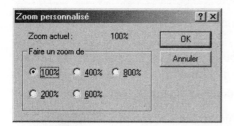

Figure 12.5 Définition du paramètre d'agrandissement et options du bouton *Loupe* (au-dessous)

L'affichage peut être agrandi plus rapidement à l'aide du bouton *Loupe* 🔍. Quand vous cliquez sur ce bouton, un cadre apparaît dans la zone de dessin pour sélectionner la partie à agrandir. Cliquez dans le cadre pour agrandir la section. Vous pouvez définir le paramètre d'agrandissement du bouton *Loupe* dans le *groupe d'options* correspondant.

Modifier avec une grande précision

Nous vous conseillons de modifier les petits détails avec un agrandissement compris entre *600%* (*6 X* dans le *groupe d'options* du bouton *Loupe*) et *800%* (*8 X* dans le *groupe d'options* du bouton *Loupe*). Pour effectuer des modifications avec la plus grande précision, utilisez le bouton *Pinceau* 🖌.

Taille normale

Sélectionnez *Affichage/Zoom* puis dans le sous-menu la commande *Taille normale* pour revenir à la représentation à l'échelle 1 : 1 ou bien cliquez sur *1 X* dans le *groupe d'options*.

Définition de la taille de l'image dans *Paint*

Chaque fois que vous ouvrez *Paint* à l'aide de *Démarrer/Programmes/Accessoires*, une zone de travail vide est visualisée. Vous pouvez dessiner à l'intérieur de la surface blanche. Si vous cliquez sur le bouton *Agrandir* dans la fenêtre de *Paint*, celle-ci occupera tout l'écran.

Zone de dessin

Vous pouvez voir que la zone de travail s'étend jusqu'aux bordures de la fenêtre d'application de *Paint*. En réalité, la zone de dessin est plus grande, utilisez les barres de défilement pour visualiser la partie qui n'est pas affichée.

Occuper inutilement de l'espace

Quand vous dessinez un petit objet, la partie restante de la zone de travail reste blanche, cela n'est pas important mais des problèmes se posent au moment de l'enregistrement de la figure. *Paint* enregistre en effet toute la zone de travail. Ainsi le fichier occupe inutilement de l'espace et il est impossible d'insérer uniquement le petit objet dans une autre application Windows, telle que les programmes du kit *Microsoft Office*.

Insertion de toute la surface de travail

Dans ces applications, tout le fichier de *Paint* est inséré (avec la bordure blanche). Il est toutefois possible de résoudre cet inconvénient en définissant la zone de dessin de *Paint*. Pour cela, avant de commencer à travailler, sélectionnez dans le menu *Image* la commande *Attributs* ou bien utilisez la combinaison de touches Ctrl+E.

Boîte de dialogue *Attributs*

Dans la boîte de dialogue *Attributs*, *Paint* indique en centimètres la taille courante de la zone de dessin. Il est possible de transformer l'unité de mesure en *pixels*. La valeur prédéfinie correspond exactement à la résolution avec laquelle vous travaillez. Pour des écrans à résolution VGA vous avez 640x480 pixel, pour 1024x768 points graphiques ces valeurs sont contenues dans les champs de texte *Largeur* et *Hauteur*.

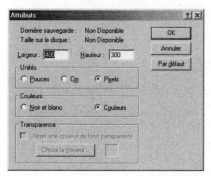

Figure 12.6 A l'aide de *Image/Attributs*, il est possible de modifier la taille de l'image dans *Paint*

Zones de texte

Largeur et *Hauteur*

Pour définir la nouvelle taille de la zone de dessin en points graphiques, sélectionnez comme unités de mesure *pixels*, tapez les valeurs dans les zones de texte *Largeur* et *Hauteur* et confirmez avec *OK*. Si vous voulez définir la taille en centimètres, sous *Unité* activez l'option *Cm*, tapez les nouvelles valeurs en centimètres dans les zones de texte *Largeur* et *Hauteur* et confirmez avec *OK*.

Si depuis le Presse-papiers vous insérez une copie dont la taille est plus grande que la zone de travail définie, un message apparaît, cliquez sur *Oui* car sinon l'image sera coupée !

Effets graphiques avec *Paint*

Il est possible de retourner, pivoter, incliner, comprimer ou étirer les dessins ou les images (ou des parties de ceux-ci) ouverts dans *Paint*.

Retourner et pivoter des parties d'image dans *Paint*

La rotation d'objets ou de parties d'image sélectionnés a toujours lieu avec des rotations prédéfinies de 90, 180 ou 270 degrés. Pour le pivotement, les éléments graphiques ou les images sont basculés le long d'une ligne centrale, horizontale ou verticale imaginaire.

Sélectionner des parties d'image

Avant d'appliquer les commandes *Retourner* ou *Faire pivoter,* il faut sélectionner les parties d'image voulues car sinon les commandes agissent sur tout le dessin. Si certains éléments seulement doivent être retournés ou pivotés, cliquez sur l'un des boutons *Sélection libre* 🔲 ou *Sélection* 🔲 de la *Boîte à outils*.

Sélection libre

Avec *Sélection libre*, tracez à la main une ligne entourant la partie voulue. Pour cela, tracez une ligne autour de l'objet voulu en maintenant enfoncé le bouton de la souris. Quand vous relâchez le bouton de la souris, la ligne se transforme en rectangle. Avec ce mode, la sélection est effectuée à main levée. Le bouton *Sélection* ▣ permet de sélectionner une partie rectangulaire de l'image en maintenant enfoncé le bouton de la souris.

Commande

Retourner et Faire pivoter

Sélectionnez enfin la commande *Retourner et faire pivoter* dans le menu *Image* ou dans le menu contextuel. Comme alternative, utilisez la combinaison de touches ⌨Ctrl+⌨R. La boîte de dialogue *Retourner et faire pivoter* apparaît.

Retourner horizontalement ou verticalement

Pour retourner une image ou une partie de gauche à droite, activez la case d'option *Retourner horizontalement* et confirmez avec *OK*.

Si vous voulez renverser une image ou une partie, cliquez sur la case d'option *Retourner verticalement* et confirmez avec *OK*.

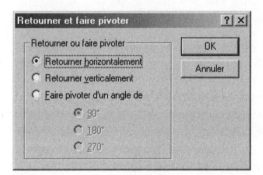

Figure 12.7   Retournement horizontal ou vertical de parties d'image

Angles de rotation prédéfinis

Si vous voulez faire pivoter les images ou les dessins avec des angles de rotation prédéfinis, sélectionnez la commande *Retourner/Faire pivoter* du menu *Image* ou du menu contextuel. Vous pouvez également utiliser la combinaison de touches ⌈Ctrl⌉+⌈R⌉. Activez la case d'option *Faire pivoter d'un angle de* et cliquez sur *90, 180* ou *270* degrés. Confirmez avec *OK* pour effectuer la rotation.

Etirer et incliner des parties d'image dans *Paint*

Vos propres dessins (les images ouvertes dans *Paint* ou des parties d'image) peuvent être étirés ou inclinés par rapport à la taille d'origine selon les valeurs librement définies en pourcentage. Avec l'étirement, il est possible d'augmenter ou réduire la largeur et/ou la hauteur des objets ou des images. Avec l'inclinaison, les éléments graphiques ou les images sont inclinés vers la gauche, la droite, le haut ou le bas.

Etirer et incliner

Avant d'activer les commandes *Etirer* ou *Incliner*, sélectionnez les parties d'image voulues car sinon les commandes agissent sur tout le dessin.

Si vous voulez étirer ou incliner seulement des éléments déterminés, utilisez l'un des outils *Sélection libre* 🔲 ou *Sélection* 🔲 de la *Boîte à outils*.

Outil de sélection

Avec *Sélection libre* 🔲, il est possible de sélectionner une partie quelconque du dessin. Pour cela, tracez une ligne autour de l'objet voulu en maintenant enfoncé le bouton de la souris. Quand vous relâchez le bouton de la souris, la ligne se transforme en rectangle. Avec ce mode, la sélection est effectuée à main levée. Le bouton *Sélection* 🔲 permet de sélectionner une partie rectangulaire de l'image en maintenant enfoncé le bouton de la souris..

Commande Etirer/Incliner

Sélectionnez ensuite la commande *Etirer/Incliner* du menu *Image* ou du menu contextuel. Vous pouvez aussi utiliser la combinaison de touches ⌈Ctrl⌉+⌈W⌉. La boîte de dialogue *Etirer et incliner* apparaît.

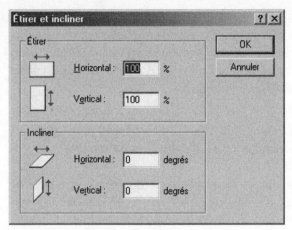

Figure 12.8   Etirer ou incliner les objets

Option *Horizontal*	Pour agrandir une image ou une partie, cliquez sous *Etirement* dans la zone de texte *Horizontal* et tapez une valeur en pourcentage. Les valeurs négatives réduisent la largeur de façon correspondante. Confirmez avec *OK*.
Option *Vertical*	Si vous voulez modifier la hauteur d'une image ou d'une partie ou bien l'orientation, cliquez sous *Etirement* dans la zone de texte *Vertical* et tapez une valeur en pourcentage. Les valeurs négatives réduisent la largeur de façon correspondante. Confirmez avec *OK*.
Incliner des parties d'image	Par contre, si vous voulez incliner des parties d'image ou des dessins entiers, sélectionnez la commande *Etirer/Incliner* du menu *Image* ou du menu contextuel.

Vous pouvez également utiliser la combinaison de touches [Ctrl]+[W]. La boîte de dialogue *Etirer et incliner* apparaît : pour incliner une image ou des parties vers la droite, cliquez sous *Incliner* dans la zone de texte *Horizontal* et tapez l'angle d'inclinaison correspondant.

Valeurs négatives Des valeurs négatives entraînent une inclinaison de la sélection vers la gauche. Confirmez avec *OK*. Pour incliner une image ou des parties vers le haut, cliquez sous *Incliner* dans la zone de texte *Vertical* et tapez l'angle d'inclinaison correspondant.

Des valeurs négatives entraînent une inclinaison de la sélection vers le bas. Confirmez avec *OK* pour appliquer les paramètres aux parties d'image sélectionnées.

Le cadre de sélection contient toujours huit poignées, permettant d'incliner, d'agrandir ou de réduire la partie sélectionnée en maintenant enfoncé le bouton de la souris.

Ouvrir, enregistrer et imprimer les images créées avec *Paint*

Paint permet non seulement de créer et d'enregistrer vos propres dessins mais aussi d'ouvrir les images à pixels existantes. Les dessins ouverts peuvent être par ex. modifiés et enregistrés de nouveau. Vous pouvez également utiliser le dessin dans un autre programme.

Ouvrir des images avec *Paint*

Pour ouvrir une bitmap dans *Paint*, sélectionnez la commande *Ouvrir* du menu *Fichier*. Par défaut, dans la boîte de dialogue *Ouvrir* le programme recherche à l'intérieur du dossier *Mes documents* uniquement les fichiers bitmap. Cela parce que dans la zone de texte *Type* le format graphique *File bitmap* est sélectionné.

Fichiers bitmap

Si le dossier courant ne contient aucune bitmap, sélectionnez le dossier *Windows* et utilisez la barre de défilement pour afficher les fichiers bitmap. *Windows Me* marque ces fichiers avec l'icône de document : 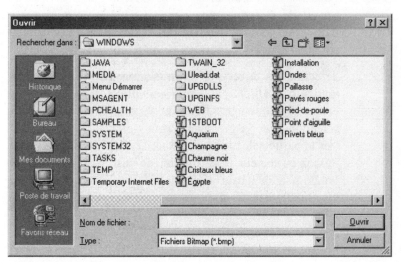.

Boîte à liste déroulante

Explorer

Par contre, si vous disposez de bitmaps, par ex. sur CD-ROM et que vous voulez les utiliser dans *Paint*, ouvrez la boîte à liste *Explorer* pour sélectionner ce lecteur. Sélectionnez une bitmap et cliquez sur le bouton *Ouvrir*. Un fichier peut aussi être chargé en double-cliquant dans la boîte de dialogue *Ouvrir* ou bien en le sélectionnant puis en enfonçant ⏎.

Formats graphiques différents

Les bitmaps peuvent être enregistrées dans différents formats graphiques. *Paint*, pour ouvrir les bitmaps, prévoit seulement trois formats graphiques parmi les formats utilisés couramment. Les images ayant d'autres formats peuvent être ouvertes avec l'application *Imaging*, qu'il faut toutefois installer et insérer dans le groupe de programmes *Programmes/Accessoires*.

Figure 12.9 Ouverture de fichiers bitmap dans *Paint*

Enregistrer une section d'image de *Paint*

Si vous dessinez un petit objet dans *Paint*, le reste de la zone de travail reste blanc. Cette surface blanche est enregistrée point par point parce que *Paint* enregistre toujours toute la zone de travail.

Occuper inutilement de l'espace

Un fichier de ce type occupe inutilement de l'espace dans la mémoire. En outre, il est impossible d'insérer l'objet sans la surface blanche dans une autre application Windows, par ex. comme logo dans une lettre créée avec *Wordpad*.

Commande Insérer/Objet

Si vous insérez un fichier de ce type dans un autre programme à l'aide de *Insérer/Objet*, le fichier de *Paint* est inséré en entier (y compris la zone blanche). Il est toutefois possible de définir la zone de travail de *Paint* et suivre une procédure spéciale pour enregistrer les sections d'image.

Enregistrer une section d'image

Pour cela, dessiner sur un point quelconque de la zone de travail de *Paint* l'image que vous voulez enregistrer à part. Vous pouvez bien sûr ouvrir une figure existante et enregistrer une section sous un autre nom.

Sélectionner une partie

Sélectionnez la section du dessin voulue. Utilisez éventuellement *Affichage/Zoom/Personnaliser* ou le bouton *Loupe* [🔍] pour agrandir la représentation et effectuer la sélection avec la précision la plus grande. Pour enregistrer la partie sélectionnée, choisissez *Edition/Copier vers*. Passez au lecteur et au dossier de destination, et donnez un nom à la partie sélectionnée sous *Nom*. Définissez éventuellement la luminosité de l'image à l'aide de la boîte à liste déroulante *Type* et confirmez avec *Enregistrer*. *Paint* enregistre uniquement la section indiquée sans la zone de travail qui l'entoure.

Figure 12.10   Enregistrement d'objets sélectionnés avec la commande *Copier vers*

Si vous voulez insérer une section d'image de *Paint* dans une autre application, déplacez la partie sélectionnée dans le Presse-papiers à l'aide de *Edition/Copier* et insérez-la dans l'application sur la position indiquée par le curseur à l'aide de *Edition/Coller*. Avec cette méthode, vous n'effectuez pas d'enregistrement.

Enregistrer des images avec *Paint*

Boîte de dialogue
Enregistrer sous

Pour enregistrer des images propres ou des fichiers modifiés avec *Paint*, sélectionnez la commande *Enregistrer sous* du menu *Fichier*.

Dans la boîte de dialogue *Enregistrer sous*, tapez un nom dans la zone de texte *Nom*. Vous disposez d'une longueur de 255 caractères !

Vous pouvez utiliser les majuscules, les minuscules, les trémas et les espaces. Ouvrez la boîte à liste déroulante *Enregistrer dans* pour sélectionner le lecteur et le dossier de destination.

599

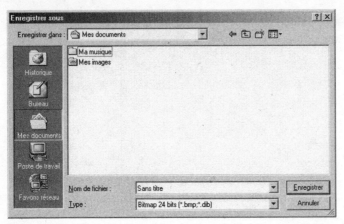

Figure 12.11   Enregistrement des images de *Paint* comme fichiers bitmap

Définir le type de fichier

Il faut encore définir le *Type* dans la boîte à liste correspondante. A l'aide des rubriques de cette liste, définissez le format graphique du fichier bitmap et la luminosité du dessin : pour les dessins personnalisés que vous avez créés sans couleurs, sélectionnez de préférence la rubrique *Bitmap 256 couleurs (*.bmp)*.

Nombre de couleurs

Ce nombre de couleurs est généralement suffisant et permet d'économiser de l'espace dans la mémoire. Les photos à couleurs indélébiles ouvertes ou les parties modifiées de ces photos doivent être enregistrées comme *Bitmap 24 bits (*.bmp)*.

Pour enregistrer l'image, cliquez sur le bouton *Enregistrer*.

Par défaut *Paint* enregistre les fichiers bitmap comme *Bitmap 24 bits* (égal à 16,8 millions de couleurs) mais il peut enregistrer aussi avec les luminosités de 8,4 et 2 bits, donc avec 256, 16 ou 2 couleurs (*Bitmap monochrome*). Le nombre de couleurs affecte l'espace de mémoire occupé. Il est également possible d'enregistrer les dessins de *Paint* dans le format *TIF* qui est largement répandu : pour cela, après le nom du fichier tapez l'extension « *.TIF* ».

Les images *JPEG (JPG)* et *GIF* sont affichées dans *Internet Explorer* ou insérées dans *Frontpage Express* pour configurer les pages Web.

Après le premier enregistrement, pour les autres enregistrements intermédiaires, utilisez la commande *Fichier/Enregistrer* ou bien la combinaison de touches Ctrl+S. Assurez-vous que les modifications effectuées durant le travail sont enregistrées. Durant l'opération d'enregistrement le fichier existant est recouvert par la nouvelle version.

Imprimer les images de *Paint*

Imprimer des images

Les images créées avec *Paint* peuvent être imprimées à tout moment. Il faut évidemment disposer d'une imprimante reliée à l'ordinateur et installée sous *Windows Me*. Pour cela, reportez-vous aux sections correspondantes du chapitre 8 « Le panneau de configuration ». Pour imprimer un dessin de *Paint*, sélectionnez dans le menu *Fichier* la rubrique *Imprimer* qui affiche la boîte de dialogue *Impression*. La procédure d'impression est identique pour toutes les applications Windows. Si plusieurs imprimantes sont reliées à l'ordinateur dans la boîte à liste déroulante *Nom* le nom sélectionné est celui de l'*imprimante par défaut* qui a été établi dans le dossier Imprimantes.

Sélection de l'imprimante

Déroulez éventuellement la boîte à liste *Nom* dans le groupe d'options *Imprimante* et sélectionnez l'imprimante que vous voulez utiliser. Pour les impressions de *Paint*, il faut bien sûr disposer d'une imprimante couleur.

Détermination de la zone d'impression

A l'aide des options du groupe *Zone d'impression*, établissez les parties d'image à imprimer : l'option standard est *Tout* pour imprimer le contenu de toute la surface de dessin. Si vous sélectionnez la case d'option *Pages*, vous devez remplir les zones de texte *De* et *à* pour indiquer le groupe de pages voulu. Malheureusement avec *Paint*, l'aperçu avant impression n'est pas disponible pour un grand dessin disposé sur plusieurs pages.

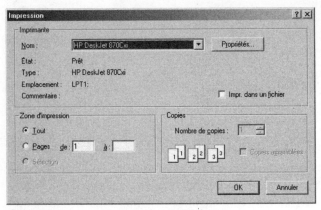

Figure 12.12 La boîte de dialogue *Impression*

Nombre de copies

Dans le groupe d'options *Copies*, tapez le nombre voulu dans la zone de texte *Nombre de copies*. Cochez la case *Copies assemblées* si l'imprimante est en mesure d'effectuer cette opération. Lancez l'opération d'impression avec *OK*.

Onglet Graphiques

Quand vous imprimez à partir de l'application graphique *Paint*, les paramètres pris en compte sont ceux de l'onglet *Graphiques* qui se trouve dans la fenêtre des propriétés de l'imprimante. Il est possible d'accéder à ces paramètres à partir de la boîte de dialogue *Impression*.

Cliquez dans le groupe d'options *Imprimante* sur le bouton *Propriétés*. La boîte de dialogue *Propriétés [nom de l'imprimante]* apparaît. Passez à l'onglet *Graphiques* qui pour les pilotes de l'imprimante de *Windows Me* correspond à l'illustration de la Figure 12.13.

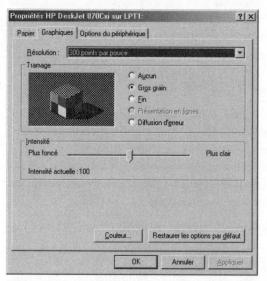

Figure 12.13 · **Modification des propriétés graphiques de l'imprimante**

Si vous n'avez pas installé les pilotes d'impression de *Windows Me*, la configuration de cet onglet pourrait être tout à fait différente. Si des problèmes d'impression se vérifient, dans l'onglet *Graphiques* sous *Mode graphique* sélectionnez l'option *Graphiques vectoriels*.

Tramage

Avec la plupart des pilotes *Windows Me,* il est possible de sélectionner, sous *Tramage,* les cases d'option *Aucun, Gros grain, Fin, Présentation en lignes* et *Diffusion d'erreur.*

Diffusion d'erreur

L'option *Diffusion d'erreur* produit un résultat d'impression très différencié même pour les imprimantes laser monochromes. Etant donnés les innombrables paramètres, la seule méthode sûre est d'essayer. Le curseur de la règle *Intensité* permet de définir la luminosité de l'impression. Confirmez les modifications avec *OK* et lancez l'impression en cliquant sur *OK*.

Création du papier-peint du bureau avec *Paint*

Toute image créée avec l'application graphique *Paint*, intégrée dans Windows, peut être utilisée comme arrière-plan du bureau. Vous avez peut-être déjà utilisé certains papiers peints fournis avec le système. Certains de ces arrière-plans offrent des motifs gracieux mais qui n'ont rien à voir avec une image créée personnellement.

Enregistrer un arrière-plan

Avant de pouvoir enregistrer un arrière-plan pour le bureau, vous devez utiliser votre imagination pour créer un dessin avec *Paint*. Sélectionnez pour cela le bouton *Démarrer* puis les commandes *Programmes/ Accessoires/Paint*. Pour créer votre dessin, utilisez les outils décrits dans la section « Dessiner avec *Paint* » qui se trouve au début de ce chapitre.

Définir les *attributs*

Si vous voulez créer un dessin ayant une taille réduite, utilisez la commande *Image/Attributs* et définissez la taille de la zone de dessin.

Généralement *Paint* utilise comme taille standard pour la zone de dessin le nombre de pixels de la résolution de l'écran, par ex. 1024 x 768 pixels. *Paint* ne peut toutefois pas visualiser toute la zone de dessin.
Si vous voulez créer une image grande comme le format, utilisez les barres de défilement pour accéder aux zones non visibles.

Nom fichier

Une fois l'image terminée, sélectionnez *Fichier/Enregistrer* pour créer une copie. Choisissez le dossier de destination (par ex., *Mes images*), indiquez le *Nom* du fichier et cliquez sur *Enregistrer*. A ce stade, la figure peut être enregistrée comme papier peint pour le bureau.

Commande *Papier* *peint par défaut*

Pour cela, sélectionnez dans le menu *Fichier* la commande *Papier peint par défaut (centré)*. Si l'image que vous avez créée est petite, sélectionnez *Papier peint par défaut (mosaïque)*. L'effet mosaïque n'est visible que si l'image est plus petite que le bureau.

Réduire toutes les fenêtres

Cliquez à l'aide du bouton droit de la souris sur la barre des tâches et sélectionnez dans le menu contextuel la rubrique *Réduire toutes les fenêtres*. L'image que vous avez créée avec *Paint* apparaît sur l'arrière-plan du bureau. Cliquez avec le bouton droit de la souris sur le bouton *Paint* et sélectionnez *Fermer* dans le menu contextuel.

Si vous voulez changer le papier peint du bureau, rappelez le *Panneau de configuration*, double-cliquez sur l'icône *Affichage*, passez à l'onglet *Arrière-plan* qui propose tous les papiers peints.

Travailler avec l'application *Presse-papiers*

Le *Presse-papiers* sert à échanger des données à l'intérieur d'une application et entre plusieurs applications. Dans *Windows Me,* il est possible de définir le *Presse-papiers* afin de copier et déplacer les objets entre les dossiers. Le *Presse-papiers* est une mémoire temporaire invisible dont le contenu est effacé quand vous éteignez l'ordinateur. Le *Presse-papiers* est l'une des fonctions de

Windows les plus importantes et d'une manière générale, il est disponible sur chaque ordinateur.

Application *Presse-papiers*

Quel que soit le type d'installation, les commandes *Copier, Couper* et *Déplacer* sont disponibles. Cette section illustre l'application *Presse-papiers* qui permet de visualiser le contenu de la mémoire temporaire.

Cette application de Windows n'est pas comprise dans l'installation *standard* mais cela peut être résolu facilement.

Groupe de programmes *Accessoires*

sur votre ordinateur. Pour cela, sélectionnez *Démarrer/Programmes/Accessoires/Outils système*. Si le *Presse-papiers* a été installé vous verrez son icône 📋 Presse-papiers. Si l'application n'a pas encore été installée, procédez comme décrit ci-dessous.

Installation de l'application *Presse-papiers*

Installation de Windows

Sélectionnez dans le menu *Démarrer* la commande *Paramètres* et cliquez dans le sous-menu sur *Panneau de configuration*. Dans le dossier *Panneau de configuration*, double-cliquez sur l'icône *Ajout/Suppression de programmes* 🖳. Dans la boîte de dialogue *Propriétés de Ajout/Suppression de programmes,* choisissez l'onglet *Installation de Windows*. Attendez que la recherche automatique soit terminée.

Dans la liste *Composants*, utilisez la barre de défilement pour afficher la rubrique *Outils système*, sélectionnez-la puis cliquez sur le bouton *Détails...*

Figure 12.14   Installation de l'application *Presse-papiers*

Liste
composants

Utilisez de nouveau la barre de défilement pour atteindre la fin de la liste *Composants*. Activez la case à cocher correspondant à la rubrique *Presse-papiers*. Cliquez sur deux fois de suite *OK*, les données sont ainsi copiées sur le disque dur et vous pouvez quitter le *Panneau de configuration*.

Affichage du *Presse-papiers*

Affichage du
Presse-papiers

Pour ouvrir le programme *Presse-papiers* sélectionnez *Démarrer/Programmes/Accessoires/Outils système*. Cliquez sur la rubrique 📋 Presse-papiers. Une fenêtre de programme vide s'affiche.

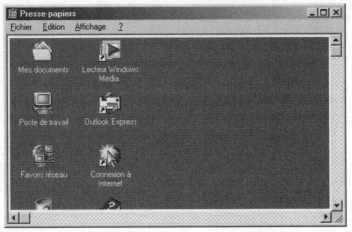

Figure 12.15 Affichage du contenu du *Presse-papiers*

Bitmap du bureau de Windows

Appuyez sur la touche ⌷Impr⌷ de votre clavier pour copier le contenu de l'écran dans le *Presse-papiers*. Dans la fenêtre de l'application *Presse-papiers*, vous avez une bitmap du bureau de Windows. Pour créer une copie de la fenêtre active sur le bureau de *Windows Me,* utilisez les touches ⌷Alt⌷+⌷Impr⌷.

L'application *Presse-papiers* peut être définie pour la copie de dossier et de fichiers. Dans le programme *Presse-papiers* dans ce cas, le chemin de mémorisation est visualisé comme texte.

13. Le programme de traitement de texte *WordPad*

Dans ce chapitre nous nous occuperons du traitement de textes sous *Windows Me*. Ce système d'exploitation fourni le programme *Wordpad*, à savoir un simple programme de traitement de textes qui permet toutefois d'exécuter les opérations principales requises pour créer un texte (frappe du texte, gestion du curseur, sélection, copie/déplacement). Ces fonctions sont identiques à celles du programme de traitement de textes professionnels *Microsoft Word* du kit de *Microsoft Office*.

Enregistrement de textes

Frappe du texte

Cette section énumère les étapes à respecter lors de la frappe d'un texte dans un programme de traitement de textes tel que *Wordpad* et permettant de travailler aisément.

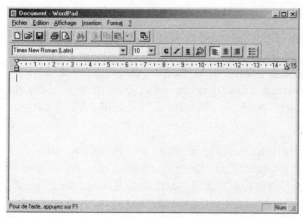

Figure 13.1   Le curseur clignote en haut à gauche dans *Wordpad*

Curseur

Après avoir lancé *Wordpad*, le curseur clignote en haut à

gauche dans la zone de travail. Durant la frappe du texte dans *Wordpad*, il ne faut pas utiliser la « touche de retour à la ligne » que vous connaissez bien si vous savez taper à la machine. Sur votre clavier cette touche correspond à la touche Entrée ⏎. Les programmes de traitement de textes tels que *Wordpad* disposent d'un *retour à la ligne* automatique.

Saut de ligne automatique

Chaque fois que vous atteignez la fin d'une ligne, *Wordpad* déplace automatiquement à la ligne suivante le texte ne pouvant pas figurer sur la ligne courante.

Appuyez sur la touche ⏎ uniquement pour fermer un paragraphe. *Wordpad* gère le texte en le partageant en paragraphes. Ces paragraphes peuvent être alignés ou insérés indépendamment l'un de l'autre. En conséquence, le texte ayant le même sujet doit appartenir au même paragraphe. Vous verrez de vous-même que ce type d'insertion est très pratique.

Gestion du curseur

Dans les zones de texte et dans les programmes de traitement de textes, la forme du pointeur change en fonction de l'élément pointé. Si la position du pointeur correspond à la position d'insertion du texte, il se transformera en petite barre verticale clignotante I et sera défini *curseur du texte*.

Curseur

Durant la frappe du texte dans *Wordpad*, un autre élément se déplace à savoir le *curseur*. Celui-ci indique le point d'insertion actuel du texte. Le pointeur de la souris peut se trouver à un endroit quelconque du document.

L'élément décisif pour la frappe de texte ou les modifications suivantes est toujours la position du curseur, la position du pointeur de la souris n'a pas d'importance. Pour établir la position du pointeur vous pouvez adopter différentes méthodes.

Positionnement du curseur

La méthode la plus simple pour positionner le curseur est d'utiliser la souris. Pour cela, placez le pointeur à l'endroit du texte où vous voulez positionner le curseur puis cliquez sur le bouton de la souris. Le curseur clignotera dans cette position.

Barre de défilement

Pour passer à un morceau de texte qui n'est pas affiché, utilisez la/les barres de défilement ou les touches ⎗ ou ⎘. Positionnez-vous sur le point d'insertion voulu puis cliquez pour y placer le curseur. Vous pouvez alors effectuer des modifications ou taper du texte.

Sélection de morceaux de texte

Avant de pouvoir exécuter une commande dans le programme de traitement de textes *Wordpad*, sélectionnez le morceau de texte en question. Presque toutes les mises en forme sont appliquées uniquement au morceau de texte sélectionné.

Si vous n'avez effectué aucune sélection, les commandes exécutées sont valables exclusivement pour le nouveau texte. Pour mettre en forme un document déjà existant, il faut spécifier, en les sélectionnant, les morceaux de texte que vous voulez modifier.

Sélection

Pour sélectionner des morceaux du texte, vous avez plusieurs possibilités.

Sélection à l'aide de la souris

Pour effectuer la sélection avec la souris, placez le pointeur devant le premier caractère à sélectionner. Appuyez et maintenez enfoncé le bouton de la souris puis faites glisser le curseur vers la droite après le dernier caractère à sélectionner. La partie de texte sélectionnée apparaît sur un arrière plan noir. *Wordpad* sélectionnent automatiquement un mot entier quand vous placez le pointeur sur une lettre quelconque du mot que vous vous déplacez vers la gauche ou la droite.

Désactivation
Sélection
automatique des
mots

Si vous voulez sélectionner les caractères un par un, il faut désactiver l'option de sélection automatique. Pour cela, choisissez la commande *Options* du menu *Affichage*. Cliquez sur l'onglet *Options* et désactivez la case à cocher *Sélection automatique des mots*. Confirmez avec *OK*. A présent, vous pouvez sélectionner les caractères voulus à l'intérieur d'un mot.

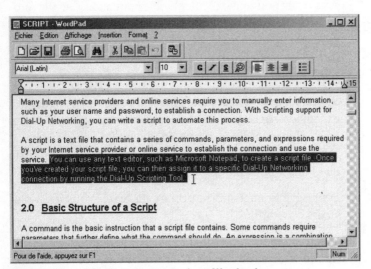

Figure 13.2   Sélection d'un texte dans *Wordpad*

Sélection de lignes entières	L'extension automatique de la sélection fonctionne aussi bien en avant qu'en arrière. La souris permet en outre de sélectionner des lignes, des paragraphes ou toute une page. Si le curseur atteint l'extrémité supérieure ou inférieure de la fenêtre *Wordpad* durant l'opération de sélection, la section de texte affichée est automatiquement déplacée et le texte défile sur l'écran.

Sélection à l'aide de la souris et du clavier

Touche ⌂ enfoncée	Pour sélectionner en utilisant aussi bien le clavier que la souris, cliquez devant le premier caractère à sélectionner. Appuyez sur la touche ⌂, maintenez-la enfoncée et cliquez sur le dernier caractère du champ à sélectionner puis relâchez la touche ⌂.
Afficher plusieurs pages	La sélection avec la souris et le clavier fonctionne également sur des pages multiples. Utilisez les barres de défilement pour passer à la fin du texte à sélectionner.

Clics multiples pour la sélection

Barre de sélection	Si vous voulez sélectionner un mot, il suffit de double-cliquer sur le mot. Si vous voulez sélectionner une ligne entière, placez le pointeur de la souris à gauche près de la ligne dans la *barre de sélection*.
	Quand le pointeur de la souris prend la forme d'une flèche pointée vers la droite ↗ cliquez au niveau de la ligne. Si vous maintenez enfoncée le bouton de la souris, vous pouvez sélectionner d'autres lignes.
Double clic	En double-cliquant dans la *barre de sélection*, vous sélectionnez un paragraphe entier. Si vous voulez étendre la sélection, appuyez sur la touche ⌂ et déplacez la souris vers le haut ou le bas en maintenant enfoncée cette touche.

Sélectionner tout

Dans *Wordpad*, pour sélectionner tout le texte utilisez la combinaison de touches Ctrl+A qui correspond à la commande *Edition/Sélectionner tout*.

Correction des fautes de frappe

Corriger des erreurs

Le programme de traitement de textes offre une commodité particulière pour corriger les fautes. Les possibilités disponibles sont illustrées dans la section suivante.

Si vous faites des fautes durant la frappe du texte, vous pouvez choisir l'une des possibilités de correction illustrées dans les sections suivantes.

Suppression des caractères à gauche ou à droite du curseur

Les caractères erronés situés à gauche du curseur peuvent être effacés l'un après l'autre à l'aide de la touche ←. Vous pouvez alors taper les nouveaux caractères.

Correction des fautes de frappe

Pour effacer un par un les caractères erronés situés à droite du curseur, utilisez la touche Suppr. Vous pouvez alors taper les nouveaux caractères.

Définition du mode refrappe ou frappe

Longues chaînes de caractères

Pour remplacer de longues chaînes de caractères situées à droite du curseur, appuyez sur la touche Inser. Cette touche permet de basculer du mode frappe au mode refrappe.

Maintenant, si vous tapez du texte, chaque caractère inséré recouvre un caractère situé à droite du curseur. Appuyez de nouveau Inser, pour revenir au mode frappe.

Effacement et refrappe des sélections

Touche Suppr
enfoncée

Vous pouvez également sélectionner les fautes et effacer le texte à l'aide de la touche Suppr, puis taper le nouveau texte ou recouvrir directement les sélections par la nouvelle frappe.

Copier, Couper et *Coller*

Déplacement de
morceaux de texte

Il faut utiliser le *Presse-papiers* pour déplacer des morceaux de texte dans *Wordpad*. Pour cela sélectionnez la zone désirée. Pour rappeler le *Presse-papiers* vous avez différentes possibilités.

Copie de morceaux
de texte

Sélectionnez *Edition/Copier* pour copier des morceaux de texte sélectionnés dans le *Presse-papiers* sans enlever le texte de sa position d'origine. Vous pouvez aussi utiliser le bouton *Copier* 📑 de la barre d'outils ou bien la touche de raccourci Ctrl+C.

Suppression de
texte

Par contre si vous sélectionnez la commande *Edition/Couper*, le texte sélectionné est effacé du document et copié dans le *Presse-papiers*. Pour cela, vous pouvez également utiliser le bouton *Couper* ✂ de la barre d'outils ou bien la touche de raccourci Ctrl+X.

Insertion du texte

Les copies insérées dans le Presse-papiers peuvent être insérées dans d'autres points du document *Wordpad* (ou dans d'autres applications par ex. celles du kit *Microsoft Office*) : positionnez le curseur à l'endroit où vous voulez insérer le texte et sélectionnez le commande *Coller* du menu *Editer*.

Ou bien

Vous pouvez aussi utiliser le bouton *Coller* 📋 de la barre d'outils ou la touche de raccourci Ctrl+V.

Cette procédure peut être répétée à d'autres endroits ou dans d'autres documents.

Presse-papiers

Attention : les textes copiés ou coupés et donc insérés dans le *Presse-papiers* sont recouverts à chaque nouvelle opération de copie ou de coupe d'un autre morceau ; en outre, ils sont effacés quand vous éteignez l'ordinateur.

Les commandes *Copier*, *Couper* et *Coller* sont également disponibles dans le menu contextuel : sélectionnez le morceau de texte voulu puis cliquez sur ce bouton. Sélectionnez l'une des commandes *Copier* ou *Couper*. Positionnez le curseur sur le point d'insertion, appuyez sur le bouton droit de la souris et sélectionnez le commande *Coller* du menu contextuel.

Mise en forme de textes

Quand vous créez un document dans *Wordpad*, le programme utilise par défaut la police *Times New Roman* ayant une taille de *10 points*.

Vous pouvez évidemment modifier cette définition et assigner la police et la taille voulues à chaque caractère dans *Wordpad*.

Définition du type et de la taille de police

Pour les textes déjà tapés, sélectionnez tout d'abord le caractère, les morceaux tapés ou tout le texte à l'aide de Ctrl+A. Sélectionnez ensuite la commande *Police...* dans le menu *Format* de *Wordpad* pour afficher la boîte de dialogue *Police* illustrée dans la Figure 13.3.

Zone de liste
Police/Taille

Le type et la taille de la police courante sont sélectionnés dans les zones de liste *Police* et *Taille*. Un exemple est visualisé dans le champ *Aperçu*. La zone de liste *Police* énumère par ailleurs tous les types de police disponibles.

Polices *Truetype*

Les polices *Truetype* sont marquées de l'icône ᴛᴛ. Cliquez dans la liste *Police* sur la rubrique voulue. Utilisez éventuellement la barre de défilement, pour parcourir la liste des polices installées.

Modification de la taille

Pour modifier la taille de la police, sélectionnez dans la zone de liste *Taille* une valeur en *points* puis cliquez sur *OK* pour confirmer

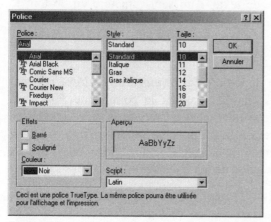

Figure 13.3   La boîte de dialogue Police dans *Wordpad*

Boîte à liste déroulante Police

Pour mettre en forme plus rapidement le texte, utilisez les boîtes à liste déroulante *Police* Times New Roman et *Taille* 10 dans la *Barre de format* que vous pouvez rappeler à l'aide du menu *Affichage*.

Déroulez la liste relative et sélectionnez les rubriques voulues. Vous pouvez aussi taper directement la taille de la police et confirmer en appuyant sur la touche ↵.

Le type et la taille de la police peuvent être définis aussi bien avant que durant la frappe du texte et ils sont valables tant que vous ne définissez pas un autre format. La commande *Police* se trouve aussi dans le menu contextuel qui s'affiche après avoir sélectionné un morceau de texte et en cliquant sur le bouton droit de la souris.

Attributs gras, italique ou souligné

Dans la section précédente, nous avons expliqué comment définir le type et la taille de la police dans *Wordpad* ; à présent, nous allons parler de la mise en forme de morceaux de texte, d'un seul caractère ou de tout le texte avec les attributs gras, italique ou souligné. Ces formats police ne peuvent être assignés que si une sélection a été effectuée.

Attributs de texte

Les attributs de texte *Gras*, *italique* et *souligné* peuvent être assignés en sélectionnant la commande *Police* du menu *Format*. Les touches de raccourci correspondantes sont énumérées à la fin de cette section. Si vous voulez mettre en gras un passage de texte, sélectionnez en premier lieu la section de texte désirée.

Format/Police...

Dans le menu *Format*, choisissez donc la commande *Police*. Dans la boîte de dialogue *Police*, sélectionnez sous *Style* la rubrique *gras*. Vous pouvez ainsi mettre en *Italique* ou en *Gras-Italique* les caractères sélectionnés ou bien appliquer le style *Normal* à des morceaux mis en gras ou en italique.

Aperçu

Dans le champ *Aperçu*, un exemple du format sélectionné s'affiche. Pour assigner les attributs *Barré* ou *Souligné* du groupe d'options *Effets*, activez ou désactivez la case à cocher correspondante.

Une fois les choix effectués, cliquez sur *OK*, pour assigner le format à la sélection. Les boutons de la *barre de format* de *Wordpad* permettent d'accélérer le travail.

Figure 13.4   Barre de format de *WordPad*

Affichage/
Barre de formule

Pour activer ou désactiver cette barre d'outils, sélection-nez la commande *Affichage/Barre de format*. Pour mettre en gras des morceaux de texte, cliquez sur le bouton *Gras* **G**, le bouton *Italique* **I** permet d'incliner les caractères vers la droite. A l'aide du bouton *Souligné* **S**, vous sou-lignez les caractères. Pour des mises en forme plus élabo-rées, affichez la boîte de dialogue *Format/Police*.

Boîte à liste
déroulante Couleur

Vous y verrez la boîte à liste déroulante *Couleur* qui pro-pose une gamme de couleurs pouvant être assignées au caractère. Pour rappeler plus rapidement la palette de couleurs, sélectionnez le bouton *Couleur* dans la *Barre de format*.

Définition de l'alignement du texte

Paragraphe

Wordpad travaille, comme tout programme de traitement de textes, avec les paragraphes. Un paragraphe est créé en appuyant sur la touche ⏎. Si vous entrez du texte, tous les caractères feront partie du paragraphe jusqu'à ce que vous appuyiez sur la touche ⏎. Avec cette touche, vous pouvez également créer des lignes vides qui seront consi-dérées comme des paragraphes vides et qui pourront in-fluencer l'aspect du texte.

Mises en forme des paragraphes

Cela est dû au fait que dans *Wordpad* vous pouvez modi-fier l'aspect d'un paragraphe et de tout le texte compris entre deux lignes séparées par ⏎ mais la modification est aussi appliquée aux paragraphes vides. Il est possible de modifier ou de configurer les paragraphes à l'aide de l'*Alignement*, l'*Interligne* ou les *Retraits* des lignes.

Format /
Paragraphe...

Dans *Wordpad* vous pouvez assigner un format différent à chaque paragraphe. Avec les mises en forme des paragraphes, des morceaux de texte peuvent facilement être séparés des autres ou mis en évidence d'un point de vue graphique. Les formats des paragraphes sont rappelés dans *Wordpad* à l'aide du menu *Format* et de la commande *Paragraphe...* ou bien à l'aide des boutons de la *barre de format*. Si cette barre d'outils n'apparaît pas sur l'écran, sélectionnez la commande *Barre de format* dans le menu *Affichage*.

Curseur dans le
paragraphe

Tapez ou rappelez un texte dans Worpad (reportez-vous à la fin du chapitre). Pour définir l'alignement du texte, positionnez le curseur dans le paragraphe ou sélectionnez plusieurs paragraphes.

Définition alignement du texte

Format/
Paragraphe...

Choisissez la commande *Format/Paragraphe...* Ouvrez la boîte à liste déroulante *Alignement,* vous verrez les rubriques *Gauche*, *Droite* et *Centré*. La sélection standard est *Gauche*. Savez-vous ce que signifie le terme *alignement* ?

Les lignes d'un paragraphe sont toujours alignées par rapport aux marges ou au centre de la page. Si vous voulez aligner les lignes d'un ou plusieurs paragraphes à la marge de gauche, sélectionnez la rubrique *Gauche* sous *Alignement* dans la boîte de dialogue *Paragraphe*. Cette opération est cependant superflue puisque l'alignement à gauche est le paramètre par défaut.

Figure 13.5   La boîte de dialogue *Paragraphe* dans *Wordpad*

Alignement droit

Si vous voulez aligner les lignes à droite, sélectionnez la rubrique *Droite*. Pour aligner les lignes par rapport au centre de la page, sélectionnez la rubrique *Centré*. L'alignement centré est souvent utilisé pour les titres, le texte normal est normalement aligné à gauche. L'alignement à droite est utilisé par ex. pour la date ou le numéro de facture des documents.

Boutons d'alignement

La façon la plus rapide d'assigner un *alignement* à un ou plusieurs paragraphes sélectionnés est de cliquer sur les boutons *Aligner à gauche* ▤, *Centré* ▤ et *Aligner à droite* ▤ dans la *barre de format*. Vous pouvez éventuellement sélectionner la commande *Paragraphe* dans le menu contextuel si le curseur se trouve dans le paragraphe voulu.

Fonction de recherche et remplacement

Avec la fonction de recherche intégrée de *Wordpad*, on peut facilement trouver des termes identiques éloignés l'un de l'autre. Si vous voulez remplacer les termes recherchés par d'autres termes, utilisez la fonction *Remplacer*.

Recherche de morceaux de texte

Si vous voulez rechercher des concepts déterminés, des caractères individuels ou un groupe de caractères ou de mots dans un texte *Wordpad*, dans le menu *Edition* sélectionnez la commande *Rechercher*. Vous pouvez aussi utiliser le bouton *Rechercher* 🔍 ou la touche de raccourci $\boxed{\text{Ctrl}}$ + $\boxed{\text{F}}$.

Boîte de dialogue
Rechercher

A ce stade, vous pouvez taper le terme à rechercher dans la boîte de dialogue *Rechercher* et choisir les paramètres de recherche. Si vous cochez la case *Mot entier uniquement*, *Wordpad* recherche le mot entier et ignore le texte figurant éventuellement dans des mots plus longs.

Respecter la casse

Si vous cochez la case *Respecter la casse*, la recherche respecte les éventuelles lettres majuscules ou minuscules du terme tapé dans la zone de texte Rechercher.

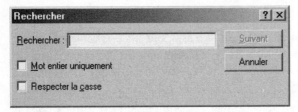

Figure 13.6   La boîte de dialogue *Rechercher*

Lancement de la
recherche

Tapez le terme de recherche dans la zone de texte *Rechercher* et cliquez sur le bouton *Suivant* pour commencer la recherche. *Wordpad* sélectionne le premier terme trouvé dans le texte.

Si vous cliquez de nouveau sur le bouton *Suivant*, l'occurrence suivante est recherchée. Une fois la boîte de dialogue annulée, vous pouvez reprendre la recherche du terme tapé précédemment en choisissant Edition/Recherche le suivant ou en appuyant sur la touche $\boxed{\text{F3}}$.

Wordpad commence toujours la recherche à partir du point où se trouve le curseur ou bien du début de la sélection. Quand la fin du document est atteinte, la recherche repart automatiquement du début du texte.

D'une manière générale, la recherche est effectuée sur tout le texte quel que soit le point de départ de la recherche. Si, avant de rappeler la commande de recherche, vous avez sélectionné un mot dans le texte, *Wordpad* insère automatiquement ce terme dans la zone de texte *Rechercher.*

Modifications à effectuer

Pour effectuer des modifications sur un texte sélectionné quand la boîte de dialogue *Rechercher* est ouverte, il suffit de cliquer dans la zone sélectionnée. Au terme de la recherche, le programme affiche un message qu'il faut confirmer avec *OK*. Fermez la boîte de dialogue *Rechercher* en cliquant sur le bouton *Annuler* ou sur le bouton *Fermer* ⌧ dans la barre de titre.

Remplacement de morceaux de texte

Si vous voulez remplacer certains caractères, mots ou combinaisons de caractères et de mots, sélectionnez dans le menu *Edition* la commande *Remplacer...*

La combinaison de touches correspondante est Ctrl+H. La boîte de dialogue *Remplacer* s'affichera.

Tapez dans la zone de texte *Rechercher* le terme à rechercher et dans la zone de texte *Remplacer par* le terme de remplacement.

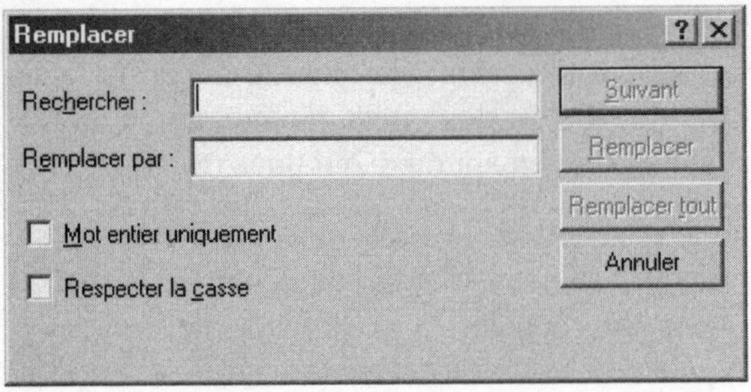

Figure 13.7   La boîte de dialogue *Remplacer*

Paramètres de recherche

Cochez éventuellement les cases *Mot entier uniquement* ou *Respecter la casse*. Pour lancer la recherche, cliquez sur le bouton *Suivant*. Le bouton *Remplacer* permet de remplacer la première occurrence trouvée par le terme de remplacement. La recherche continue automatiquement.

Remplacer

Cliquez sur *Remplacer* pour chaque terme que vous voulez modifier ou bien sur *Suivant*. Sélectionnez *Remplacer tout*, si vous voulez remplacer en un seul coup toutes les occurrences trouvées. Pour fermer la boîte de dialogue *Remplacer*, cliquez sur le bouton *Fermer* ☒ dans la barre de titre.

Impression, enregistrement et ouverture de documents

Quand vous travaillez avec *Wordpad* pour créer des documents de texte, vous devez les enregistrer afin de pouvoir les rappeler par la suite ou les imprimer.

Impression de documents

Aperçu avant impression

Avant d'imprimer un document, il peut être utile de l'examiner à l'aide de l'*Aperçu avant impression* de Wordpad. Pour cela, cliquez sur le bouton *Aperçu avant impression* 🔍 situé dans la barre de format ou bien sélectionnez *Fichier/Aperçu avant impression*. Une fois la vérification effectuée, vous pouvez imprimer votre document.

Ficher/Imprimer

Le procédé d'impression est identique pour toutes les applications de Windows. Pour imprimer un document, sélectionnez la commande *Imprimer...* dans le menu *Fichier*. Le système affiche la boîte de dialogue *Impression*.

Imprimante par défaut

La boîte à liste déroulante *Nom* visualise l'*imprimante par défaut* qui a été choisie dans le dossier *Imprimantes*, si plusieurs imprimantes sont reliées à votre ordinateur, déroulez cette boîte pour voir les rubriques correspondantes.

Groupe d'options *Zone d'impression*

Dans le groupe d'options *Zone d'impression*, établissez les parties du document à imprimer. L'option standard *Tout* entraîne l'impression de toutes les pages. La case d'option *Page* permet d'indiquer les pages voulues dans les zones de texte *de :* et *à :*. L'option *Sélection* n'est disponible que si vous avez sélectionné une partie dans le texte.

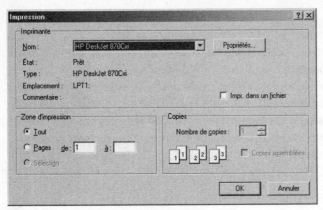

Figure 13.8   La boîte de dialogue *Impression*

Groupes d'options
Copies

Dans le groupe d'options *Copies*, définissez le nombre d'exemplaires à imprimer en utilisant les petites flèches prévues à cet effet. Cochez la case *Copies assemblées* si l'imprimante est en mesure d'effectuer cette opération. Une fois les choix effectués, cliquez sur OK pour lancer l'impression.

Bouton Imprimer

Pour lancer rapidement une impression qui prend en charge les paramètres standards de la boîte de dialogue *Impression*, cliquez sur le bouton *Imprimer* 🖨 dans la *barre de format*.

Enregistrement de documents

Si vous voulez stocker sur le disque dur un document créé avec *Wordpad*, sélectionnez la commande *Enregistrer* du menu *Fichier*. Quand vous enregistrez pour la première fois un document (vous verrez l'inscription *Document - WordPad* dans la barre de titre) la boîte de dialogue *Enregistrer sous* apparaît automatiquement.

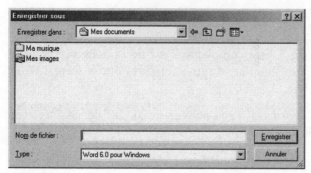

Figure 13.9   La boîte de dialogue *Enregistrer sous*

Champ d'entrée

Nom fichier

Le nom est déjà sélectionné dans la zone de texte *Nom de fichier*. Recouvrez la sélection par un nom de fichier (vous disposez de 255 caractères y compris les espaces !), faites attention aux lettres majuscules et minuscules.

Sélectionnez le dossier de destination à l'aide de la boîte à liste *Enregistrer dans*. Cliquez sur le bouton *Enregistrer* pour stocker le texte sur le disque dur. La prochaine fois que vous effectuerez un enregistrement, *Wordpad* proposera le dernier dossier rappelé.

Ouverture de documents

Pour ouvrir un fichier de texte déjà enregistré, sélectionnez la commande *Ouvrir* dans le menu *Fichier*. Dans la
boîte de dialogue *Ouverture* passez au lecteur ou au dossier d'origine où se trouve le document.

Sélection du nom de fichier

Tapez le nom du texte voulu dans *Nom de fichier* ou bien
sélectionnez-le dans la zone de liste située au-dessus.
Cliquez ensuite sur le bouton *Ouvrir*. *Wordpad* charge le
fichier sélectionné.

La boîte à liste déroulante *Type* de la boîte de dialogue
Ouverture énumère d'autres formats outre le format *Word
pour Windows 6.0 (*.doc)*.

Formats supportés

Dans *Wordpad*, vous pouvez ouvrir les documents avec
les formats suivants :

- *Fichiers texte seulement (*.txt)*

- *Fichiers texte MS-DOS (*.txt)*

- *Rich Text Format (*.rtf)*

- *Windows-Write (*.wri)*

- *Document texte unicode (*.txt)*

Glossaire de Windows Me

Accès à distance

Il s'agit d'une connexion vers d'autres ordinateurs sous Windows Me, à travers un réseau ou Internet, effectuée par l'intermédiaire de la ligne téléphonique ou d'une ligne ISDN et d'un modem.

Adaptateur ISDN

Ce périphérique supplémentaire permet de relier l'ordinateur à la ligne téléphonique digitale *ISDN* composée de 2 canaux avec une transmission de données de 64 kbit/s environ.

ISDN signifie : *Integrated Services Digital Network*.

Adresses IP

Ces adresses de *protocole Internet* servent à identifier un ordinateur dans un réseau ou Internet et sont uniques, ex. 192.168.17.4

Agent de compression

Cet outil système permet de compresser un support de données (jusqu'à 850 Mo). La compression réduit de moitié environ l'espace occupé par les données figurant sur le support.

Agrandir

La fenêtre occupe tout écran. Cela correspond à la grandeur maximum possible d'une fenêtre dans Windows ; la procédure est appelée Agrandir.

Aperçu avant impression

Wordpad offre un type d'affichage permettant de contrôler une ou plusieurs pages d'un document avant de lancer l'opération d'impression. L'aperçu avant impression visualise le document exactement tel qu'il sera imprimé.

Application en arrière-plan

Il s'agit d'une application en cours d'exécution mais qui n'est pas active. Toutes les *applications en arrière-plan* figurent sous forme de boutons dans la *barre des tâches*.

Autorisations

Les autorisations permettent d'accéder aux ressources partagées sur votre ordinateur ou sur le réseau.

Barre de défilement

Quand tout le contenu d'une fenêtre (rubriques, document) ne peut pas être visualisé, une barre apparaît automatiquement pour permettre de parcourir ce contenu.

Barre de menus

Cette barre horizontale est située sous la *barre de titre* et propose différents menus.

Barre des tâches

Cet élément de l'écran placé au bas du bureau permet de basculer entre les applications à l'aide des boutons correspondants.

Bit par seconde, bps

Il s'agit de l'unité de mesure de la vitesse à laquelle un modem transmet les données.

Les modems modernes *V.90* atteignent jusqu'à 56.000 Bits par seconde (bps).

Bloc-notes

Ce programme permet d'ouvrir, de lire, de parcourir et de modifier des fichiers texte sans mise en forme tels que, par exemple, les fichiers d'initialisation et système.

Boutons de commande

Cet élément, appelé couramment *bouton*, se trouve dans les *boîtes de dialogue* et est composé d'un rectangle contenant une inscription.

Bureau

Il s'agit de la « chambre d'icônes » de Windows qui est visualisée directement après le lancement. Elle contient les icônes standards du *Poste de travail*, de la *Corbeille* et d'*Internet Explorer*. Il est possible d'ajouter d'autres icônes relatives à des fichiers ou des programmes.

Bus série universel, USB

Ce port externe permet de connecter jusqu'à 127 périphériques USB sans éteindre l'ordinateur ; les périphériques sont reconnus automatiquement.

Canal B

Chaque connexion *ISDN* utilise plus de deux *canaux B* pour transmettre la voix ou des données.

Commandes MS-DOS

Il s'agit d'une fenêtre de programme permettant l'insertion des commandes MS-DOS sous *Windows Me.*

Corbeille

Il s'agit d'un dossier spécial où sont insérées les données effacées par l'utilisateur et à partir duquel elles peuvent être récupérées ou supprimées du disque dur.

Démarrage

Il s'agit d'un groupe de programmes où il est possible d'insérer des documents et des programmes afin qu'ils soient automatiquement ouverts/lancés lors du démarrage de Windows. Pour accéder à ce dossier, vous pouvez rappeler l'*Explorateur Windows* et sélectionner *Windows\Menu Démarrer\Programmes\Démarrage.*

Détails

Ce mode d'affichage qui est disponible dans les fenêtres de dossier et l'*Explorateur Windows* visualise des informations supplémentaires sur les dossiers ou les fichiers telles que la taille, le type et la date de la dernière modification.

Disquette de démarrage

L'ordinateur a obligatoirement besoin d'un système d'exploitation pour démarrer, en conséquence si *Windows Me* est endommagé, vous ne pourrez pas accéder à votre PC. Dans ce cas, il faut avoir recours aux disquettes de démarrage où Windows a copié tous les fichiers nécessaires au lancement du système d'exploitation.

Dossier de destination

Il s'agit du dossier où vous voulez copier ou déplacer un ou plusieurs fichiers.

Dossier partagé

Il s'agit d'un dossier figurant sur un autre ordinateur réseau dont l'utilisation est accordée librement à d'autres utilisateurs.

DVD

Il s'agit de l'abréviation de *Digital Video Disc*, c'est un support optique de données semblable au CD-ROM.

Les DVD peuvent stocker une plus grande quantité de données et sont souvent utilisés pour enregistrer des films cinématographiques.

Envoyer vers

Cette commande permet plusieurs opérations : à savoir, copier sur des disquettes les fichiers et les dossiers, les envoyer vers l'imprimante, le télécopieur ou le service de courrier électronique de *Outlook Express*.

Explorateur Windows

Il s'agit d'un programme permettant de gérer les dossiers et les fichiers. Avec l'*Explorateur Windows* vous pouvez copier, déplacer, supprimer, créer, renommer des fichiers et des dossiers et même créer des raccourcis vers ces éléments.

Fragmentation

Toutes les données d'un fichier ne sont pas nécessairement stockées dans le même emplacement, elles peuvent être distribuées à différents endroits sur le disque dur. Dans ce cas, le fichier est fragmenté et sa lecture est ralentie.

Fichier .INF

Le fichiers de configuration suivis de l'extension *INF* contiennent les informations matérielles relatives à l'installation de nouveaux périphériques sur l'ordinateur.

Glissement

C'est une technique permettant de déplacer par ex. les icônes sur le *bureau*, à l'intérieur des dossiers ou entre différents dossiers. Pour cela, il faut cliquer sur l'élément voulu, maintenir enfoncé le bouton de la souris puis déplacer cette dernière vers le nouvel emplacement. Une fois la position atteinte, il suffit de relâcher le bouton de la souris pour que l'élément y soit placé.

HTML

Il s'agit de l'abréviation de *Hypertext Markup Language* qui correspond à un langage de programmation servant à créer des documents hypertextes à utiliser sur le WWW et pouvant être échangés d'un ordinateur à l'autre.

Hyper Terminal

Ce programme de communication (*Programmes/Accessoires/Communications*) permet de se connecter à travers un modem à d'autres ordinateurs, à une boîte aux lettres électronique ou à un service d'informations en ligne.

Imprimante locale

C'est l'imprimante directement reliée à votre ordinateur.

LAN

Il s'agit d'une connexion de plusieurs ordinateurs et dispositifs reliés entre eux à travers un câble réseau.

LAN est l'abréviation de *Local Area Network* qui signifie réseau local.

Mes documents

Ce dossier qui se trouve sur le Bureau sert à enregistrer les documents, les graphiques et d'autres fichiers.

Dans la hiérarchie de *Windows Me*, il se trouve au premier niveau, à savoir directement sous le Bureau.

Microsoft Backup

Ce programme de *Windows Me* permet de créer une copie de sauvegarde des fichiers constituant une protection contre la perte de données.

Microsoft Outlook Express

Cette application sert à gérer et organiser les fax et le courrier électronique. *Outlook Express* contient des dossiers où figurent le courrier entrant et sortant ainsi que les objets supprimés ou envoyés.

Modem

Ce dispositif supplémentaire convertit les informations digitales de l'ordinateur en signaux sonores pouvant être transmis à travers la ligne téléphonique.

Modem V.90

Ce modem est conforme au standard V.90 et permet d'atteindre une vitesse de téléchargement allant jusqu'à 56.000 bps sur les lignes téléphoniques analogiques.

La vitesse d'envoi est d'environ 33.600 bps.

Numéroteur téléphonique

Programme pour l'enregistrement et la sélection automatique des numéros de téléphone.

Hors connexion

L'ordinateur n'est pas connecté au réseau ou à Internet.

En ligne

L'ordinateur est connecté au réseau ou à Internet.

Ordinateur local

Ordinateur sur lequel vous êtes enregistré en tant qu'utilisateur et où vous pouvez utiliser les lecteurs et les périphériques.

Paint

C'est un programme graphique propre de Windows permettant de créer et modifier des images bitmap.

Panneau de configuration

Ce dossier contient des icônes permettant de personnaliser les paramètres de base des éléments matériels reliés, à savoir la souris, le clavier, l'imprimante, le moniteur et le logiciel.

Partage d'imprimante

Pour qu'une imprimante reliée en réseau soit mise à la disposition d'autres utilisateurs ou d'ordinateurs, elle doit être partagée.

Si tel est le cas, elle devient l'imprimante réseau.

Pilote

C'est un petit programme permettant à un périphérique installé sur l'ordinateur ou relié à celui-ci de communiquer avec *Windows*.

Sans pilote, le périphérique ne peut pas fonctionner.

Plug & Play

C'est un standard permettant à un ordinateur de détecter et de configurer automatiquement un périphérique ainsi que d'installer le pilote approprié.

Presse-papiers

Il s'agit d'une mémoire temporaire où sont déposées les données coupées dans un document (à l'aide de la commande *Edition/Couper* ou du bouton *Couper)* ou bien les données copiées (à l'aide de la commande *Edition/Copier* ou du bouton *Copier)*. Pour insérer ces données à un autre endroit à l'intérieur du même document ou dans un autre document, il faut sélectionner la commande *Edition/Coller* ou cliquer sur *Coller*.

Protocole Internet, *TCP/IP*

C'est le protocole utilisé pour adresser ou envoyer des données à travers Internet ou un réseau.

TCP/IP est l'abréviation de *Transmission Control Protocol/Internet Protocol*.

Poste de travail

Ce dossier spécial sert à gérer et à organiser l'ordinateur, le ou les disques durs, le lecteur de disquettes et/ou de CD-ROM, les imprimantes reliées etc. Dans la hiérarchie des objets Windows, le *Poste de travail* se trouve au-dessous du bureau.

Principe *WYSIWYG* (What you see is what you get)

Il s'agit de l'abréviation de l'expression anglaise *What you see is what you get* qui signifie « ce que vous voyez est le résultat final ». Sous Windows, les polices *Truetype* répondent à ce principe puisque ce que vous voyez sur l'écran correspond exactement à ce qui sera imprimé.

Qu'est-ce que c'est ?

Il s'agit d'un élément de l'Aide de Windows disponible dans les boîtes de dialogue et qui fournit une explication sur les options, les paramètres, etc. figurant dans ces boîtes.

Raccourci

Un raccourci mène à un objet enregistré dans un autre emplacement. Il sert, par ex., à lancer les programmes ou les fichiers directement à partir du bureau.

Réduction

Les fenêtres peuvent être réduites en icône et donc placées dans la barre des tâches sous forme de bouton à l'aide de cette commande qui est disponible dans le menu système.

Restaurer

Le terme *Restaurer* est appliqué à trois différents secteurs dans Windows. Le bouton homonyme situé dans la barre de titre rétablit la taille d'origine d'une fenêtre agrandie. Dans la Corbeille, cette commande permet de restaurer les fichiers supprimés. Enfin, *Microsoft backup* sous Windows Me se sert de cette commande pour restaurer dans la mémoire permanente les données détruites ou supprimées.

Ressources système

Les lignes de requêtes d'interruption IRQ, les canaux DMA, les ports d'E/S et les *adresses de mémoire* sont appelés Ressources système et sont utilisés par les périphériques.

Même les informations prises sur Internet sont considérées comme des ressources.

ScanDisk

Cet outil système de *Windows Me* permet de rechercher et corriger automatiquement les erreurs sur les supports de données.

Serveur Web

Il s'agit d'un ordinateur sous Internet qui enregistre des informations ou des données et qui répond aux requêtes des utilisateurs envoyées à travers un navigateur tel que *Microsoft Internet Explorer*.

Utilisateur

Indique une personne possédant des droits d'utilisation particuliers pour l'ordinateur.

URL

C'est l'abréviation de *Uniform Resource Locator,* pour l'adresse Internet, sur lequel on peut activer un serveur Web.

Virus

C'est un petit programme qui se propage d'un ordinateur à l'autre et provoque des dégâts ou gêne l'utilisateur.

Wordpad

Ce programme de traitement de textes lancé à partir de *Démarrer/Programmes/Accessoires/Wordpad* sert à enregistrer et configurer les textes ; il offre une fonction d'aperçu avant l'impression et la possibilité d'importer des objets depuis d'autres programmes. Il est possible de choisir le format pour enregistrer les documents *Wordpad.*

Case du menu système

C'est une icône qui se trouve en haut à gauche dans la barre de titre d'une fenêtre quelconque. Elle contient les commandes permettant de déplacer, redimensionner et fermer la fenêtre.